Addysg Gorfforol

CW00405498

ac Astudio Chwaraeon

Cyfrol 2
Y Perfformiwr fel Person

Dr Bob Davis
Ros Bull
Jan Roscoe
Dr Dennis Roscoe

Addasiad Cymraeg:
Colin Isaac

CANOLFAN ASTUDIAETHAU ADDYSG · ABERYSTWYTH · **CAA**

ISBN 1 85644 381 7

© Y fersiwn Saesneg: Mosby International (adran o Times Mirror International Publishers Ltd), 1997.

ⓑ Yr addasiad Cymraeg: Awdurdod Cymwysterau, Cwricwlwm ac Asesu Cymru

Argraffiad cyntaf: Gorffennaf 1998

Cyhoeddwyd yr addasiad Cymraeg gan:
Y Ganolfan Astudiaethau Addysg,
Prifysgol Cymru,
Yr Hen Goleg,
Aberystwyth,
SY23 2AX
Ffôn: 01970 622121

Argraffwyd gan Argraffwyr Cambria

Cynnwys

Rhagair

Addasiad yw hwn o'r llyfr Saesneg, *Physical Education and the Study of Sport.* Mae tair rhan i'r llyfr Saesneg a'r ail ran a addaswyd yn y gyfrol hon. Mae Cyfrolau 1 a 3 yn y gyfres Gymraeg yn ymdrin â'r ddwy ran arall, *Y Perfformiwr ar Waith, Y Perfformiwr mewn Cyd-destun Cymdeithasol.*

Lluniwyd *Physical Education and the Study of Sport* fel gwerslyfr angenrheidiol ar gyfer myfyrwyr Safon Uwch mewn Addysg Gorfforol ac Astudiaethau Chwaraeon. Fe'i hysgrifennwyd gan dîm o athrawon a oedd yn ymwneud â llunio a dysgu'r meysydd llafur. Yr amcan oedd rhoi i athrawon a myfyrwyr y wybodaeth a'r ddealltwriaeth angenrheidiol ar gyfer y lefel hon o astudio, gan ddefnyddio dull ymarferol ac arddull a fyddai'n gyfeillgar i'r darllenydd.

Cyfrolau eraill yn y gyfres:

Cyfrol 1 Y Perfformiwr ar Waith

Cyfrol 3 Y Perfformiwr mewn Cyd-destun Cymdeithasol

Cydnabyddiaethau

Diolch i Mosby International am eu cydweithrediad parod ar y project hwn.

Diolch i Awdurdod Cymwysterau, Cwricwlwm ac Asesu Cymru am noddi'r project.

Diolch i Dr John Lloyd (ACCAC), Marian Beech Hughes, Philip Rees, Royston James, Eurys Buckland-Evers, Elisabeth Thomas a Dafydd Kirkman am eu cefnogaeth a'u cymorth.

Diolch i Ysgol Brynhyfryd, Rhuthun, am ei chydweithrediad a'i chefnogaeth.

Diolch i Shirley Doolan, John Helms, Peter Cullen a Rosemary Watts am ddarparu llawer o'r lluniau a'r cartwnau ac i Ken Travis am y ffotograffau.

Diolch i'r canlynol am eu gwaith ar y project:

Golygu: Janice Williams
Cysodi: Ceri Jones
Pwyllgor Monitro ACCAC: Angharad Dafydd-Styles (Ysgol Cwm Rhymni)
                           Ian Jones (Coleg Meirion Dwyfor)
                           Gareth Owen (Ysgol Maes Garmon)

Cyfrol dau

Y Perfformiwr fel Person

Hyd yma yn y llyfr hwn ystyriwyd sut mae'r corff yn gweithio wrth wneud tasgau corfforol. Ym maes addysg gorfforol mae'r corff yn ganolog i'r hyn a wnawn. Os na fydd y corff wedi'i ymarfer yn iawn ac yn gweithio'n iawn, ni allwn gyflawni ein hamcanion. Ond rhaid i ni beidio ag anwybyddu'r meddwl yn ein hastudiaethau, oherwydd wrth gyflawni sgiliau a gwneud symudiadau cymhleth, fel sy'n ofynnol yn addysg gorfforol a chwaraeon, bydd y corff a'r meddwl yn gweithio gyda'i gilydd. Y tro nesaf y clywch fabolgampwr yn cael ei gyf-weld ar y teledu neu'r radio, sylwch fel y bydd yn sôn am yr agweddau meddyliol ar baratoi a pherffformio yn ogystal â'r agwedd gorfforol.

Seicoleg yw'r enw ar y wyddor sy'n astudio sut mae pobl yn meddwl ac yn ymddwyn. Mae ymddygiad yn ganlyniad i sut mae pobl yn meddwl ac yn teimlo mewn sefyllfa benodol. Gall fod yn 'ymateb awtomatig' neu beidio. Felly, defnyddiwn ddamcaniaethau a dulliau seicolegol wrth ystyried yr hyn y mae mabolgampwyr yn ei wneud wrth baratoi ar gyfer cystadleuaeth a sut maen nhw'n ymateb yn y gystadleuaeth ei hun, neu wrth astudio dawnswyr pan fyddan nhw'n cynllunio ac yn perfformio dawns, neu wrth ddadansoddi'r hyn sy'n ysgogi mabolgampwyr dŵr neu ddringwyr mynyddoedd. Fe'ch cyflwynir i rai o'r agweddau hyn yn yr adran hon.

Mae gan bobl wahanol resymau dros gymryd rhan mewn chwaraeon: cadw'n heini, cwrdd â her cystadlu a phrofi eu hunain, neu rannu diddordeb gyda'u ffrindiau. Ond mae ymchwil wedi dangos mai un o'r prif resymau dros gymryd rhan mewn chwaraeon yw'r awydd i wella sgìl a rhagori. Felly, mae'n bwysig i fyfyrwyr chwaraeon ddeall sut y daw pobl yn fedrus mewn gweithgareddau corfforol; hynny yw, sut y dysgir sgìl a'r ffactorau sy'n gwneud y broses yn hawdd neu'n anodd. Mae Penodau 9-11 yn delio â'r pwnc hwn, sef caffael sgìl. Mae Penodau 12-13 yn ystyried sut mae mabolgampwyr yn eu paratoi eu hunain cyn perfformio neu gystadlu; ystyriwn rai o'r pethau a all fynd o'i le a'r hyn y gall hyfforddwyr, athrawon a'r perfformwyr eu hunain ei wneud i sicrhau perffformiad o'r safon orau bosibl. Ystyriwn y perffformiad ei hun, sut mae pobl yn ymddwyn, sut maen nhw'n llwyddo – neu'n methu – a'r ffactorau sy'n dylanwadu ar eu perffformiad mewn gweithgareddau corfforol. Mae'r llyfr hwn yn tueddu i ganolbwyntio ar chwaraeon a bydd y rhan fwyaf o'r deunydd ychwanegol a ddarllenwch yn ymwneud â chwaraeon, ond dylech gofio bod y syniadau'n gymwys i unrhyw fath o weithgaredd corfforol, e.e. dawnsio neu weithgareddau awyr agored. Maen nhw'n gymwys i unrhyw un sy'n dysgu ac yn ceisio gwneud rhywbeth hyd eithaf ei (g)allu.

Yn gysylltiedig â phob adran o'r gwaith mae awgrymiadau ar gyfer gweithgareddau ymarferol, sydd naill ai'n dangos y ddamcaniaeth a gyflwynwyd yn gweithredu neu'n sail ar gyfer ymchwiliadau. Ar ddiwedd pob adran mae cwestiynau adolygu ac enghreifftiau o gwestiynau sy'n nodweddiadol o'r rhai a gewch mewn arholiadau TAG Safon Uwch. Awgrymir llyfrau ychwanegol i'w darllen a gallai'r syniadau ynddynt fod yn ddefnyddiol wrth drafod eich gwaith ymarferol, ei ganlyniadau a'ch arsylwadau, neu wrth baratoi atebion i'r cwestiynau. Bydd y llyfrau hyn hefyd yn helpu i ymestyn eich gwybodaeth a'ch dealltwriaeth am y cysyniadau a'r materion allweddol.

Natur Sgìl a Dosbarthu Sgiliau

Ym Mhenodau 9-11 ystyriwn sut y byddwn yn caffael sgìl. Ymdrinnir â natur sgìl, dulliau dosbarthu sgiliau a sut i feithrin medrusrwydd mewn gweithgaredd arbennig. Cyflwynir model damcaniaethol sy'n ceisio dadansoddi perfformio a dysgu yn nhermau'r modd y prosesir gwybodaeth. Hefyd, edrychwn ar ddysgu o safbwynt yr athro neu'r hyfforddwr.

Amcanion y Bennod

Ar ôl cwblhau'r gwaith ym Mhennod 9 dylech fedru:

- diffinio sgìl ac egluro'r hyn sy'n gwneud perfformiad yn un medrus;
- disgrifio seiliau pedwar dosbarthiad gwahanol o sgìl a dadansoddi tasgau corfforol yn nhermau eu nodweddion;
- gwahaniaethu rhwng 'sgìl' a 'gallu'.

• •

9.1 Diffinio Sgìl

 Geiriau allweddol a chysyniadau

arbed ymdrech	effeithlonrwydd	sgiliau canfyddiadol-motor
canlyniadau rhag-gyflyredig	llithrigrwydd	sgiliau gwybyddol
cysondeb	perfformiad	sgiliau motor
dysgu	sgìl	sgiliau seicomotor
	sgiliau canfyddiadol	

Defnyddir y cysyniad 'sgìl' mewn sawl modd gwahanol:

- Defnyddiwn y gair i olygu elfen mewn camp neu gêm, techneg fel pasio, folïo, trosbennu.
- Yn ddiweddarach yn yr adran hon cyfeiriwn at y chwaraeon eu hunain fel 'sgiliau', e.e. deifio, saethyddiaeth, tennis.
- Hefyd, defnyddiwn y gair 'sgìl' i olygu nodwedd sydd gan fabolgampwr.

Defnyddiwn y gair 'medrus' yn yr un modd. Wrth ddefnyddio'r cysyniad sgìl fel hyn rhaid sicrhau hefyd ein bod yn gwahaniaethu rhwng 'sgìl' a 'gallu', oherwydd yn y llyfrau ar ddysgu motor a chaffael sgìl mae ystyr wahanol i'r rhain.

Nodwn yn gyntaf dri math gwahanol o sgìl:

1. Wrth wneud rhifyddeg pen, e.e. cyfrifo'r sgôr mewn gêm dartiau, defnyddir sgìl gwybyddol (*cognitive*). Ystyr **sgìl gwybyddol** yw'r gallu i ddatrys problemau drwy feddwl.

2. O edrych ar Ffigur 9.1, fe welwch ddwy ddelwedd wahanol. Gydag ymarfer gallwch newid o'r naill i'r llall fel y mynnoch drwy ddefnyddio **sgìl canfyddiadol** (*perceptual*). Trwy ganfyddiad y byddwch yn synhwyro pethau ac yn eu dehongli. Mewn chwaraeon defnyddir y sgìl hwn, er enghraifft, i benderfynu ble a phryd i basio'r bêl neu pa fath o ergyd i'w defnyddio mewn gêm golff.

3. Wrth ysgrifennu eich enw, mae eich llaw yn symud ar draws y dudalen. Sgìl motor yw'r sgìl a ddefnyddir yma. Mae'n siŵr y gallech wneud hyn â'ch llygaid ar gau. **Sgiliau motor**, felly, yw'r rhai a ddefnyddir lle bo'r symudiadau'n rhai rheoledig *(voluntary)* yn bennaf a lle nad yw sgiliau canfyddiadol mor amlwg.

Mae'r sgiliau a ddefnyddir mewn addysg gorfforol a chwaracon fel rheol yn ymgorffori elfennau o'r tri math, ac yn sicr yn cynnwys canfod a symud. Felly, fe'u gelwir yn sgiliau **canfyddiadol-motor** neu **seicomotor**, ond yn aml caiff hyn ei dalfyrru'n **'sgìl motor'**. Fel rheol, fodd bynnag, mae'r elfen ganfyddiadol ymhlyg ynddo.

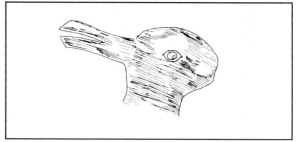

Ffigur 9.1 Sgìl canfyddiadol

 Ymchwiliad

9.1: Nodi nodweddion sgìl

Tasg 1
Gweithiwch mewn parau. Mae un ohonoch yn dangos sgìl canfyddiadol-motor all gael ei berfformio'n dda iawn, e.e. serfiad badminton. Os ydych yn brin o le neu offer, taflwch a daliwch bêl dennis neu ddwy.
Arsylwadau: Nodwch ar bapur yr holl bethau ynglŷn â'r perfformiad sy'n eich galluogi i ddefnyddio'r disgrifiad 'medrus' amdano, h.y. y pethau sy'n awgrymu bod 'sgìl' yn cael ei arddangos. Efallai y byddai'n ddefnyddiol i chi gyferbynnu'r perfformiad hwn ag un lle mae diffyg sgìl yn amlwg. Gallech, er enghraifft, ofyn i'ch partner geisio jyglo dwy bêl dennis neu dair gydag un llaw neu ddwy (Ffigur 9.2).

Tasg 2
Os oes modd, gwyliwch fideo o berfformwyr profiadol ar waith. O edrych arnynt yn perfformio, beth sy'n dangos eu bod o'r safon uchaf?

Trafodaeth
Ar sail eich arsylwadau, nodwch nodweddion perfformiad medrus.

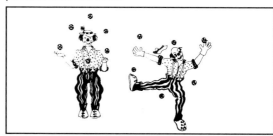

Ffigur 9.2 Perfformiad medrus

Mae nodweddion perfformiad medrus (Ymchwiliad 9.1), sydd wedi'u crynhoi yn y 'pwyntiau allweddol', yn ein harwain at ddiffiniadau o sgìl. Yn ôl un ohonynt, ystyr sgìl yw 'y gallu a ddysgir sy'n arwain at ganlyniadau rhag-gyflyredig *(predetermined)* gyda'r sicrwydd mwyaf gan ddefnyddio, yn aml, yr amser byrraf neu'r egni lleiaf neu'r ddau.' (Knapp, 1977, tud.4).

Pwyntiau Allweddol
• **Mae sgìl yn cael ei ddysgu.** Rhaid ei ymarfer, yna fe ddaw o brofiad. Fel rheol, diffinnir sgìl fel newid cymharol barhaol mewn ymddygiad a/neu berfformiad sy'n para dros amser. Rydym yn cydnabod y syniad hwn wrth gyfeirio at lwyddiant cynnar fel 'ffliwc' ac at gymnastwr medrus fel un sy'n gallu, er enghraifft, atgynhyrchu llofnaid arbennig yn llwyddiannus dro ar ôl tro.

• **Mae canlyniad i sgìl.** Dywedwn ei fod 'wedi'i gyfeirio at nod'. Mae'n amlwg yn bwysig i'r dysgwr wybod, cyn rhoi cynnig ar y sgìl, beth yw'r nod a'r rhesymau dros geisio'i gyflawni. Dyma'r 'canlyniadau rhag-gyflyredig'. Fel rheol, mae 'ffordd orau' o gyflawni'r canlyniadau hyn ac felly bydd y sgìl wedi'i seilio ar fodel sy'n dechnegol gadarn.

• Mae perfformwyr medrus yn cyflawni eu nodau'n **gyson**. Mae'n llawer mwy tebyg na pheidio y bydd chwaraewr medrus mewn gêm raced yn gosod ergydion yn union fel y bwriedir; dyna'r 'sicrwydd mwyaf'.

- Mae sgìl yn achosi **symud diwastraff ac effeithlon** sydd wedi'i gyd-drefnu'n dda ac yn fanwl gywir. Gall perfformiwr medrus amrywio amseriad y symudiad a'i wneud yn gyflym neu'n araf yn ôl y gofynion ar y pryd. Gall dechreuwr ddefnyddio llawer o egni heb lwyddo, ond gall perfformiwr profiadol gydweddu'r defnydd o egni â gofynion y dasg. Mae'r symudiad yn effeithlon ac felly yn ymddangos yn llithrig, yn rheoledig ac, yn aml, yn gain.

- Bydd perfformiwr medrus yn dadansoddi gofynion sefyllfa yn gywir ac yn **gwneud penderfyniadau** addas ynglŷn â delio â'r rhain. Mae sgìl yn golygu mwy na bod yn dechnegydd da – rhaid defnyddio technegau ar yr adeg gywir.

Dau derm sy'n codi dro ar ôl tro yn y disgrifiad hwn yw **perfformiad** a **dysgu** *(learning)*. Cewch ddeall y cysyniadau hyn yn well wrth ddarllen y gyfrol hon, yn enwedig Pennod 11, ond mae angen gwahaniaethu rhyngddynt yma.

Ystyr perfformiad yw arddangosiad o ddatrys problem neu dasg ar adeg benodol. Dangosir dysgu gan welliannau cynyddol a chymharol barhaol mewn perfformiad dros amser.

Proses oes yw dysgu. Mae hyd yn oed mabolgampwyr o'r safon uchaf yn honni eu bod yn dal i ddysgu ac yn ceisio gwella. Ond mae elfennau diffiniadwy neu gamau dysgu i bob camp, ac felly gellir dweud, er enghraifft, fod gymnastwraig wedi dysgu i wneud ôl-drosben. Hynny yw, roedd ei pherfformiadau cynnar yn aflwyddiannus – neu dibynnai ar ei hyfforddwr am gymorth – ond wrth ymarfer medrai gyflawni trosben da a fyddai'n ennill marciau uchel mewn cystadleuaeth a medrai wneud hynny'n gyson. Mae hyfforddwr neu athro da yn diffinio camau dysgu, h.y. nodau rhyngol *(intermediate)* o fewn proses dysgu fel bo'r gymnastwraig yn gwybod pa elfennau o'r sgìl sydd wedi'u meistroli a pha rai sydd angen eu mireinio *(refine)* ymhellach. Felly, dangosir dysgu gan welliannau mewn perfformiad – rydym wedi dysgu sgìl pan fedrwn ddangos gwelliant cymharol barhaol. Wrth gwrs, bydd ystyr 'gwelliant cymharol barhaol' yn dibynnu i raddau ar ofynion y dasg o ran cywirdeb. Ni ddywedir nad yw golffwr proffesiynol wedi dysgu pytio am ei fod yn methu o bryd i'w gilydd. Trafodir y pwnc hwn ymhellach ym Mhennod 11.

9.2 Dosbarthu Sgiliau

 ## Geiriau allweddol a chysyniadau

continwwm	sgiliau arallreoledig	sgiliau mân
cydbwysedd	sgiliau arwahanol	sgiliau mawr
cyd-drefniant	sgiliau caeëdig	sgiliau parhaol
dosbarthu sgìl	sgiliau cyfresol	
sgiliau agored	sgiliau hunanreoledig	

Dychwelwn at y syniad o sgiliau fel gweithgareddau, e.e. dringo, dawnsio neu saethu mewn badminton. Mae'n amlwg fod y rhain yn wahanol iawn i'w gilydd a rhaid eu dysgu mewn ffyrdd gwahanol. Byddai'n ddefnyddiol felly i athrawon, hyfforddwyr a pherfformwyr ddosbarthu sgiliau ar sail nodweddion gwahanol. **Dosbarthu** yw'r enw ar y broses o grwpio sgiliau tebyg gyda'i gilydd a rhoi label generig iddynt. Nodwyd yn yr adran flaenorol y dosbarthiad 'gwybyddol-canfyddiadol-motor'. Fel y gwelwch wrth ddarllen llyfrau eraill, mae sawl dosbarthiad gwahanol. Er enghraifft, mae Singer (1982) yn dosbarthu sgiliau yn nhermau:

- defnyddio'r corff,
- parhad y symudiad,
- amodau rheoli cyflymder (*pacing*),
- defnyddio'r meddwl,
- argaeledd adborth.

Mae gan Stallings (1982) restr debyg:

- parhad,
- cydlyniad (*coherence*),
- rheoli cyflymder,
- amodau amgylcheddol,
- adborth cynhenid.

Ystyriwn yma system ddosbarthu sydd â phedair elfen: defnyddio'r corff, amodau amgylcheddol, parhad a rheoli cyflymder.

Gellir ystyried pob un o'r elfennau hyn fel **continwwm**. Mae dau ben y continwwm yn gyferbyniol, gyda newid graddol mewn nodweddion o'r naill ben i'r llall.

Continwwm defnyddio'r corff

Ystyr **sgiliau mân** (*fine*) yw sgiliau lle bo rhannau penodol o'r corff yn gwneud symudiadau bach. Enghraifft o sgìl mân yw saethu â reiffl, lle caiff y bys tanio yn unig ei symud ond rhaid hefyd wrth gryn allu canfyddiadol ac ymddaliad llonydd.

Mae **sgiliau mawr** (*gross*) yn cynnwys grwpiau mawr o gyhyrau gyda'r corff cyfan yn symud. Enghraifft yw'r naid uchel.

Rhwng y ddau eithaf hyn mae yna sgiliau eraill lle caiff y corff ei ddefnyddio i raddau mwy neu raddau llai. Er enghraifft, mewn gêm bêl-fasged neu bêl-rwyd mae gan saethu rhydd (*free shot*) elfen fawr o ymddaliad – mae'n bwysig aros yn llonydd â sail gadarn – ond gwneir defnydd llawn o gyhyrau'r fraich a'r ysgwydd (Ffigur 9.3).

Continwwm parhad

Sgiliau sydd heb ddechrau na diwedd amlwg yw sgiliau **parhaol** (Ffigur 9.4). Yn ddamcaniaethol gellir parhau â nhw cyhyd ag y mynna'r perfformiwr. Diwedd un gylchred fydd dechrau'r nesaf.

Mae gan sgiliau **arwahanol** (*discrete*), ar y llaw arall, ddechrau a diwedd amlwg. Gall y sgìl gael ei ail-wneud, ond mae'r perfformiwr yn 'dechrau eto'.

Mae sgiliau **cyfresol** (*serial*) yn cynnwys sawl elfen arwahanol wedi'u cydio wrth ei gilydd i greu symudiad cyfannol. Mae trefn perfformio'r elfennau yn bwysig, e.e. mewn naid uchel neu naid driphlyg daw'r atrediad, yr esgyn a chydrannau'r neidio mewn trefn arbennig. Noder: er y cyfeiriwn at y rhain fel

sgiliau cyfresol, maen nhw hefyd yn amlwg yn arwahanol; felly, nid yw'r termau hyn yn annibynnol ar ei gilydd.

Continwwm rheoli cyflymder

Mae'r continwwm **rheoli cyflymder** (Ffigur 9.5) yn ymwneud ag i ba raddau mae gan y perfformiwr reolaeth ar amseriad y weithred. Dywedir bod gweithredoedd yn 'hunanreoledig' (*self-paced*) neu'n 'arallreoledig' (*externally paced*) – neu rywle rhwng y ddau eithaf hyn – yn ôl y graddau y gall y perfformiwr benderfynu pryd i ddechrau'r weithred.

Yn achos sgiliau **ar gyflymder hunanreoledig** mae gan y perfformiwr reolaeth ar gyflymder y weithred. Er enghraifft, mae chwaraewr tennis yn penderfynu amseriad gweithred y serfio; gall rhai campau llawr mewn gymnasteg gael eu cyflawni'n araf neu'n gyflym, yn dibynnu ar ba effaith sy'n ofynnol; gall dringwr symud i fyny dringen yn araf a gofalus, gan fwynhau datrys y problemau technegol, neu gall benderfynu y byddai'n well cyflymu gan fod y tywydd yn gwaethygu. Mewn achosion eraill gellir rheoli dechrau'r weithred, ond ar ôl hynny mae'r symudiad yn mynd yn ei flaen ar gyflymder penodol. Er enghraifft, mae deifiwr yn penderfynu pryd i ddechrau ei ddeif, ond ar ôl ymadael â'r bwrdd ni all arafu ei gyflymder tua'r dŵr!

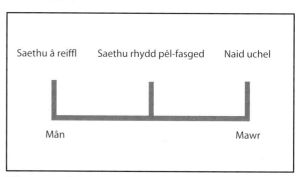

Ffigur 9.3 Continwwm 'defnyddio'r corff'

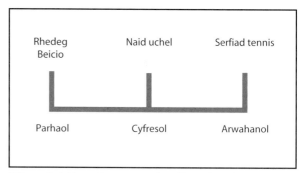

Ffigur 9.4 Y continwwm parhaol/arwahanol

Yn achos sgiliau **arallreoledig** pennir amseriad a ffurf y sgiliau gan yr hyn sy'n digwydd rywle arall yn yr amgylchedd, e.e. mae hwyliwr yn addasu gogwydd yr hwyliau a'r cyfeiriad i'w gymryd yn ôl y gwynt.

Continwwm gofynion amgylcheddol

Mae'r continwwm 'rheoli cyflymder' yn ein harwain at ddosbarthiad pwysig a gynigiwyd gan Poulton (1957) ac a ddatblygwyd mewn perthynas â sgiliau chwaraeon gan Knapp (1977). Mae'r continwwm yn seiliedig ar i ba raddau y mae amodau amgylcheddol yn effeithio ar y perfformiad (Ffigur 9.6).

Yn achos sgiliau **agored** mae ffurf y weithred yn cael ei hamrywio'n gyson yn ôl yr hyn sy'n digwydd o gwmpas y perfformiwr.

Defnyddir y term sgiliau **caeëdig** am batrymau symud a ddysgwyd o'r blaen ac y gellir eu dilyn heb roi llawer o ystyriaeth i'r amgylchedd, os o gwbl.

Ar yr olwg gyntaf mae hyn yn ymddangos yn syniad go syml, ond ceir cymhlethdodau wrth geisio nodi pa sgiliau sy'n fwy neu'n llai agored neu gaeëdig. Er enghraifft, gellid pennu pêl-droed yn sgìl agored yn y bôn gan fod chwaraewyr yn ymateb i chwaraewyr eraill drwy'r amser, ond o fewn y gêm mae yna sgiliau sydd yn amlwg yn gaeëdig, e.e. cymryd cic gosb. Gelwir y rhain yn 'sgiliau caeëdig mewn sefyllfaoedd agored'. Mae'n bwysig iawn i berfformwyr, athrawon a hyfforddwyr wybod ym mha le ar y continwwm y mae sgìl penodol, gan fod angen ymarfer sgiliau agored mewn ffordd wahanol i sgiliau caeëdig.

Wrth ddysgu ac ymarfer sgìl caeëdig, e.e. mewn trampolinio neu athletau, mae gan y perfformiwr a'r hyfforddwr fodel o'r patrwm gofynnol o symudiadau yn eu meddwl. Tasg y perfformiwr yw cael y perfformiad i fod mor debyg i'r model hwnnw ag sy'n bosibl. Felly, mae ymarfer yn golygu mireinio perfformiad yn raddol ac, wedi sefydlu patrwm y symudiadau, ei ail-wneud nes iddo ddod yn arferiad fel y gall y perfformiwr atgynhyrchu'r symudiad yn gyson heb orfod rhoi gormod o sylw iddo.

Hunanreoledig

Arallreoledig

Ffigur 9.5 Y continwwm rheoli cyflymder

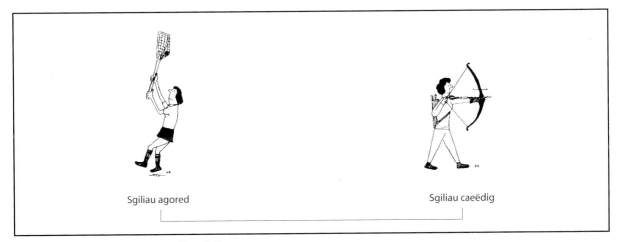

Sgiliau agored

Sgiliau caeëdig

Ffigur 9.6 Y continwwm agored/caeëdig

Yn achos sgiliau agored, ar y llaw arall, mae angen ymarfer sy'n cymryd i ystyriaeth y gwahanol ffyrdd y defnyddir y technegau. Er enghraifft, rhaid i faeswr mewn criced, rownderi neu bêl-fas fedru taflu pêl dros amrywiaeth ddiderfyn o bellterau i sicrhau y bydd y bêl yn cyrraedd y derbyniwr ar yr uchder iawn

Pwyntiau Allweddol

Mân	DEFNYDDIO'R CORFF	Mawr
Parhaol	PARHAD	Arwahanol
Hunan	RHEOLI CYFLYMDER	Arall
Agored	GOFYNION AMGYLCHEDDOL	Caeëdig

Ymchwiliad

9.2: Archwilio'r system dosbarthu

Dull: Gweithiwch mewn parau. Mae'r ddau i wneud rhestr o sgiliau addysg gorfforol. Cyfnewidiwch y rhestrau a gosodwch y sgiliau a roddwyd i chi ar y pedwar continwwm a astudiwyd gennym hyd yma. *Arsylwadau:* Wrth feddwl am y dosbarthiadau hyn, fe welwch y gall pennu lle ar gontinwwm ar gyfer gweithgaredd penodol fod yn dasg gymhleth. Mae llawer yn dibynnu ar amgylchiadau., e.e. gallai sgïo fod yn agored neu'n gaeëdig yn dibynnu ar gyflwr a graddiant y *piste*. Eto, er bod angen sgiliau agored mewn gêm fel tennis, wedi i

chwaraewr benderfynu pa fath o ergyd i'w gyflawni, rhoi ei hun yn y safle iawn a nodi cyflymder a sbin y bêl, mae'r ergyd ganlynol yn gaeëdig – 'sgìl caeëdig mewn sefyllfa agored'. *Trafodaeth:* Ceisiwch gytuno â'ch partner ble i osod y gwahanol sgiliau. Awgrymwch oblygiadau posibl y dosbarthiad hwn ar gyfer mabolgampwyr. Er gwaetha'r anawsterau, mae dosbarthu sgiliau yn syniad diddorol ac yn rhoi rhywbeth i ni ei ystyried wrth benderfynu sut i ymarfer sgìl penodol. Trafodir hyn eto ym Mhennod 11.3.

Cwestiynau Adolygu

1. Rhowch ddiffiniad o sgìl.
2. Diffiniwch a rhowch enghraifft o (a) sgìl canfyddiadol a (b) sgìl motor. Pam y cyfeirir at sgiliau chwaraeon fel sgiliau 'seicomotor'?
3. Rhowch enghraifft o sgìl ym myd chwaraeon sy'n arwahanol ac yn gaeëdig.
4. Sut mae sgiliau agored yn wahanol i sgiliau caeëdig?
5. Beth yw ystyr 'sgìl caeëdig mewn sefyllfa agored'?

9.3 Sgìl a Gallu

 Geiriau allweddol a chysyniadau

cryfder bongorff	gallu	stamina
cryfder dynamig	gallu canfyddiadol	trachywiredd dynamig
cryfder ffrwydrol	gallu motor	trachywiredd statig
cryfder statig	gallu seicomotor	
cyflymder	hyblygrwydd ymestyn	

Mae angen gwahaniaethu yma rhwng dau derm – sgìl a gallu – a ddefnyddir yn aml mewn iaith bob dydd i olygu'r un peth. I seicolegwyr chwaraeon, fodd bynnag, mae'r rhain yn dermau technegol sy'n golygu dau beth hollol wahanol.

Mae **sgìl** yn cael ei gaffael *(acquired)*. Rhaid i sgìl gael ei ddysgu ac ystyrir y broses dysgu ym Mhennod 11.

Mae **gallu**, e.e. i ymateb yn gyflym, yn nodwedd sefydlog a pharhaol a bennir yn bennaf yn enetig. Hyn sydd wrth wraidd perfformiad medrus a gellir ei ddefnyddio mewn amrywiaeth o sgiliau (Schmidt, 1991, tud. 283). Mae galluoedd yn datblygu wrth aeddfedu; cân nhw eu haddasu drwy brofiad, ond yn gyffredinol fe'u hystyrir yn gynhenid ac yn barhaol – ond mae rhai seicolegwyr yn amau hyn. Yn yr un modd â sgiliau, gall galluoedd fod yn ganfyddiadol yn y bôn, yn fotor yn y bôn neu'n gyfuniad o'r ddau. Gan fod y rhan fwyaf o alluoedd sy'n ymwneud â gweithredu yn gyfuniad, fe'u gelwir yn **alluoedd seicomotor**.

Mae galluoedd yn sail i sgiliau ac yn cyfrannu atynt. Er enghraifft, os oes gan unigolyn gydbwysedd naturiol da, ysgwyddau hyblyg a chryfder yn rhan uchaf y corff a'r arddyrnau, mae ganddo'r nodweddion sydd eu hangen i gyflawni llawsafiad. Y sgìl yw'r llawsafiad ei hun a rhaid i'r gymnastwr ddysgu defnyddio a chyd-drefnu'r galluoedd hyn yn effeithiol i gyflawni llawsafiad.

Mae aeddfedu, sy'n ganlyniad i dwf a datblygiad, yn amrywio o unigolyn i unigolyn ac yn achosi gwahaniaethau yng nghyflymder dysgu. Ail ffactor sy'n achosi gwahaniaethau rhwng unigolion o ran cyflymder dysgu yw gallu seicomotor. Gall hyn hefyd osod terfynau ar lefel y perfformiad y gall unigolyn ei gyflawni mewn sgìl penodol. Er enghraifft, os nad ydych wedi etifeddu digon o ffibrau sy'n ymateb yn gyflym, ni fyddwch fyth yn sbrintiwr o'r safon uchaf, faint bynnag o ymarfer y gwnewch chi.

Mae'n bwysig cofio nad oes yna restr ddiffiniol o alluoedd seicomotor. Mae ymchwilwyr gwahanol yn categoreiddio gallu mewn ffyrdd gwahanol ac mae hyd yn oed y termau a ddefnyddir i ddisgrifio'r galluoedd yn amrywio ychydig.

Mae Stallings (1982), er enghraifft, yn llunio'i rhestr hi ar sail yr amodau canlynol: bod pob gallu wedi'i nodi mewn nifer o astudiaethau; y gellir eu datblygu a'u hasesu; a'u bod yn berthnasol i addysgwyr corfforol (Ffigur 9.7).

Yn dilyn rhaglen ymchwil fawr a oedd wedi cynnwys mwy na 200 o dasgau a miloedd ar filoedd o bobl, nododd Fleishman (1972) nodweddion perfformiad motor fel a ganlyn (Ffigur 9.8):

- Cyfres o alluoedd seicomotor sy'n deillio o dasgau cyd-drefnu aelodau'r corff: amser adweithio; cyfeirio ymateb, h.y. yr amser adweithio dewisol; cyflymder symud; deheurwydd bysedd; deheurwydd llaw; cyfannu ymateb, h.y. gwneud synnwyr o amrywiaeth o ffynonellau gwybodaeth, megis mewn gêmau rhyngweithiol.
- Naw 'gallu hyddysgedd *(proficiency)* corfforol', a alwyd yn ddiweddarach yn 'alluoedd motor mawr'.

Roedd Guilford (1958) wedi llunio rhestr debyg yn gynharach: ysgogiad, cyflymder, trachywiredd *(precision)* statig, trachywiredd dynamig, cyd-drefniant a hyblygrwydd. Mae gwahaniaethau diddorol rhwng y ddwy ddamcaniaeth.

Ffigur 9.7a-e Galluoedd motor Stallings (1982)

Cynhwysedd cyfangu cyhyrau

Tymor byr, dwysedd uchel, anaerobig

Tymor hir, dwysedd isel, aerobig

a Pŵer a dygnwch cyhyrol

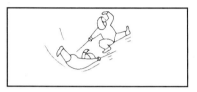

Ystod y symud mewn cymal neu grŵp o gymalau

Statig – ystod mudiant

Defnydd dynamig o ystod mudiant mewn tasg symud

b Hyblygrwydd

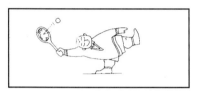

Cynnal ystum a chydbwysedd

Statig – ystum sefydlog

Dynamig – wrth symud

Cylchdro – wrth droi

c Cydbwysedd

Cyfannu'r holl agweddau ar weithred

Amseru

Ystwythder

ch Cyd-drefniant

Addasu tyndra cyhyrol yn ddetholus

d Ymlacio gwahaniaethol

HYBLYGRWYDD YMESTYN:	plygu neu ymestyn cyhyrau'r bongorff a'r cefn mor bell ag sy'n bosibl i unrhyw gyfeiriad.
HYBLYGRWYDD DYNAMIG:	gwneud symudiadau cyflym dro ar ôl tro lle mae gallu'r cyhyrau i ymadfer yn holl bwysig.
CRYFDER FFRWYDROL:	defnyddio uchafswm o egni mewn un symudiad sydyn, cryf neu gyfres ohonynt.
CRYFDER STATIG:	y grym mwyaf y gellir ei weithredu am gyfnod byr.
CRYFDER DYNAMIG:	gweithredu grym cyhyrol dro ar ôl tro neu dros gyfnod.
CRYFDER BONGORFF:	cryfder dynamig sy'n benodol i gyhyrau'r abdomen.
CYD-DREFNIANT Y CORFF:	cyd-drefnu symudiadau cyfamserol gwahanol rannau o'r corff wrth ymwneud â gweithred gan y corff cyfan.
CYDBWYSEDD Y CORFF:	cynnal cydbwysedd â mwgwd am eich llygaid.
STAMINA:	parhau i weithredu'r ymdrech facsimwm dros amser.

Ffigur 9.8 Galluoedd motor mawr Fleishman

Ymchwiliad

9.3: Ystyried y galluoedd sydd eu hangen ar gyfer sgiliau penodol

1. Trafodwch gyda ffrind y tebygrwydd a'r gwahaniaethau rhwng rhestrau galluoedd Fleishman a Guilford. Edrychwch am ystyr y termau os nad ydych yn siŵr ohonynt.

2. Edrychwch ar y lluniau sy'n dangos sgiliau addysg gorfforol yn Ffigur 9.9. Rhestrwch y galluoedd sy'n bwysig iawn ar gyfer perfformiad da ym mhob sgìl.

Ffigur 9.9 Gweithgareddau addysg gorfforol

Mae'n debyg y sylwoch chi fod llawer o alluoedd yn cael eu crybwyll dro ar ôl tro. Mae'n ymddangos bod cryfder, cyflymder a chyd-drefniant yn ofynnol ar gyfer y rhan fwyaf o sgiliau motor. Achosodd hynny i rai ysgrifenwyr ddadlau o blaid y syniad o allu motor cyffredinol. Awgrymir hyn pan ddywedir bod unigolyn yn fabolgampwr 'naturiol', gan olygu ei fod yn dda yn y rhan fwyaf o chwaraeon. Ond tuedda ymchwil i ddangos nad yw hyn yn wir a bod galluoedd penodol yn ofynnol ar gyfer sgiliau penodol. Nid yw'r cyd-drefniant sydd ei angen i gicio pêl yr un fath â'r hyn sydd ei angen i wneud step dawnsio cymhleth. Mae mwy na 100 o alluoedd motor. Felly, wrth sôn am fabolgampwr 'naturiol' golygir rhywun sydd wedi etifeddu a datblygu nifer mawr o'r galluoedd sy'n sail i sgìl mewn chwaraeon, gan gynnwys y gallu i ddysgu sgiliau motor yn effeithlon. Ynghlwm wrth hyn hefyd gellid dadlau bod yna alluoedd canfyddiadol, yn ogystal â galluoedd motor, sy'n bwysig mewn chwaraeon. Golyga hyn sut y byddwn yn sylwi ar bethau arwyddocaol sy'n digwydd o'n cwmpas a pha mor gyflym ac effeithiol y gwnawn benderfyniadau ar sut i ddelio â nhw. Mae Stallings (1982) yn galw'r galluoedd hyn yn weledol, clywedol, cyffyrddol a chinesthetig. Fe'u trafodir ym Mhennod 10,

Pwyntiau Allweddol

- Rhaid i sgiliau gael eu dysgu.
- Fel rheol ystyrir galluoedd yn nodweddion sefydlog a pharhaol sy'n sail i sgiliau ac yn cyfrannu at gyflymder unigolion yn dysgu sgiliau seicomotor ac at ansawdd eu perfformiad.
- Nid oes y fath beth â gallu seicomotor cyffredinol. Mae galluoedd penodol yn ofynnol ar gyfer sgiliau penodol, ac mae unigolion yn amrywio o ran eu hystod o alluoedd. Mae gan y mabolgampwr 'naturiol' nifer o alluoedd sy'n addas i chwaraeon.

Mesur galluoedd seicomotor

Os yw galluoedd seicomotor yn sylfaenol i ddysgu a pherfformio sgiliau, yna defnyddiol fyddai mesur gallu mewn mabolgampwyr, at ddibenion ymchwil, er mwyn gwybod mwy am y ffordd mae sgiliau'n gweithio neu er mwyn darganfod mwy am ein galluoedd personol ein hunain. Yn eu llyfr *Sports Talent*, mae Arnot a Gaines (1984) yn dangos sut y gall gwybod am dasgau penodol gweithgaredd fel bordhwylio neu dennis alluogi i bobl sy'n cymryd rhan ynddynt fesur cryfderau a gwendidau galluoedd perthnasol yn eu proffil drwy ddefnyddio profion syml. Fe allant felly ddewis gweithgareddau y mae ganddynt y potensial i fod yn dda ynddynt neu wrthbwyso diffyg cryfder, dyweder, â chyd-drefniant da.

Ymchwiliad

9.4: Mesur sgiliau seicomotor
Yn y tair tasg isod, gweithiwch mewn parau. Bydd gan y sgoriwr stopwats.

Tasg 1 – mesur cydbwysedd statig (cydbwysedd y corff)
Dull: Mesurwn yma y gallu i gydbwyso gan ddefnyddio mecanwaith y glust fewnol yn unig, h.y. heb ddefnyddio'r llygaid. Mae'n dasg anodd ac anaddas i blant bach. Os cewch drafferth i sgorio, gwnewch y prawf â'ch llygaid ar agor.

Sefwch fel y dangosir yn Ffigur 9.10. Mae'n well gwisgo esgidiau ymarfer a sefyll ar arwyneb caled. Sefwch ar eich coes ffafriedig; cadwch y pen-glin sydd wedi'i blygu yn bell allan i'r ochr. Cewch eich amseru pan gaewch eich llygaid. Caiff y wats ei stopio pan fyddwch yn agor eich llygaid, yn symud eich dwylo, yn cymryd eich troed oddi ar eich pen-glin neu'n symud eich troed sefyll. Cewch siglo ychydig ar yr amod na wnewch yr un o'r pethau uchod. Gwnewch y prawf deirgwaith, gan orffwys rhwng y troeon. Cofnodwch eich amser gorau. *Canlyniadau:* Defnyddiwch Dabl 9.1 i gofnodi'ch pwyntiau.

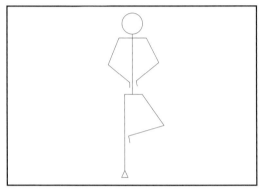
Ffigur 9.10 Cydbwyso fel storc

Tabl 9.1: Cydbwyso fel storc heb weld

Dynion		Merched	
Amser gorau (eiliadau)	Pwyntiau	Amser gorau (eiliadau)	Pwyntiau
60	20	35	20
55	18	30	17
50	16	25	14
45	14	20	11
40	12	15	8
35	10	10	4
30	8	5	2
25	6		
20	4		
15	3		
10	2		

(Arnot a Gaines, 1984, tud. 175)

Tasg 2 – mesur cyd-drefniant (ystwythder)
Dull: Mesurwch hecsagon ar y llawr fel y dangosir yn Ffigur 9.11, gyda 66 cm ar bob ochr. Cuddiwch y llinellau â thâp fel bo ymyl allanol y tâp yn ffurfio'r rhan allanol o'r hecsagon.

Sefwch yng nghanol yr hecsagon, gan wynebu ochr A; wynebwch y ffordd hon drwy gydol y prawf. Ar y gorchymyn 'ewch', pan ddechreuir y wats, neidiwch â'ch dwy droed dros linell B ac yna yn ôl ar unwaith i mewn i'r hecsagon. Cofiwch wynebu'r blaen drwy'r adeg. Yna neidiwch dros ochr C ac yn ôl – ac yn y blaen hyd nes y byddwch yn ôl yn yr hecsagon ar ôl neidio dros ochr A. Dyma un cylch; gwnewch dri chylch i gyd. Caiff y wats ei stopio ar ôl i chi gwblhau'r trydydd cylch.

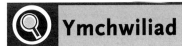
Ymchwiliad

9.4 parhad

Cofnodwch eich amser. Os gwnewch gamgymeriad drwy gamu ar linell neu neidio dros y llinell anghywir, dechreuwch y prawf eto. Cyfrifwch amserau'r profion llwyddiannus yn unig. Rhowch dri chynnig ar hyn gan orffwys rhyngddynt. Cofnodwch eich amser gorau.

Canlyniadau: Defnyddiwch Dabl 9.2 i gofnodi'ch pwyntiau.

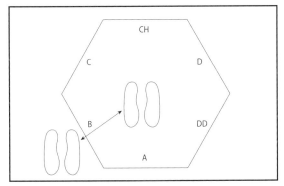

Ffigur 9.11 Yr hecsagon

Tasg 3 – mesur cryfder dygnwch y cwadriceps

Dull: Sefwch â'ch cefn yn erbyn wal esmwyth. Gwnewch y prawf yn droednoeth neu mewn esgidiau ymarfer nad ydynt yn llithro.Llithrwch eich cefn i lawr y wal yn araf nes cyrraedd y safle a ddangosir yn Ffigur 9.12. Dylai eich traed fod ar wahân yn gysurus. Dylai fod ongl 90° wrth y glun a'r penelin.

Codwch un droed tua 5 cm oddi ar y llawr. Dylai eich partner ddechrau amseru bryd hynny. Caiff y wats ei stopio pan rowch eich troed yn ôl ar y llawr. Sefwch i fyny drwy roi eich dwylo yn erbyn y wal ger eich cluniau a gwthio ymlaen yn araf. Cofnodwch eich amser. Ar ôl gorffwys gwnewch y prawf eto gyda'r droed arall yn cynnal. Eto, cofnodwch eich amser.

Canlyniadau: Gan gymryd eich amser byrraf, defnyddiwch Dabl 9.3 i gofnodi'ch pwyntiau.

Trafodaeth

Edrychwch ar eich pwyntiau ar gyfer y tri phrawf. Pa un yw'r sgôr uchaf? Ai hyn y byddech chi wedi ei ddisgwyl?

Tabl 9.2: Rhwystr hecsagonol

Amser gorau heb ochrau (eiliadau)		Pwyntiau
Dynion	Merched	
9.0	9.0	10.0
10.1	10.6	9.0
11.2	12.2	8.0
12.3	13.8	7.0
13.4	15.4	6.0
14.5	17.0	5.0
15.6	18.6	4.0
16.7	20.2	3.0
17.8	21.8	2.0
18.9	23.4	1.0
20.0	25.0	0.0

(Arnot a Gaines, 1984, tud. 145)

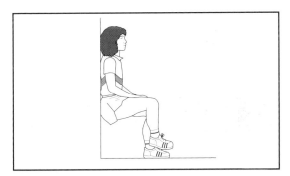

Ffigur 9.12 Y cwrcwd wal

Tabl 9.3: Cwrcwd wal

Amser (eiliadau)		Pwyntiau
Dynion	Merched	
120	70	8.0
111	65	7.6
102	60	7.2
93	55	6.8
84	50	6.4
75	45	5.6
66	40	4.8
57	35	4.0
48	30	3.2
39	25	2.4
30	20	1.6
21	15	0.8

Wrth ddarllen llyfrau eraill, cewch hyd i lawer o enghreifftiau eraill o brofion galluoedd seicomotor. Weithiau byddan nhw'n mesur mwy nag un gallu, am ei bod hi'n aml yn anodd gwahanu galluoedd mewn profion syml. Mae'r tri phrawf yn Ymchwiliad 9.4 yn mesur yr agwedd fotor ar allu, h.y. y gwaith mae'r cyhyrau'n ei wneud. Wrth ddarllen llyfrau eraill

cewch hyd i brofion sy'n mesur yr agweddau canfyddiadol ar allu.

Mae profion ar allu yn ddefnyddiol fel ychwanegiad i'r profion ar ffitrwydd, ond gan fod galluoedd yn rhyngweithio'n gymhleth mewn sgiliau chwaraeon, mae profion o'r fath yn anaddas i ddarogan pa mor dda y bydd mabolgampwr.

Cwestiynau Adolygu

1. Rhestrwch bedwar gwahaniaeth rhwng galluoedd a sgiliau.
2. Pam nad oes y fath beth â 'gallu motor cyffredinol'?
3. Pam mae'n bwysig gwahaniaethu rhwng gallu a sgìl?
4. I ba raddau y mae galluoedd yn cyfyngu ar lefel caffael sgiliau?
5. Beth yw manteision ac anawsterau mesur galluoedd motor?

Cwestiynau Arholiad

1. a. Dyma restr o weithgareddau mewn amrywiaeth o chwaraeon: tafliad rhydd pêl-fasged; loncian; nofio; naid uchel; dilyniant gymnasteg.
i. Dosbarthwch bob un o'r gweithgareddau hyn yn dasgau arwahanol, parhaol neu gyfresol. (3 marc)
ii. Cyfiawnhewch eich penderfyniadau yn achos y ddau weithgaredd cyntaf. (2 farc)
b. Diffiniwch dasg gyfresol a defnyddiwch enghraifft i egluro'r term. (3 marc)
c. Dull arall o ddosbarthu symudiad yw yn nhermau rheoli cyflymder.
i. Beth yw ystyr sgiliau hunanreoledig? Defnyddiwch enghraifft o fyd chwaraeon yn eich eglurhad. (2 farc)
ii. Beth yw ystyr sgiliau arallreoledig? Defnyddiwch enghraifft o fyd chwaraeon yn eich eglurhad. (2 farc)
2. Mae Ffigur 9.13 yn dangos proffil ar gyfer y cychwyniad mewn ras nofio, gan ddefnyddio pum continwwm sy'n cynrychioli rhai o nodweddion symudiadau medrus.
a. Gan gyfeirio at y proffil, disgrifiwch yn gryno nodweddion y cychwyniad mewn ras nofio yn nhermau pob un o'r pum continwwm hyn. (5 marc)
b. i. Gan ddefnyddio'r pum continwwm hyn, lluniwch broffil i ddisgrifio nodweddion serfiad tennis. (3 marc)
ii. Cyfiawnhewch eich dewis o safle ar y continua ar gyfer cydlyniad ac amodau amgylcheddol. (5 marc)

iii. Eglurwch yn gryno sut y gallai eich proffil o'r serfiad tennis helpu hyfforddwr i benderfynu sut i drefnu ymarferion ar gyfer chwaraewyr sy'n dysgu'r sgìl hwn. (7 marc)
3. a. Rydych yn gwylio hyfforddiant nifer o chwaraewyr badminton o allu cymysg. Mae rhai'n methu â gwella'u lefel sgiliau, faint bynnag maen nhw'n ymdrechu.
i. Diffiniwch y termau gallu canfyddiadol a gallu motor. (2 farc)
ii. Enwch ddau allu motor sydd eu hangen ar gyfer serfio mewn badminton. (2 farc)
iii. Mae gan rai perfformwyr nifer mawr o alluoedd, sy'n creu argraff o 'allu naturiol'. Pam mae'r argraff hon yn gamarweiniol? (2 farc)

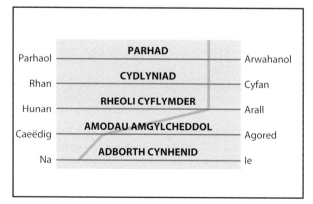

Ffigur 9.13 Proffil ar gyfer y cychwyniad mewn ras nofio *(Addaswyd o Stallings, 1982)*

Crynodeb

1. Mae ystyr wahanol i'r termau gallu a sgìl. Dysgir sgìl; dyma gyflawniad effeithlon nod a bennwyd ymlaen llaw; mae'n cynnwys cyflymder, cywirdeb ac addasu symudiadau yn ôl gofynion y dasg. I raddau helaeth caiff gallu ei etifeddu; er y gellir ei ddatblygu a'i ymestyn wrth ei ddefnyddio, ni chaiff ei ddysgu. Galluoedd sy'n sail i sgiliau. Mae nifer cyfyngedig o alluoedd, ond nifer di-rif o sgiliau.

2. Gellir dosbarthu sgiliau mewn sawl modd. Pedwar o'r dosbarthiadau mwyaf defnyddiol o ran deall caffael sgiliau yw'r rhai sy'n ymwneud â: (i) defnyddio'r corff; (ii) parhad; (iii) rheoli cyflymder; a (iv) gofynion amgylcheddol.

3. Effeithir ar y broses o ddysgu a pherfformio sgiliau gan ddatblygiad y galluoedd motor. Gellir mesur i ba raddau y mae gallu penodol wedi datblygu ar adeg benodol; ond rhaid cofio nad yw bob amser yn hawdd gwahanu galluoedd motor a bod profion yn aml yn mesur sawl gallu ar yr un pryd.

Deunydd Darllen

Deunydd Cyfeirio
Arnot R. a Gaines C. *Sports Talent,* Penguin, 1984.
Fleishman E.A. 'The structure and measurement of psychomotor abilities.' Yn: Singer R.N. (gol.) *The Psychomotor Domain: Movement Behaviour,* Lea & Febiger, 1972.
Guilford J.P. 'A system of psychomotor abilities.' *American Journal of Applied Psychology,* 1958; 71: 164-174.
Knapp B. *Skill in Sport,* Pen. 1, Routledge a Kegan Paul, 1977.
Schmidt R.A. *Motor Learning and Performance: From Principles to Practice,* Pen. 1, 11, Human Kinetics, 1991.
Singer R.N. *The Learning of Motor Skills,* Pen. 5, Macmillan, 1982.
Stallings L.M. *Motor Learning From Theory to Practice,* Mosby, 1982.

Deunydd Darllen Ychwanegol
Beashel P. *Advanced Studies in Physical Education and Sport,* Nelson, 1996.
Bull R. *Teachers' Guide and Answers to Skill Acquisition,* Jan Roscoe Publications, 1996.
Honeybourne J. ac eraill. *Advanced Physical Education and Sport,* Stanley Thornes, 1996.
Magill R.A. *Motor Learning: Concepts and Applications,* Brown & Benchmark, 1993.
Schmidt R.A. *Motor Learning and Performance: From Principles to Practice,* Pen. 1, 11, Human Kinetics, 1991.
Scottish Sports Council, *Acquiring Skills,* Coach Education Module 1, Scottish Sports Council, 1987.
Sharp B. *Acquiring Skill in Sport,* Pen. 2, Sports Dynamics, 1992.

Prosesu Gwybodaeth mewn Perfformiad Canfyddiadol-Motor

Hyd yma rydym wedi diffinio sgìl drwy ei ddisgrifio. Felly, 'diffiniad disgrifiadol' yw dull Knapp. Ystyriwn nesaf fath arall o ddiffiniad, un sy'n dadansoddi sut y perfformir sgìl, h.y. 'diffiniad gweithrediadol'.

Ar ôl cwblhau'r gwaith ym Mhennod 10 dylech fedru:

- deall sut y trawsyrrir gwybodaeth drwy'r brif system nerfol a'r system nerfol berifferol;
- defnyddio model prosesu gwybodaeth i ddadansoddi sgìl;
- deall y berthynas rhwng mewnbwn synhwyraidd, canfod, penderfynu, cof ac allbwn motor wrth berfformio gweithredoedd medrus ac yn y broses dysgu;
- mesur amser adweithio a defnyddio data amser adweithio i brofi rhagdybiaethau;
- deall y gwahaniaeth rhwng dulliau agored a chaeëdig o reolaeth fotor;
- diffinio'r geiriau allweddol a restrir ar ddechrau pob adran a'u cymhwyso i weithgareddau addysg gorfforol.

10.1 Cyflwyniad i Brosesu Gwybodaeth

Geiriau allweddol a chysyniadau

adborth allanol
adborth cynhenid
allbwn
arddangosiad
(y) brif system nerfol
canfod
cof

mecanwaith canfod
mecanwaith effeithydd
mecanwaith penderfynu
mewnbwn
penderfynu
prosesu gwybodaeth
rhaglennu ymateb

system drawsfudol
system dderbynnydd
system ffisiolegol
system gyhyrol
system nerfol berifferol
system synhwyraidd
system wybyddol

Ymchwiliad

10.1: Archwilio'r cysyniad 'prosesu gwybodaeth'

Dull: Gwyliwch fideo – yn araf os yw'n bosibl – o chwaraewr sy'n derbyn neu'n dal ac yn pasio neu'n saethu (mewn gêm rwyd neu gêm oresgyn). Fel arall, wrth chwarae gêm canolbwyntiwch ar yr hyn a wnewch chi eich hun wrth dderbyn ac anfon.

1. Nodwch ar bapur bopeth a wneir gennych (neu gan y chwaraewr) o adeg gweld y bêl wrth iddi ddynesu i asesu effeithiolrwydd yr ergyd neu'r pas.
2. Grwpiwch y gweithgareddau a nodwyd gennych yn rhai sy'n ymwneud â:
a. nodi'r hyn sy'n digwydd i'r bêl,

10.1 parhad

b. gwneud penderfyniadau ynglŷn â ble i symud a beth i'w wneud,

c. gwneud symudiad addas.

Ewch drwy'r broses hon ddwywaith – unwaith ar gyfer derbyn ac unwaith ar gyfer anfon.

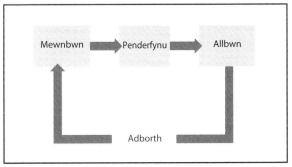

Ffigur 10.1 Model syml prosesu gwybodaeth

Yn Ymchwiliad 10.1 mae angen nodi tri phrif gam – chwaraewr yn derbyn gwybodaeth am y gêm, yn gwneud penderfyniadau ynglŷn â sut i ymateb ac yn rhaglennu ei gyhyrau i greu'r symudiad medrus sydd ei angen. Gellir dangos hyn gan fodel syml prosesu gwybodaeth (Ffigur 10.1).

Mae sawl model o'r fath, ond maen nhw i gyd yn cynnwys y tair elfen sylfaenol hyn. Cofiwch nad yw'r modelau'n gwneud dim mwy na chynrychioli'r hyn mae seicolegwyr yn credu sy'n digwydd ym mhrif system nerfol y chwaraewr. Gallwn asesu'r hyn sy'n mynd i mewn i'r system a gweld yr hyn y gwna'r chwaraewr wrth ymateb, ond ni allwn ond tybio'r prosesau rhwng y ddau.

Pwyntiau Allweddol

- **Mewnbwn:** y wybodaeth o'r amgylchedd y mae'r chwaraewr yn ymwybodol ohoni ac yn ei defnyddio i benderfynu ar ymateb i'r sefyllfa.
- **Penderfynu:** y cyfuniad o brosesau adnabod, canfod a chofio a ddefnyddir i ddewis ymateb addas i ofynion y sefyllfa.
- **Allbwn:** ymateb y chwaraewr. Mewn chwaraeon rhyw fath o symud yw hwn fel rheol. Daw allbwn yn fath o fewnbwn o ran bod y chwaraewr yn gweld canlyniad ei ymateb a bydd hyn yn ei dro yn sail i wneud rhagor o benderfyniadau.

Mae'r diffiniadau a roddir yn y Pwyntiau Allweddol yn awgrymu bod angen i ni ymestyn y model ymhellach:

- **Canfod.** Wrth i chwaraewr dderbyn gwybodaeth o'r amgylchedd rhaid gwneud synnwyr ohoni, h.y. ei chanfod, ei dehongli a nodi elfennau ynddi sy'n bwysig, e.e. ydy'r bêl yn troelli ai peidio, beth yw llwybr hediad y wennol, a oes bwlch yn yr amddiffyn y gellir manteisio arno.
- Mae'r adnabod a'r dehongli yn dibynnu ar brofiad blaenorol a'r **cof** am y profiad hwnnw.
- Ar ôl penderfynu beth i'w wneud, rhaid gweithredu'r cyhyrau sydd eu hangen i gyflawni'r symudiad gofynnol. Gelwir hyn yn **rhaglennu ymateb** (Schmidt, 1991).

Dangosir model estynedig yn Ffigur 10.2.

Mae model Welford (1968) yn rhoi mwy byth o fanylder i ddangos y gwahaniaeth rhwng **systemau ffisiolegol** y corff a'r **mecanweithiau gwybyddol** *(cognitive)*, yn ogystal â gwahaniaethu rhwng **adborth cynhenid** *(intrinsic)* ac **allanol** *(extrinsic)*.

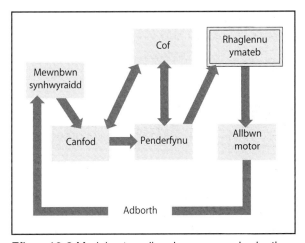

Ffigur 10.2 Model estynedig o brosesu gwybodaeth

Ymchwiliad

10.2: Defnyddio model prosesu gwybodaeth i ddadansoddi sgìl.
Dull: Mewn parau defnyddiwch yr hyn a wyddoch am sgìl ergydio/taro (tennis, pêl-droed, etc.) i ddadansoddi'r weithred

ergydio/taro yn ôl model Welford (Ffigur 10.3).
1. Diffiniwch bob term yn Ffigur 10.3, gan ddefnyddio'r sgìl ergydio/taro fel enghraifft.
2. Rhowch enghraifft ymarferol o'r hyn sy'n digwydd ym mhob proses yn y model.

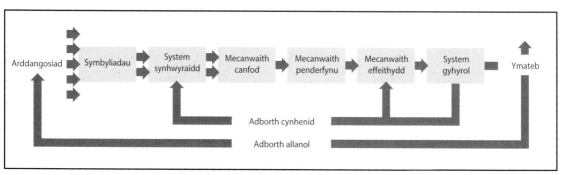

Ffigur 10.3 Addasiad o fodel prosesu gwybodaeth Welford
(Welford, 1968)

Yn y cwestiynau arholiad ar ddiwedd y bennod rhoddir model arall, sydd yr un fath yn y bôn ond yn defnyddio termau gwahanol (Whiting, 1969). Cymharwch fodelau Whiting a Welford. Mae Whiting yn defnyddio'r term **system dderbynnydd** am 'system synhwyraidd' Welford a'r term **mecanwaith trawsfudol** *(translatory)* ar gyfer 'mecanwaith penderfynu'.

Pwyntiau Allweddol

- Arddangosiad – Yr amgylchoedd neu'r amgylchedd.
- Symbyliadau – Yr agweddau ar yr arddangosiad y mae'r chwaraewr yn rhoi sylw iddynt.
- System synhwyraidd/dderbynnydd – Y rhan o'r brif system nerfol sy'n trosglwyddo gwybodaeth o organau'r synhwyrau i'r ymennydd.
- Mecanwaith canfod – Y broses ar gyfer dehongli symbyliadau.
- Mecanwaith penderfynu/trawsfudol – Y broses sy'n delio â derbyn dehongliad y mewnbwn a defnyddio cof am sefyllfaoedd tebyg yn y gorffennol i

- benderfynu ar ymateb.
- Mecanwaith effeithydd – Ar sail y penderfyniad a wneir, llunnir rhaglen weithredu sy'n rhoi gwybod i'r cyhyrau am y gofynion symud.
- System gyhyrol – Y nerfau a'r cyhyrau sy'n ymwneud â'r symudiad penodol.
- Ymateb – Y symudiad sy'n deillio o'r dilyniant prosesu gwybodaeth.
- Adborth cynhenid – Gwybodaeth am y perfformiad ynglŷn â'r symudiad a ddarperir gan bropriodderbyn (*proprioception* – gweler Adran 10.2).
- Adborth allanol – Gwybodaeth am ganlyniad yr ymateb.

Felly, mae symud medrus yn dibynnu ar drawsyrru gwybodaeth drwy'r system nerfol. Mae dwy elfen i'r system nerfol:

- y **brif system nerfol** – yr ymennydd a madruddyn y cefn;
- y **system nerfol berifferol** – y nerfau sy'n cysylltu madruddyn y cefn â phob rhan o'r corff,

yn ymestyn o'r brif system nerfol ac yn dychwelyd iddi.

I ddeall sut y trawsyrrir gwybodaeth darllenwch Bennod 1.6. Bydd Adrannau 10.2-10.4 yn delio â thair elfen model prosesu gwybodaeth – mewnbwn synhwyraidd, canfod, a sylw detholus a chof.

Cwestiynau Arholiad

1. a. Yn y blychau yn Ffigur 10.4 dangosir elfennau model syml prosesu gwybodaeth am sgìl. Trefnwch y blychau ac ychwanegwch saethau i ddangos llif gwybodaeth wrth gyflawni sgìl agored. (3 marc)
b. Gan gyfeirio at sgiliau pasio agored, pa anawsterau y gallai dysgwr eu disgwyl gyda phob un o elfennau'r model? (8 marc)

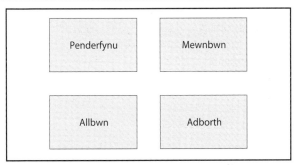

Ffigur 10.4 Model syml prosesu gwybodaeth am sgìl

10.2 Mewnbwn Synhwyraidd

 Geiriau allweddol a chysyniadau

cinesthesis	cydbwysedd	golwg
clyw	cyffwrdd	propriodderbyn

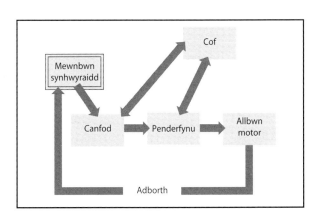

Ffigur 10.5 Mewnbwn synhwyraidd mewn prosesu gwybodaeth

Wrth wneud rhyw weithgaredd corfforol rydym yn ymwybodol o'n hamgylchoedd. Defnyddiwn ein holl synhwyrau i nodi ein lleoliad yn y gofod o'n cwmpas a phenderfynu ar ofynion y dasg, boed hynny'n golygu pasio pêl neu wneud symudiad mewn gymnasteg neu ddawns. Ni ddefnyddir blasu nac arogli lawer mewn gweithgareddau corfforol, ond defnyddir golwg, clyw a phropriodderbyn yn helaeth (Ffigur 10.6).

Mae **golwg a chlyw** yn delio â gwybodaeth a ddaw o'r amgylchedd allanol. Derbyniwn wybodaeth hefyd o'r amgylchedd mewnol, h.y. o'r tu mewn i'n corff.

Trwy **bropriodderbyn** y gwyddom leoliad ein corff yn y gofod o'n cwmpas a'r graddau y mae'r cyhyrau wedi'u cyfangu a'r cymalau wedi'u hymestyn – mae'n ein galluogi i deimlo'r raced neu'r bêl. Tair cydran propriodderbyn yw **cyffwrdd, cydbwysedd a chinesthesis**.

Mae **cyffwrdd** yn ein galluogi i deimlo poen, gwasgedd a thymheredd. Ym meysydd chwaraeon a dawns y synnwyr gwasgu sydd bwysicaf am mai hyn sy'n dweud wrthym pa mor dynn yr ydym yn cydio mewn raced, er enghraifft, neu a yw'n partner dringo ar raff tynn, neu a ydym wedi taro'r bêl yn galed neu'n

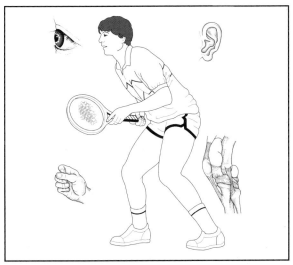

Ffigur 10.6 Prif systemau mewnbwn synhwyraidd mewn chwaraeon

263

esmwyth. Os ydym yn ddoeth cymerwn sylw o unrhyw rybuddion o boen a gawn.

Cydbwysedd yw'r synnwyr sy'n dweud wrthych pryd mae eich corff yn gytbwys a phryd mae'n gwyro neu'n troi. Mae'n amlwg yn bwysig i ddeifwyr, gymnastwyr a thrampolinwyr, yn ogystal â dawnswyr, wybod eu lleoliad yn y gofod o'u cwmpas. Gwneir hyn trwy gyfrwng organau'r synhwyrau yng nghyfarpar cynteddol *(vestibular apparatus)* y glust ganol.

Cinesthesis yw'r synnwyr sy'n rhoi gwybod i'r ymennydd am symudiad neu gyflwr cyfangu y cyhyrau, y tendonau a'r cymalau. Mae perfformiwr medrus yn gwybod a gyflawnwyd symudiad yn gywir ai peidio, nid yn unig o weld ei effaith, ond hefyd o synhwyro sut y teimlai i gyflawni'r symudiad. Efallai eich bod wedi cael profiad o droed neu aelod yn 'mynd i gysgu' a gwybod pa mor anodd yw hi nid yn unig i symud yr aelod, ond i wybod beth sy'n digwydd iddo. Ymyrrwyd â'r negesau i'r cyhyrau ac oddi wrthynt ac amharwyd ar y synnwyr cinesthetig. Mae Ymchwiliad 10.4 yn dangos sut y defnyddiwn ein synnwyr cinesthetig.

 Ymchwiliad

10.3: Ymchwilio i effaith diffyg synhwyraidd *(sensory deprivation)* ar berfformiad

1. Golwg
Tasg 1
Dull: Chwaraewch bêl-droed bump-bob-ochr neu bêl-fasged (neu unrhyw gêm basio neu ergydio). Mae un tîm yn chwarae yn y modd arferol, ond mae gan bawb yn y tîm arall glwtyn llygad dros un llygad. Peidiwch â chwarae'n rhy hir.
Arsylwadau: Beth yw'r effaith ar y chwaraewyr sydd â'u golwg yn ddiffygiol? Sut mae'n teimlo i chwarae fel hyn?

Tasg 2
Dull: Cyfnewidiwch rolau fel bo golwg y tîm arall yn ddiffygiol. Y tro hwn cyfyngwch ar yr olwg berifferol – y gallu i weld 'o gornel eich llygad' bethau nad ydych yn edrych yn syth arnynt. Gallech dorri strip o gerdyn (8 cm x 60 cm), styffylu'r pennau cul i ffurfio gogls a'i gydio o gwmpas eich llygaid â llinyn neu elastig (Ffigur 10.7).

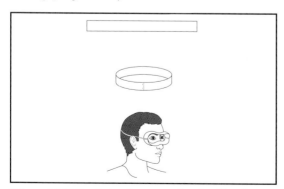
Ffigur 10.7 Gogls i gyfyngu ar olwg berifferol

Arsylwadau: Beth yw effaith y gogls? Sut mae'n teimlo i chwarae fel hyn?

Tasg 3
Dull: Ceisiwch wneud dilyniant cyfarwydd mewn gymnasteg neu ddawns, gan ddefnyddio'r un cyfyngiadau ar olwg.
Arsylwadau: Beth yw'r problemau? Sut mae'n teimlo i gyflawni'r dilyniant?
Defnyddiwn olwg yn helaeth mewn gweithgareddau corfforol. Trafodwch gyda phartner yr hyn a wyddoch am bobl sydd â nam ar eu golwg ac sy'n cymryd rhan mewn chwaraeon neu weithgareddau corfforol. Sut maen nhw'n gwneud iawn am hyn?

2. Clyw
Tasg 4
Dull: Dewiswch weithgaredd lle mae sŵn yn rhan hanfodol (e.e. sŵn y bêl yn erbyn y raced mewn tennis neu'r gwely mewn trampolinio). Rhowch gynnig ar y gweithgaredd gan wisgo plygiau clustiau neu glustffonau i gau allan y sŵn.
Arsylwadau: Sut mae hyn yn effeithio ar eich perfformiad? I ba raddau y defnyddiwn sŵn yn y gweithgareddau hyn?

3. Propriodderbyn
Tasg 5
Dull: Chwaraewch gêm â phêl, e.e. pêl-fasged, pêl-feddal, gan wisgo menyg trwchus. Gwnewch ddilyniant cyfarwydd mewn gymnasteg neu ddawns mewn esgidiau ymarfer anhyblyg.
Arsylwadau: Mae'n amlwg y bydd yn teimlo'n rhyfedd, ond beth yw'r problemau penodol?
Trafodaeth: Eglurwch eich anawsterau yn nhermau colli peth synnwyr cyffwrdd.

Ymchwiliad

10.4: Dangos cinesthesis

Dull: Gwnewch ddolen o elastig gweddol gryf a'i rhoi o gwmpas eich bysedd (Ffigur 10.8). Dylai eich partner ddal pren mesur yn llorwedd a chithau ymestyn yr elastig i hyd a bennir gan eich partner. Yna dylech laesu'r elastig a dylai eich partner symud y pren mesur. Ceisiwch atgynhyrchu'r ymestyniad â'ch llygaid ar gau. Gwnewch hyn sawl gwaith, gyda hyd gwahanol bob tro.

Arsylwadau: Pa mor gywir oeddech chi? Nodwch y cyfeiliornad canrannol bob tro.

Trafodaeth: Trafodwch gyda'ch partner sut y defnyddir cinesthesis yma.

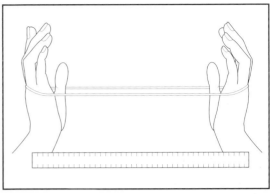

10.8 Cyfarpar i ddangos cinesthesis

Cymerwn organau'r synhwyrau yn ganiataol mewn chwaraeon a hamdden ac ni sylweddolwn bob amser fod ein gallu i wneud penderfyniadau addas yn seiliedig ar dderbyn y wybodaeth gywir. Mae cael y wybodaeth gywir yn dibynnu ar y canlynol:

- effeithlonrwydd organau'r synhwyrau,
- dwysedd y symbyliad,
- ein gallu i ddehongli'r symbyliad yn gywir, h.y. ein gallu canfyddiadol.

 Cwestiynau Arholiad

1. Mae damcaniaeth prosesu gwybodaeth yn rhoi goleuni ar y gwir brosesau sy'n digwydd wrth ddysgu sgiliau motor. Mae model Whiting (1969), a ddangosir yn Ffigur 10.9, yn eglurhad adnabyddus o ddamcaniaeth prosesu gwybodaeth.

a. i. Daw data mewnbwn o'r arddangosiad. Beth yw ystyr y term arddangosiad?
ii. Nodwch y tair prif system dderbynnydd a ddefnyddir gan berfformiwr mewn sgìl motor a enwir gennych. (4 marc)

Ffigur 10.9 Model prosesu gwybodaeth Whiting *(Whiting, 1969)*

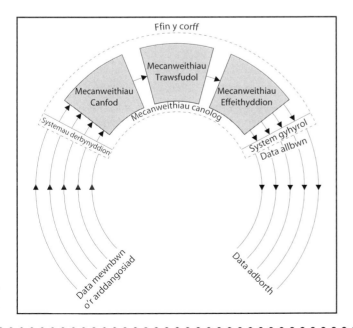

10.3 Canfod

 Geiriau allweddol a chysyniadau

adnabod	nodi symbyliad	symbyliad
cof	sŵn	
cymharu	sylwi	

Canfod (Ffigur 10.8) yw'r broses lle mae'r ymennydd yn dehongli ac yn gwneud synnwyr o'r wybodaeth y mae'n ei derbyn oddi wrth yr organau synhwyraidd. Mae canfod yn cynnwys tair elfen:

- Sylwi *(Detection)*,
- Cymharu,
- Adnabod *(Recognition)*.

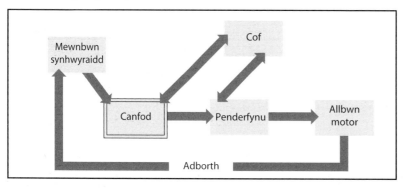

Ffigur 10.10 Canfod yn y model prosesu gwybodaeth

Sylwi yw'r broses lle mae'r ymennydd yn nodi bod symbyliad yn bresennol. Mae'r ymennydd yn sylwi ar lawer mwy o symbyliadau nag yr ydym yn ymwybodol ohonynt. Mae'n cofnodi popeth y gall organau'r synhwyrau sylwi arnynt am eiliad. Os canolbwyntiwn ar y wybodaeth honno, fe'i trosglwyddir i'w phrosesu ymhellach, ond os na rown sylw iddi mae'n diflannu yn fuan o'r system. Er enghraifft, wrth chwarae gêm oresgyn, byddwch yn sylwi ar yr holl chwaraewyr o fewn eich golwg, ond os canolbwyntiwch ar y chwaraewr yr ydych yn ei farcio'n agos, ni fyddwch mor ymwybodol o'r hyn mae'r lleill yn ei wneud.

Cymharu yw'r hyn sy'n digwydd pan fyddwn yn rhoi sylw i rywbeth a synhwyrwyd gennym. Caiff y ddelwedd, y sŵn neu'r teimlad ei godio a'i roi trwy'r cof a'i gymharu â chodau tebyg sydd wedi'u storio yn y cof.

Mae adnabod yn digwydd pan fydd cod y wybodaeth a ddaw i mewn yn cydweddu â chod sydd wedi'i storio yn y cof ac yna mae'r symbyliad wedi'i ganfod, h.y. ei nodi a'i adnabod.

Ymdrinnir â'r broses hon yn fanylach yn yr adran nesaf ac ym Mhennod 11, sy'n delio â dysgu sgiliau.

 Ymchwiliad

10.5: Ymchwilio i ganfod mewn gweithgareddau corfforol
Dull: Cymerwch ran (neu dychmygwch eich bod yn cymryd rhan) mewn rhyw sgìl agored. Cofiwch: gyda sgìl agored mae'r agweddau pwysig ar yr amgylchedd yn newid yn gyson. Wrth i chi gymryd rhan, byddwch yn ymwybodol o'r agweddau ar eich amgylchoedd y rhowch sylw arbennig iddynt.

Arsylwadau: Rhestrwch yr holl bethau y cymerwch sylw ohonynt er mwyn perfformio'n dda. Mewn gêm bêl bydd angen nodi hediad y bêl wrth iddi ddod tuag atoch; wrth ddringo craig neu wal, byddwch yn rhoi sylw i newidiadau yn yr arwyneb; wrth ganwio, byddwch yn gwylio am donnau, creigiau a llifoedd.
Trafodaeth: Trafodwch y rhain yn fanwl gyda phartner.

Mae pob un o'r ffactorau a nodwyd gennych yn Ymchwiliad 10.5 yn **symbyliad**: sbin pêl, llwybr hediad gwennol, maint yr afael ar ddringfa. Defnyddir y gair 'symbyliad' yma i olygu unrhyw eitem o wybodaeth sy'n sefyll allan o wybodaeth gefndirol ac y bydd chwaraewr yn rhoi mwy o sylw iddi. Y 'cefndir' yw'r agweddau hynny ar yr arddangosiad nad ydynt yn uniongyrchol berthnasol i'r dasg dan sylw, ond sydd er hynny yn mynd i mewn i'n system synhwyraidd. Enghreifftiau o 'gefndir' yw amgylchoedd y cwrt neu'r gynulleidfa. Mae seicolegwyr yn defnyddio'r term 'sŵn' am y wybodaeth gefndirol hon. Ystyr 'sŵn' yma yw gwybodaeth sy'n bresennol ac y gallem fod yn ymwybodol ohoni, ond nad yw'n uniongyrchol berthnasol i'r dasg dan sylw. Felly, ceisiwn fel rheol ei hanwybyddu a chanolbwyntio ar y symbyliadau pwysig. Yn ddiweddarach dangosir bod y gallu i wahaniaethu rhwng cefndir a symbyliad yn rhannol wedi'i ddysgu ond yn rhannol yn un o nodweddion personoliaeth, a hefyd y gall sŵn fod yn broblem wrth benderfynu.

Byddwn yn fwy tebygol o ganfod rhywbeth os yw'n ddwys, h.y. yn swnllyd, yn ddisglair, yn fawr, yn gyferbyniol, yn gyflym, yn anarferol. Felly, mae chwiban y dyfarnwr yn fain a strip tîm yn wahaniaethol, a defnyddir sgriniau gwyn mewn criced i helpu'r batiwr i weld y bêl.

Ymchwiliad

10.6: Ymchwilio i effaith cefndir a lliw'r bêl mewn tennis

Dull: Chwaraewch ddwy gêm o dennis byr, y naill â pheli sy'n cyferbynnu â'r amgylchoedd a'r llall â pheli sy'n debyg i liw y cwrt a'r waliau. (Llifwch ychydig o beli tennis i gael hyd i liw sy'n debyg i liw eich neuadd chwaraeon.)

Arsylwadau: Sut yr effeithiodd lliw'r peli ar eich gêm?

Ymchwiliad

10.7: Ymchwilio i effaith nodi symbyliad yn gynnar ac yn hwyr wrth ddal a dychwelyd pêl

Tasg 1
Dull: Gweithiwch mewn grwpiau o dri – 'taflwr', 'daliwr' a 'sgoriwr'. Marciwch groes ar y llawr â sialc neu dâp tua un metr o draed y daliwr. Yn gyntaf, mae'r taflwr yn sboncio'r bêl ar y groes i'r daliwr ei derbyn. Bydd angen i chi newid eich safle a safle'r groes fel bo'r daliwr yn gallu derbyn y bêl yn gysurus. Rhowch ddeg cynnig ar hyn. Dylai'r taflwr geisio cysoni'r sbonciau. Mae'r sgoriwr yn nodi nifer y daliadau llwyddiannus allan o ddeg.

Yna mae'r daliwr yn cael 20 cynnig arall, ond y tro hwn gyda'i lygaid ar gau nes i'r taflwr weiddi 'Nawr/Rwan!' Dylid gweiddi hyn ar wahanol adegau yn y tafl-lwybr *(trajectory)*, dengwaith yn gynnar (h.y. yn fuan ar ôl i'r bêl adael llaw y taflwr) a dengwaith yn hwyr.

Canlyniadau: Beth yw'r effeithiau ar ddal o gael cyfle cynnar a hwyr i nodi'r symbyliad.

Trafodaeth: Sut y byddech yn egluro'r canlyniadau?

Tasg 2
Ail-wnewch yr arbrawf gan chwarae badminton neu bêl-foli, gyda serfiwr, dau dderbynnydd neu fwy a sgoriwr.

Tasg 3
Trafodwch enghreifftiau o amrywiaeth o chwaraeon lle gall chwaraewr achosi i wrthwynebydd sylwi'n hwyr ar arwydd.

10.4 Sylw Detholus a Chof

 Geiriau allweddol a chysyniadau

cof	cof tymor hir	sylw detholus
cof tymor byr	stôr synhwyraidd tymor byr	

Mae canfod yn dibynnu ar dair proses:
- Sylwi
- Cymharu
- Adnabod

Mae'r rhain wedi'u cyfuno â'r model prosesu gwybodaeth yn Ffigur 10.11.

Sylwi

Mae'r holl synhwyrau'n rhoi swm enfawr o wybodaeth i'r brif system nerfol. Ystyriwch yr holl agweddau ar eich amgylchoedd a'ch corff y gallech ganolbwyntio eich sylw arnynt pe dymunech. Gall chwaraewr gêmau droi ei sylw o'r gwrthwynebydd i'r bêl i'r afael ar y ffon neu'r bat, er enghraifft, yn gyflym iawn. Gall wneud hyn am fod yr holl wybodaeth sy'n mynd i mewn i'r system synhwyraidd yn cael ei dal am gyfnod byr iawn – llai nag eiliad – mewn adran o'r cof a elwir yn **stôr synhwyraidd tymor byr** (gweler Ffigur 10.11). Gallwn ganolbwyntio ar gyfran fach iawn yn unig o'r holl wybodaeth hon ar unrhyw adeg benodol.

Os edrychwn am symbyliad arbennig, neu os yw digwyddiad arbennig yn tynnu ein sylw, canolbwyntiwn ar hynny drwy'r broses **sylw detholus** (selective attention). Mae'r canolbwyntio hyn yn trosglwyddo'r wybodaeth o'r cof tymor byr ac yn caniatáu i'r symbyliad gael ei sylwi (detected). Caiff gwybodaeth na roddwn sylw iddi ei cholli o'r cof bron ar unwaith. Mae gan y stôr synhwyraidd tymor byr gynhwysedd mawr iawn ond amser storio byr iawn.

Ffigur 10.11 Cof a sylw detholus yn y model prosesu gwybodaeth

 Ymchwiliad

10.8: Ymchwilio i sylw detholus

Tasg 1
Dull: Defnyddiwch glustffonau stereo i wrando ar dâp clywedol sydd â dau ddarn gwahanol o ryddiaith ar ddau drac y tâp.
Arsylwadau: Fedrwch chi wrando ar y ddau ar yr un pryd? Pa strategaethau a ddefnyddiwyd gennych i wneud gymaint o synnwyr ag y gallech o'r ddau ddarn? Pa agweddau ar y darnau a achosodd i chi droi eich sylw o'r naill i'r llall?

Tasg 2 – Ymchwilio i effaith sylw detholus ar berfformio sgìl motor
Dull: Bydd angen pum pêl dennis felen ac un o liw gwahanol. Mae daliwr yn sefyll 2 m i ffwrdd o linell â chwe thaflwr. Mae pob taflwr yn dal pêl dennis fel na ellir ei gweld.
1. Ar y gorchymyn 'taflwch', a roddir gan un o'r taflwyr neu gan y sgoriwr, mae'r taflwyr yn taflu'n ara' deg at y daliwr ar yr un pryd. Mae'r daliwr yn ceisio dal y bêl wahanol. Sgoriwch ddaliadau llwyddiannus allan o ddeg cynnig.

Ymchwiliad

10.8 parhad

2. Mae'r hyfforddwr yn gweiddi 'taflwch' ac yn enwi un o'r taflwyr. Maen nhw i gyd yn taflu, ond mae'r daliwr yn ceisio dal pêl yr un a enwyd. Sgoriwch ddaliadau llwyddiannus allan o ddeg.

3. Mae'r hyfforddwr yn galw eto fel yn 2 uchod, ond yr un a enwir yn unig sy'n taflu. Sgoriwch ddaliadau llwyddiannus allan o ddeg.

Canlyniadau: Lluniwch siart bar i ddangos sgorau cymedrig y dosbarth ar gyfer y profion (rhoddir enghraifft yn Ffigur 10.12). Noder: defnyddir siart bar, gyda bylchau rhwng y barrau, am fod yr echelin lorwedd yn dangos tri phrawf gwahanol; nid yw'n cynrychioli graddfa, fel y byddai yn achos histogram.

Trafodaeth

Ym mha un o'r tri phrawf mae sylw detholus hawsaf? Awgrymwch resymau.

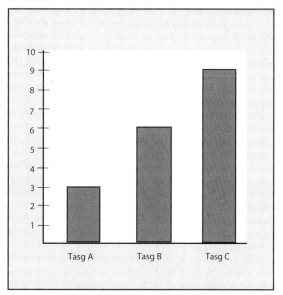

Ffigur 10.12 Sgorau cymedrig grŵp damcaniaethol mewn tri phrawf i ddangos sylw detholus

---

Pwyntiau Allweddol

Sylw detholus: y broses lle caiff gwybodaeth sy'n bwysig ar gyfer perfformiad ei 'hidlo' ar gyfer prosesu ychwanegol. Mae'n bwysig iawn mewn chwaraeon pan fo ymatebion cywir a chyflym yn hawlio canolbwyntio ar nod y weithred heb adael i agweddau eraill dynnu sylw, e.e. rhaid i'r cefnwr sy'n dal pêl uchel mewn gêm rygbi anwybyddu'r blaenwyr sy'n rhuthro ato. Proses reddfol yw sylw detholus, ond gellir gwella'i heffeithiolrwydd drwy ddysgu o brofiad.

Fel y nodwyd yn gynharach, gall dwysedd y symbyliad ddenu ein sylw, e.e. maint y sŵn, disgleirder, cyferbyniad lliw, cyflymder symud. Ond hefyd cawn ein denu at symbyliadau anarferol – ceisiwn wneud synnwyr ohonynt – neu at symbyliadau sydd o ddiddordeb arbennig i ni, megis yn Ymchwiliad 10.8, Tasg 2.

Mae Ymchwiliad 10.8, Tasg 1 yn dangos bod ein gallu i roi sylw i sawl symbyliad ar yr un pryd yn gyfyngedig iawn. Mae'r broses sylw detholus yn sicrhau mai cyfran fach yn unig o wybodaeth y gellir ei phrosesu ar y tro. Gwelwn yn ddiweddarach nad yw hyn o reidrwydd yn anfantais, am ei fod yn golygu na orlwythir y system benderfynu. Dychmygwch gorfod dadansoddi'r holl wybodaeth sydd ar gael o'n synhwyrau cyn penderfynu pryd i basio ac i bwy mewn gêm dîm.

Cymharu

Y **cof tymor byr** (gweler Ffigur 10.11) yw 'gweithle' y system brosesu gwybodaeth. Pan sylwir ar symbyliad, rhaid ei adnabod os yw i fod o werth. Gwneir hyn drwy gymharu nodweddion y symbyliad tra bo yn y cof tymor byr â symbyliadau tebyg a ddysgwyd o'r blaen ac a storiwyd yn y **cof tymor hir**. Dysgu yw'r broses o storio gwybodaeth yn y cof tymor hir drwy ymarfer. Er enghraifft, mae chwaraewyr tennis yn dysgu ble mae pêl yn mynd i sboncio a pha safle sy'n rhaid iddyn nhw fynd iddo i'w dychwelyd yn effeithiol drwy gael llawer o ymarfer yn gweld peli'n sboncio ac yna storio yn y cof tymor hir lun gweledol o'r hyn a ddigwyddodd pan gawson nhw eu safle'n iawn. Caiff unrhyw ddigwyddiad tebyg yn y dyfodol ei gymharu â'r cof hwn.

Ymchwiliad

10.9: Ymchwilio i gynhwysedd y cof tymor byr
Dull: Chwaraewch 'Gêm Kim'. Gosodir tua 15 o eitemau cyffredin ar hambwrdd a rhoddir tua 15 eiliad i'r bobl dan sylw eu hastudio. Yna cymerir yr hambwrdd i ffwrdd a dylai'r bobl nodi ar bapur cynifer o'r eitemau ag sy'n bosibl.
Canlyniadau: Cofnodwch nifer yr eitemau cywir a gofiwyd.
Trafodaeth: Mae cynhwysedd cof tymor byr pobl yn amrywio, ond y norm yw rhwng pump a naw eitem. Os cewch fwy o amser i astudio cynnwys yr hambwrdd, neu os ydych wedi meistroli sgiliau cofio, gallwch gofio mwy na hyn am eich bod yn gallu cadw mwy yn y cof tymor byr drwy ymarfer.

Adnabod

Adnabod yw'r broses o adfer o'r cof tymor hir ddelwedd (neu sŵn, ymdeimlad, etc.) sydd yr un fath â'r symbyliad neu'n debyg iawn iddo, ei chymharu â'r symbyliad a phenderfynu bod y symbyliad yn ddigon tebyg i rywbeth a wyddoch eisoes fel y gallwch ei adnabod. Mae'r broses hon yn gweithio wrth i chi chwarae 'Gêm Kim'. Wrth weld y gwrthrychau ar yr hambwrdd, fe ewch drwy'r broses ganlynol: sylwi ar y gwrthrych a chymharu'r hyn a welwch â chof amdano o brofiadau blaenorol sydd wedi'i storio yn y cof tymor hir. Mae hyn yn eich galluogi i'w adnabod, ei enwi a chofio'i nodweddion a sut i'w ddefnyddio. Dyma'r broses sylwi, cymharu, adnabod.

Er enghraifft, efallai eich bod wedi dysgu o brofiad pan fydd eich gwrthwynebydd mewn gêm dennis neu fadminton yn 'ystumio' i serfio mewn modd arbennig, y bydd yn rhoi math penodol o serfiad. Gwelwch hyn yn digwydd; rydych yn sylwi, yn cymharu ac yn adnabod. Rydym yn monitro'n hamgylchoedd yn y modd hwn drwy'r amser; mae ein hymennydd yn gweithredu'r broses yn barhaol, hyd yn oed pan nad ydym yn ymwybodol o hynny.

Hefyd, y cof tymor hir yw'r stôr ar gyfer gwybodaeth y mae arnom angen cyfeirio ati yn gyson neu sydd wedi'i dysgu mor dda neu ei hymarfer fel ei bod yn aros mewn stôr yn barhaol. Mae ei gynhwysedd bron yn ddiderfyn, os storir y wybodaeth yn effeithiol ac os nad ymyrrir â'r cof. Mae ystyried ar ba ffurf y dysgir sgiliau ar gof y tu hwnt i faes y llyfr hwn, ond mewn adran ddiweddarach ystyriwn y cysyniad rhaglenni motor, sy'n ein helpu i ddeall hyn rywfaint. Caiff rhai sgiliau motor di-dor eu storio'n arbennig o dda – nid anghofiwn byth sut i reidio beic.

Mae'r wybodaeth sydd gennym am gynhwysedd y cof tymor byr a'r cof tymor hir yn bwysig i ni wrth ddysgu neu ymarfer sgiliau.

Ymchwiliad

10.10: Ymchwilio i oblygiadau nodweddion y cof tymor byr

Tasg 1
Dull: Gweithiwch mewn parau. Lluniwch ddwy restr o bum dilyniant tair-llythyren, gyda'r naill restr yn cynnwys pum gair sydd ag ystyr, e.e. cath, llew, a'r llall yn gwbl ddiystyr, e.e. frp, tmu. Caiff eich partner weld un o'r rhestrau am 10 eiliad, yna mae'n ceisio'i hailadrodd. Os gwna gamgymeriad caiff weld y rhestr am 10 eiliad arall cyn rhoi cynnig arall ar ei hailadrodd. Parhewch â'r broses nes y gall eich partner ailadrodd y rhestr yn gywir. Yna gwnewch yr un fath â'r rhestr arall.
Canlyniadau: Nodwch nifer y ceisiadau cyn yr ailadroddwyd y rhestr yn gywir. Pa restr a gofiwyd â'r nifer lleiaf o gynigion?
Trafodaeth: Pa strategaethau a ddefnyddiwyd i geisio dysgu ar gof y rhestr 'ddiystyr'. A thybio mai'r rhestr o eiriau go iawn oedd hawsaf ei chofio, mae dau reswm i egluro'ch ateb. Fedrwch chi awgrymu beth ydyn nhw?

Dylai'r canlynol fod wedi'u cynnwys ymhlith eich awgrymiadau:
- mae'r cof tymor byr yn well am storio gwybodaeth sydd ag ystyr;
- gan mai tua saith eitem yw ei gynhwysedd, mae'n fwy effeithlon 'uno' eitemau gyda'i gilydd os oes modd. Felly, daw'r tair llythyren C-A-TH yn un eitem, CATH, sydd hefyd ag ystyr (delwedd weledol) iddi.

Ymchwiliad

10.10 parhad

Tasg 2
Dull: Newidiwch rolau ac ailwnewch y dasg, ond wrth i'r cofiwr astudio'r rhestr, mae'r partner yn holi cwestiynau sy'n rhaid eu hateb – unrhyw beth i dynnu sylw.

Trafodaeth: Beth yw'r effaith ar y dasg gofio? Beth yw goblygiadau eich canlyniadau ar gyfer dysgu mewn addysg gorfforol? Pe baech yn helpu ffrind i feistroli sgìl penodol yn eich hoff weithgaredd, sut y byddech yn cyflwyno'r wybodaeth?

Tasg 3 – rhoi prawf ar strategaethau hyfforddi sy'n seiliedig ar ddeall y prosesau cofio
Dull: Meddyliwch am sgìl arwahanol y gallwch ei hyfforddi mewn neuadd chwaraeon ond nad yw eich partner yn gyfarwydd ag ef. Gallai fod yn gêm neu'n sgìl gymnasteg, set arbennig o symudiadau ar wal ddringo, step ddawnsio i rythm cymhleth neu rywbeth tebyg.
Penderfynwch sut i gyflwyno a hyfforddi'r sgìl, o gofio'r egwyddorion a nodwyd gennym. Dysgwch y sgìl i'ch partner. Wrth i chi hyfforddi, byddwch yn ymwybodol o'ch pwyntiau dysgu eich hun a dadansoddwch hefyd berfformiad eich partner. Os oes modd, recordiwch y sesiwn ar fideo.

Arsylwadau: Wedi hynny, dadansoddwch yr hyn a recordiwyd a/ncu trafodwch gyda'ch partner (i) pryd oedd eich sylwadau'n ddefnyddiol a (ii) pryd nad oedd eich sylwadau'n ddefnyddiol a pham.
Cofiwch ein bod yn canolbwyntio ar y graddau y llwyddoch i helpu eich partner i gofio'r hyn yr oeddech am iddo/iddi ei wneud.

'Sylw', 'perthnasedd', 'ystyr', 'uno', 'crynoder' yw'r geiriau allweddol (Ffigur 10.13). A ddefnyddioch chi 'arddangosiad'?

Ffigur 10.13 *(Addaswyd o Singer, 1968)*

 Cwestiynau Arholiad

1. Yn Ffigur 10.9 mae nifer o saethau yn mynd i mewn i 'Mecanweithiau Canfyddiadol' ond un yn unig sy'n dod allan.
a. Beth yw'r mecanwaith hidlo hwn? Diffiniwch ei waith. (2 farc)

b. Os yw chwaraewr hoci newydd yn methu â tharo'r bêl dro ar ôl tro, pa strategaethau gwybyddol y byddech yn eu hargymell i sicrhau llwyddiant yn y dyfodol? (2 farc)

10.5 Penderfynu

 ## Geiriau allweddol a chysyniadau

amser adweithio
amser adweithio dewisol
amser adweithio syml
amser symud

amser ymateb
cyfnod diddigwydd
seicolegol
cychwyniadau

rhagddisgwyl
rhoi sylw

Mae ein gallu canfyddiadol yn rhoi i ni y wybodaeth sydd arnom ei hangen i benderfynu beth i'w wneud nesaf mewn tasg gorfforol. Gallai hyn fod yn gynhenid i'r sgìl ei hun ('Rwy'n gallu teimlo bod fy nghorff yn fertigol – dyma'r ennyd i wthio yn erbyn top y bocs i gwblhau'r llofnaid'); neu gallai fod yn allanol ('mae fy ngwrthwynebydd wedi gwthio'r bêl ychydig yn rhy bell ymlaen – dyma 'nghyfle i'w daclo').

Amser adweithio

Mae cyflymder penderfynu – yr **amser adweithio** – o bwys mawr yn y maes hwn. Mewn llawer o chwaraeon a gweithgareddau mae medru adweithio'n gyflym yn rhoi mwy o reolaeth i'r perfformiwr; po gyflymaf y byddwch yn ymateb i'r gwn ac yn ymadael â'ch blociau mewn ras 100 metr, mwyaf i gyd y gallwch ddominyddu'r ras; po gyflymaf y gallwch ymateb i chwyrliad annisgwyl mewn dŵr gwyn, lleiaf tebygol y

bydd eich cwch yn troi drosodd. Mae astudio amser adweithio yn bwysig hefyd am ei fod yn dweud llawer wrthym am y broses benderfynu (Ffigur 10.14).

Mae Ffigur 10.15 yn dangos dilyniant cyfan ymateb i symbyliad yng nghyswllt sbrint. Fel y gwelwch, mae'n fater cymhleth. Astudiwch y diagram yn ofalus a gwnewch yn siŵr eich bod yn deall yr holl dermau a phrosesau. Ydych chi'n gweld y broses sylwi, cymharu, adnabod ar waith? Sylwch hefyd fod:

Amser ymateb = amser adweithio + amser symud

Mae'n bwysig defnyddio'r termau uchod yn gywir. Mae sylwebwyr ar y cyfryngau yn sôn yn aml am adweithiau cyflym chwaraewr pan fyddan nhw'n golygu 'ymatebion'. Wrth wylio chwaraeon mae'n anodd gwahaniaethu rhwng adweithio a symud.

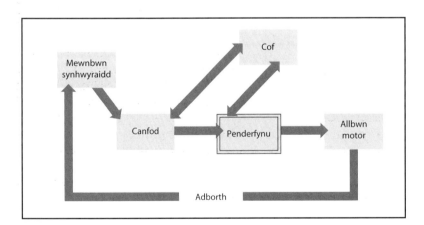

Ffigur 10.14 Penderfynu yn y model prosesu gwybodaeth

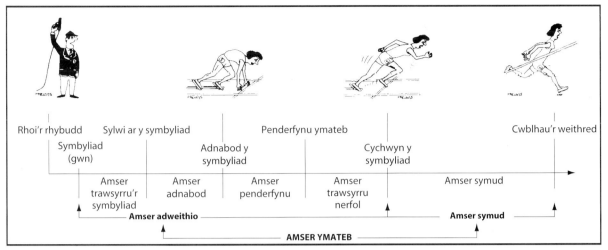

Ffigur 10.15 Cydrannau amser ymateb

🔍 Ymchwiliad

10.11: Amseru swing bat pêl-fas

Tasg 1
Astudiwch Ffigur 10.16 – mae'r taflwr yn taflu'r bêl ar gyflymder o 32 m s⁻¹. Amser adweithio'r batiwr yw 0.18 eiliad ac amser y swing o'r cefn i'r cyffyrddiad yw 0.2 eiliad. Pa mor bell allan o law'r taflwr y gall y batiwr adael i'r bêl symud cyn dechrau swingio?

Ai 5.8 m oedd eich ateb? Mae'n amlwg,

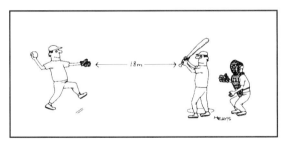

Ffigur 10.16 *(Addaswyd o Davies ac eraill, 1986)*

wrth chwarae gêmau taro, na wnawn y math hwn o gyfrifo bob tro. Ond po gyflymaf yr adweithiwn mwyaf i gyd o amser fydd gennym i benderfynu ar y math o ergyd i'w gynnig. Mae amser adweithio neu amser ymateb cyflym yn bwysicach mewn rhai sgiliau nag mewn eraill. Edrychwch eto ar yr adran ar ddosbarthu sgiliau ym Mhennod 9.

Trafodwch i ba raddau y mae amserau adweithio cyflym yn cyfrannu at berfformiad mewn (**i**) sgiliau hunanreoledig a sgiliau allreoledig; (**ii**) sgiliau agored a sgiliau caeëdig.

Tasg 2
Dull: Gweithiwch mewn parau. Lluniwch restr o sgiliau y gallwch nodi eu bod ar wahanol bwyntiau ar y ddau gontinwwm yn Nhasg 1. Ar gyfer pob sgîl, beth yw mantais amser adweithio cyflym neu anfantais amser adweithio araf i berfformiad effeithiol?

Gallu yw amser adweithio; mae'n amrywio o unigolyn i unigolyn. Mae ymchwil yn awgrymu bod y nodweddion canlynol yn debygol o effeithio ar amser adweithio:
- oed a rhyw (Ffigur 10.17);
- iechyd – mae afiechyd yn arafu adweithio;
- tymheredd y corff – po oeraf yw, mwyaf araf fydd yr adweithio;
- personoliaeth – tuedda pobl allblyg i adweithio'n gyflymach na phobl mewnblyg;
- hyd y llwybrau niwral – mwyaf pell y mae'n rhaid i wybodaeth fynd, mwyaf araf fydd yr adweithio a mwyaf araf fydd yr amser ymateb;
- effrogarwch *(alertness)*, sbarduno *(arousal)* a/neu gymhelliant *(motivation)*.

Mae gofynion y dasg a natur y symbyliad hefyd yn dylanwadu ar yr amser adweithio. Dyma rai o'r dylanwadau:
- dwysedd y symbyliad;
- y tebygolrwydd y digwydd y symbyliad;
- bodolaeth arwyddion rhybuddio a'r graddau y disgwylir y symbyliad;
- y synnwyr a ddefnyddir ar gyfer sylwi – mae Ffigur 10.18 yn dangos sut mae amser adweithio yn amrywio yn ôl y synnwyr a ddefnyddir.

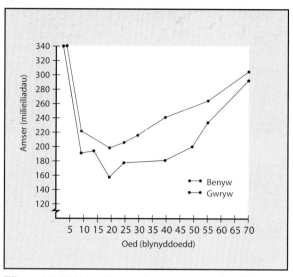

Ffigur 10.17 Y berthynas rhwng amser adweithio ac oed ar gyfer y naill ryw a'r llall

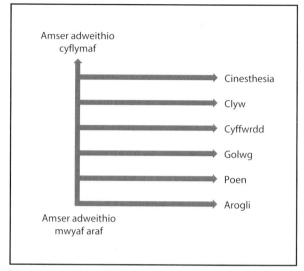

Ffigur 10.18 Amser adweithio yn amrywio yn ôl y synhwyrau

Hyd yma rydym wedi ystyried amser adweithio fel pe bai'n perthyn i un symbyliad yn unig. Mae hynny'n wir am gychwyn gweithgaredd rasio – un gwn sydd ac mae'r athletwr yn ei ddisgwyl. Ond mewn gweithgareddau eraill gellir cael sawl symbyliad a rhaid i'r perfformiwr ddewis pa un i ymateb iddo, neu pa un o sawl ymateb posibl i'w wneud ar gyfer symbyliad penodol, e.e. pa ergyd mewn gêm raced. Gelwir y ddau fath hyn o amser adweithio yn amser adweithio syml (*simple reaction time* – SRT) ac amser adweithio dewisol (*choice reaction time* – CRT).

 Ymchwiliad

10.12: Mesur amser adweithio
Mae sawl modd i fesur amser adweithio yn y labordy neu'r dosbarth. Dewiswch un y mae gennych y cyfarpar addas ar ei gyfer. A bod yn gywir, mae'r rhan fwyaf yn mesur amser ymateb, am nad yw'n bosibl nodi pryd mae'r adweithio'n gorffen a'r symud yn dechrau.

Dulliau
1. Defnyddiwch raglen gyfrifiadurol i fesur SRT a CRT llygad-llaw neu glust-llaw:
a. Cymharwch yr amserau SRT a CRT.
b. Pam mae'r amserau CRT yn hirach?
c. Lluniwch ddamcaniaeth arbrofol sy'n cymharu amserau adweithio â newidyn arall, e.e. llygad cryfaf-gwanaf neu law ffafriedig-anffafriedig. Casglwch ddata addas a rhowch brawf ar y ddamcaniaeth.
2. Defnyddiwch gyfarpar amser adweithio (a ddisgrifir mewn sawl gwerslyfr dysgu motor) i ymchwilio i'r canlynol:
a. SRT, CRT ac amser symud; adwaith y llaw ffafriedig a'r llaw anffafriedig i symbyliadau clywedol a gweledol; ymateb traed fel yr uchod (os yw'r cyfarpar yn cynnwys padiau traed).
b. Lluniwch ddamcaniaeth sy'n darogan cysylltiad rhwng dau o'r newidynnau a fesurwyd gennych, a rhowch brawf arni.
3. Defnyddiwch y prawf 'gollwng pren mesur' (Ffigur 10.19) i fesur SRT a CRT. (Ceir manylion llawn yn Arnot a Gaines, 1984.) Troswch y pellter y mae'r pren mesur yn disgyn yn amser adweithio gan ddefnyddio'r fformwla ganlynol:

$$d = ut + 1/2at^2$$

lle bo d yn dynodi'r pellter y mae'r pren mesur yn disgyn (cm); u cyflymder cychwynnol y pren mesur (yn yr achos hwn 0 cm s^{-1}); t yr amser ymateb (eiliadau, s); a cyflymiad y pren mesur o ganlyniad i ddisgyrchiant (yn gyson ar 981 cm s^{-1}).

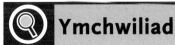

Ymchwiliad

10.12 parhad

Ffigur 10.19 Prawf pren mesur

Defnyddiwch algebra syml i gael mynegiad ar gyfer *t*. Cymharwch eich sgôr yn y prawf hwn â'ch sgôr mewn fersiwn tebyg o un o'r profion eraill, os oes modd. Eglurwch wahaniaethau yn y sgorau o ran:

a. amser adweithio ac amser symud,

b. dull gweithredu arbrawf.

4. Gweithiwch mewn parau. Y dasg yw rhoi trefn ar bac o gardiau chwarae sydd wedi'u cymysgu. Bydd eich partner yn rhoi arwydd cychwyn, yn eich amseru hyd at ddiwedd y trefnu ac yn cofnodi'r amser.

a. Didolwch y cardiau coch a'r du (dau grŵp).

b. Didolwch y pedair siwt (pedwar grŵp).

c. Didolwch bedair siwt o'r cardiau llys a phedair siwt o'r cardiau eraill (wyth grŵp).

ch. Cyfrifwch yr amser cymedrig ar gyfer y dosbarth cyfan ym mhob un o'r tasgau.

d. Lluniwch graff amser yn erbyn nifer y gosodiadau posibl ar gyfer pob carden (dau, pedwar neu wyth).

Trafodaeth

Y math o symbyliad (lliw, siwt) sy'n pennu'r ymateb symud gofynnol (ym mha bentwr i roi'r garden). Beth mae'r graff hwn yn ei ddangos ynglŷn â'r berthynas rhwng amser ymateb a nifer y dewisiadau symbyliad-ymateb sydd ar gael? Eglurwch y berthynas hon yn nhermau prosesu gwybodaeth. Nodwch sefyllfaoedd mewn chwaraeon lle mae amser ymateb dewisol yn rhan bwysig o'r gweithgaredd.

Dylai eich ateb i **4** yn Ymchwiliad 10.12 eich arwain at egwyddor bwysig ar gyfer dysgu sgiliau motor. 'Deddf Hick' yw hon ac fe'i dangosir ar ffurf graff yn Ffigur 10.20.

Po fwyaf o ddewisiadau sydd ar gael i ni, h.y. po fwyaf yw nifer y dewisiadau symbyliad-ymateb, mwyaf i gyd o amser a gymerwn i adweithio. Felly, wrth ddechrau dysgu sgìl, pan fydd angen i ni ganolbwyntio ar gynhyrchu symudiad effeithiol yn ogystal â dewis ymateb addas, gorau oll os na chawn ormod o ddewisiadau. Mae hyn yn rhoi mwy o amser i'r dysgwr weithredu'r broses sylwi, cymharu, adnabod a chysylltu adnabod y symbyliad â chynhyrchu'r symudiad addas. Felly, nid yn unig y

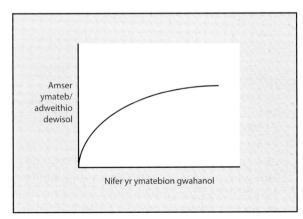

Ffigur 10.20 Deddf Hick

dylai cyfarwyddiadau fod yn syml a chryno (fel y nodwyd yn gynharach), ond hefyd ni ddylai'r dasg gynnwys gormod o waith penderfynu. Mae gêmau dau yn erbyn dau neu dri yn erbyn tri yn well na chyflwyno'r gêm lawn o 7, 11 neu 15 bob ochr yn rhy gynnar.

Pan fyddwn yn ymwneud â gweithgareddau addysg gorfforol rhaid ymateb i lif cyson o symbyliadau. Os oes digon o fwlch rhyngddynt ac amser i ymateb i bob un yn ei dro, nid effeithir ar yr amser adweithio. Ond yn aml daw ail symbyliad cyn i ni gael cyfle i gwblhau, neu hyd yn oed gychwyn, ein hymateb i'r cyntaf.

Mae gwrthwynebwyr yn aml yn gwneud hyn i ni yn fwriadol drwy gelu ergyd neu ffug-basio, er enghraifft. Mewn canŵio slalom efallai y bydd ton yn taro yn union wrth i'r canŵydd gyrraedd clwyd. Dangosir yr egwyddor hon yn Ffigur 10.22.

Dau symbyliad yw S_1 ac S_2; cychwyniadau'r ymatebion i'r symbyliadau hyn yw Y_1 ac Y_2. Felly, y pellterau S_1-Y_1 ac S_2-Y_2 sy'n cynrychioli'r amser

adweithio. Nid yw'n hawdd arddangos hyn â chyfarpar syml, ond mae Ymchwiliad 10.13 yn dangos yr hyn sy'n digwydd. Gwelir yn Ffigur 10.22 fod yr amser adweithio'n hirach ar gyfer yr ail symbyliad. Gelwir yr amser rhwng S_2 ac Y_1 yn gyfnod diddigwydd seicolegol (*psychological refractory period* – PRP).

Wrth i berfformiwr sylwi ar symbyliad a dechrau dewis cynllun gweithredu ac ymateb, mae'n ymddangos bod yn rhaid iddo roi ei sylw i'r broses hon. Yn ôl ymchwil a grynhoir yn Ffigur 10.22, wrth iddo wneud hyn ni all ddelio ag unrhyw benderfyniad arall sydd angen sylw. Dyma'r rheswm dros ffugio neu ffug-basio. Mae'r ymosodwr yn gwneud symudiad ffug ac yna'n defnyddio PRP yr amddifynnwr i symud i'r cyfeiriad arall neu i roi ergyd gwahanol. Mae Martenuik (1976) yn awgrymu bod y strategaeth hon 'yn effeithiol hyd yn oed os nad yw'r chwaraewr fel arfer yn dechrau symud mewn ymateb i'r ffugio. Y cyfan sydd ei angen yw ei gael i ddechrau chwilio am weithred, gan na all newid y broses hon nes i'r chwilio gael ei gwblhau.'

Ffigur 10.21 Ffug-basio

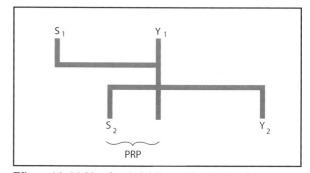

Ffigur 10.22 Y cyfnod diddigwydd seicolegol

 Ymchwiliad

10.13: Dangos y cyfnod diddigwydd seicolegol

Tasg 1

Gweithiwch mewn parau, gyda'r naill berson yn dal a'r llall yn taflu. Mae angen i'r taflwr allu taflu dan ysgwydd (*underarm*) yn gyson â'r naill law a'r llall. Sefwch tua 5 m ar wahân, gyda'r taflwr yn dal pêl dennis yn y naill law a'r llall.

Mae 20 cynnig. Ym mhob cynnig mae'r taflwr yn rhoi rhybudd 'barod!' ac yna'n taflu'n ara' deg at y daliwr sy'n ceisio dal y bêl â dwy law. Dylai'r taflu fod yn gyson ac yn gywir tuag at ddwylo'r daliwr. Mewn 10 o'r cynigion un bêl yn unig a deflir, weithiau o law chwith y taflwr

ac weithiau o'i law dde. Yn y 10 cynnig arall (a ddylai fod yn gymysg â'r cynigion eraill ar hap), teflir un bêl, wedyn ar unwaith teflir y llall – nid y ddwy gyda'i gilydd. (Bydd angen i'r taflwr ymarfer hyn!) Sgorir un pwynt gan y daliwr **(i)** os yw'n dal yr UNIG bêl a deflir neu **(ii)** os yw'n dal yr **ail** bêl a deflir (ni cheir pwyntiau am ddal y bêl gyntaf). Cofnodwch y sgorau allan o 10 ar gyfer taflu un bêl ac ar gyfer taflu dwy bêl.

Pa sgôr sydd uchaf a pham?

Tasg 2

Chwaraewch gêm lle mae ffugio'n strategaeth realistig. Wrth ymosod gwnewch y mwyaf o'r cyfle sydd i wneud hyn. Dylech ymarfer yr

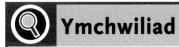

Ymchwiliad

10.13 parhad

amseru angenrheidiol. Cofiwch: os bydd eich ail symudiad yn digwydd fwy nag un amser adweithio normal (200 milieiliad) ar ôl y cyntaf, bydd eich gwrthwynebydd yn medru ei 'ddarllen' (oni chaiff ei ddal ar ei droed anghywir – os felly, rhaid iddo ymadfer a bydd hynny'n rhoi mwy fyth o amser i chi).

Tasg 3

Os oes gennych y cyfarpar addas (camera ffilm a chyfarpar dadansoddi fframiau, neu gamera fideo a pheiriant fideo sydd â chyfleuster ffrâm-fferru [*freeze-frame*]), dadansoddwch amser adweithio a PRP drwy ddefnyddio ffilm. Ffilmiwch weithgareddau lle mae amser adweithio'n rhan bwysig o'r sgìl, gan sicrhau y gellir nodi'r symbyliad cychwynnol a'r ymateb.

Cynhwysedd sianeli

Gellir gweld ar sail ein hastudiaeth hyd yma, a grynhoir yn Ffigur 10.23, fod swm y wybodaeth y gallwn ei phrosesu a delio â hi yn dibynnu ar ein gallu i roi sylw, gallu sy'n ymddangos yn gyfyngedig. Mae damcaniaethwyr wedi dadlau bod yna sianel o gynhwysedd cyfyngedig neu 'atalfa' y mae'n rhaid i wybodaeth godedig fynd drwyddi wrth i ni ei phrosesu; mae'n ymddangos bod hyn yn gweithredu ar ddau bwynt o leiaf yn y system.

O gofio y caiff gwybodaeth ei storio yn y cof tymor byr am gyfnod byr iawn yn unig, dylai dysgwr ganolbwyntio'i sylw ar gyfarwyddiadau pwysig neu arwyddion pwysig yn y gweithgaredd, ac yna ymarfer y sgìl cyn gynted ag y bo modd ar ôl yr hyfforddiant.

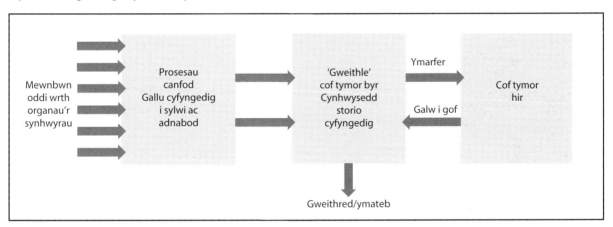

Ffigur 10.23 Cynhwysedd sianeli

Rhagddisgwyl *(Anticipation)*

Un o'r problemau y mae dysgwyr yn eu hwynebu mewn unrhyw weithgaredd addysg gorfforol yw gorlwytho gwybodaeth. Mae gormod o bethau i'w hystyried a'u gwneud, felly ni all eu sianeli prosesu gwybodaeth ymdopi mor gyflym ag yr hoffent. Un o'r pethau a ddysgant wrth ddod yn fwy profiadol yw dehongli digwyddiadau mewn perthynas â phethau tebyg a ddigwyddodd o'r blaen. Maen nhw'n dysgu i sylwi ar arwyddion yn gynnar yn y gyfres o ddigwyddiadau, sy'n eu helpu i ragddisgwyl y canlyniad a thrwy hynny oresgyn problemau oedi o ganlyniad i amser adweithio. Mae Ffigur 10.24 yn dangos tri math o ragddisgwyl.

Mae rhagddisgwyl canfyddiadol yn ddiddorol gan ein bod yn ei gymryd yn ganiataol, ond dyma graidd perfformiad medrus. Mae'n galluogi i'r perfformiwr

Rhagddisgwyl effeithydd: y gallu i amseru'r swing

Rhagddisgwyl derbynnydd: gwybod pryd fydd y bêl yn cyrraedd

Rhagddisgwyl canfyddiadol: y gallu i wybod sut y bydd yn teimlo i berfformio'r symudiad

Ffigur 10.24 Rhagddisgwyl derbynnydd ac effeithydd

ragddisgwyl adborth gan broprioderbynyddion ac felly cywiro camgymeriadau, efallai hyd yn oed cyn y daw canlyniad y symudiad yn hysbys. Caiff camgymeriadau eu cywiro yn y modd hwn drwy gymharu adborth rhagddisgwyliedig ag adborth oddi wrth y proprioderbynyddion.

Cwestiynau Arholiad

1. a. Gall yr amser y mae'n ei gymryd i fabolgampwr adweithio i symbyliadau effeithio ar y perfformiad canlynol.

i. Diffiniwch amser adweithio, amser symud ac amser ymateb. (3 marc)

ii. Rydych yn derbyn serfiad mewn gêm dennis. Rhowch dri ffactor a allai effeithio ar eich amser ymateb. (3 marc)

iii. Sut y byddech yn lleihau'r amser y mae'n ei gymryd i chi ymateb i'r serfiwr? (3 marc)

iv. Lluniwch graff i ddangos y berthynas rhwng amser adweithio a nifer yr ymatebion posibl. (2 farc)

b. Os yw'r bêl yn taro top y rhwyd yn ystod rali mewn gêm dennis, rhaid i'r derbyniwr addasu'r ymateb. Mae oedi rhwng prosesu'r symbyliad cyntaf a'r ymateb terfynol.

Pa derm a ddefnyddir am yr oedi hwn? Eglurwch pam y gallai'r oedi ddigwydd. (3 marc)

10.6 Allbwn Motor ac Adborth

 ## Geiriau allweddol a chysyniadau

cynllun gweithredu	mecanwaith effeithydd	rheolaeth dolen agored
hierarchaidd	rhaglen weithredol	rheolaeth dolen gaeëdig
isreolweithiau	rhaglenni motor	sgiliau newydd

Yn yr adran hon ymdrinnir â sut mae'r perfformiwr yn dysgu cynhyrchu'r symudiadau sy'n ofynnol ar gyfer gweithred fedrus. Rheolir y rhan hon o'r broses gan y mecanwaith effeithydd (gweler Ffigur 10.25). Mae hwn yn cynnwys y nerfau a'r cyhyrau sy'n gwasanaethu'r aelodau a ddefnyddir yn y symudiad. Wrth i ddysgwr ymarfer sgìl penodol, llunnir delweddau o'r symudiadau gofynnol yn y cof tymor hir. Yn raddol, caiff agweddau llai effeithiol ar y symudiad eu dileu a gweithredoedd llwyddiannus eu hatgyfnerthu. Wrth ail-wneud y symudiad, caiff hyn ei storio fel cynllun gweithredu a gysylltir â'r symbyliadau sydd fel rheol yn ei ragflaenu. Felly, mewn gêm hoci mae'r gôl-geidwad yn gwybod wrth i'r bêl gyrraedd ei thraed ar ôl ergyd mai'r hyn sy'n ofynnol yw cic isel a hir i'r ochr.

Rhaglenni motor

Cyn ystyried sut mae'r broses hon yn gweithio, edrychwn yn fwy manwl ar y cynlluniau gweithredu hyn a elwir hefyd yn **rhaglenni motor**. Ceir gwahanol ddiffiniadau o'r term 'rhaglen fotor', ond yn y llyfr hwn fe'i diffiniwn fel set o symudiadau a storir yn y cof fel cyfanwaith, p'un ai y defnyddir adborth wrth eu gweithredu ai peidio.

Mae'r rhaglen fotor yn pennu pa symudiadau a gynhwysir yn y sgìl ac ym mha drefn y digwyddant. Gwelir yn Ffigur 10.26 fod sgìl fel serfiad tennis, sef y **rhaglen weithredol** *(executive programme)*, yn cynnwys symudiadau byrrach, a elwir yn **isreolweithiau** *(subroutines)*, sy'n gweithredu ar sawl lefel. Yn achos sgiliau agored rhaid i'r rhaglen weithredol fod yn hyblyg er mwyn ymdopi â'r amrywiaeth o ofynion amgylcheddol. Mae gan bob pas neu ergyd dafl-lwybr, cyflymder a phellter gwahanol wedi'u rhaglennu. Mae'r isreolweithiau yn ddilyniannau penodedig byr ac ar ôl eu dysgu'n llwyr gellir eu gwneud yn awtomatig heb reolaeth ymwybodol.

Pwyntiau Allweddol
Pwyntiau ynglŷn â rhaglen fotor:
- mae'n gyfres o symudiadau;
- fe'i storir yn y cof tymor hir;
- caiff ei hadfer o'r cof fel cyfanwaith;
- fe'i rhoddir ar waith gan y mecanwaith effeithydd;
- fe'i gweithredir dan reolaeth dolen agored neu reolaeth dolen gaeëdig (gweler tud. 291-294).

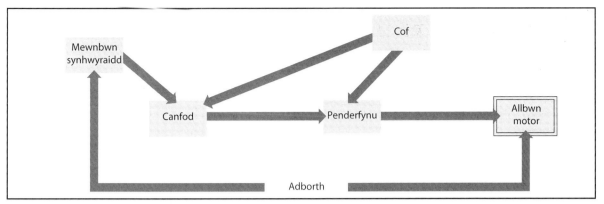

Ffigur 10.25 Allbwn motor yn y model prosesu gwybodaeth

Ymchwiliad

10.14: Nodi rhaglenni gweithredol ac isreolweithiau

Dull: Gweithiwch mewn parau. Mae'r naill a'r llall yn dewis sgìl y gall ei ddangos yn dda dro ar ôl tro a'r partner yn gwylio ac yn dadansoddi'r sgìl i lunio model tebyg i'r un yn Ffigur 10.26.

Dadansoddiad: Cymharwch eich canlyniadau ag eraill yn y dosbarth – a oes isreolweithiau sy'n gyffredin i sawl sgìl?

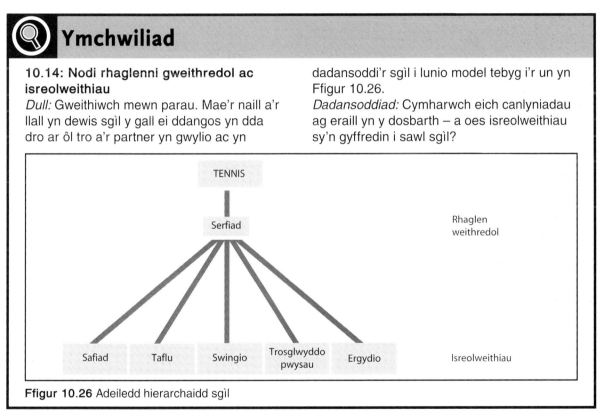

Ffigur 10.26 Adeiledd hierarchaidd sgìl

Mae sefydlu'r isreolweithiau hyn yn rhan o ddysgu motor *(motor learning)* yn ystod blynyddoedd cynnar plentyndod; mae'r plentyn yn dysgu rhedeg, neidio, troi, gafael, ergydio, etc. I'r plentyn rhaglenni gweithredol yw'r rhain, ond wrth iddo ddatblygu gweithgareddau mwy cymhleth daw'r rhain yn isreolweithiau ar gyfer ei sgiliau newydd. Wrth iddo ddod yn fwy amryddawn, bydd y dysgwr yn fwy deheuig yn trosglwyddo isreolweithiau a ddysgwyd eisoes i raglenni gweithredol newydd.

Pwysigrwydd trefniadaeth hierarchaidd rhaglenni motor yw ei bod yn galluogi i rannau o'r sgìl, neu'r sgìl cyfan, gael eu storio yn y cof tymor hir fel rhaglen gyflawn a'u galw i gof yn awtomatig at eu defnyddio, gan adael i'r perfformiwr ganolbwyntio ar yr agweddau canfyddiadol neu ddehongliadol. Meddai Christopher Dean wrth sôn am strategaeth Torvill a Dean o fynd trwy'r ddawns iâ gyfan bob tro yn eu hymarferion terfynol yn hytrach nag ymarfer adrannau penodol:

> *Bob tro y gwnewch y rhaglen gyflawn fe ychwanegwch at eich stôr o brofiad a hunanhyder. Po fwyaf y gallwch ddrilio eich hun i berfformio'n awtomatig ar yr iâ, mwyaf i gyd y gallwch eich rhoi eich hun i'r cyflwyniad pan ddaw'r eiliad fawr.*

(Hennessy, 1984)

Rheolaeth fotor

Ystyriwn yn fwy manwl sut mae'r broses hon o 'berfformio'n awtomatig' yn gweithio. Wrth i chi ymarfer, caiff y sgìl ei raglennu i mewn i'r cof tymor hir. Yn ôl ymchwil (Martenuik, 1976, tud. 139), pan fyddwch yn galw'r rhaglen i gof ac yn gofyn i'r cyhyrau ei gweithredu, digwydd hyn ar dair lefel (Ffigur 10.27).

Lefel 1

Mae'n ymddangos y cynhyrchir rhai symudiadau heb unrhyw adborth, am eu bod yn digwydd yn rhy gyflym i adborth gael unrhyw effaith. Mae teipio'n gyflym yn enghraifft o'r math hwn o sgìl a elwir yn rheolaeth dolen agored *(open loop control)*. Mae'n digwydd ar lefel isymwybodol heb unrhyw ofynion ar y system o ran rhoi sylw.

Lefel 2

Ar Lefel 2 mae adborth yn gweithredu ond mae'r ddolen yn un fer. Nodwyd yng Nghyfrol 1 fod gan y gwerthydau cyhyrol dderbynyddion synhwyraidd a all ddarganfod camgymeriadau. Pe bai cyfangiad cyhyrol yn ystod symudiad yn wahanol i'r hyn a bennwyd gan y rhaglen fotor, e.e. pe bai sgïwr yn taro yn erbyn darn o iâ tra'n disgwyl eira meddal, fe gâi neges ei hanfon at y cyhyr ar unwaith i gywiro'r camgymeriad (gyda chopi at yr ymennydd i ddweud wrtho am yr iâ!). Byddai hyn yn galluogi i'r cywiro ddigwydd yn fuan (o fewn 50 milieiliad), am na fyddai'n rhaid dwyn y neges i lefel yr ymwybod. Ceir y math hwn o reolaeth

wrth geisio cerdded ar hyd trawst cul. Y term a ddefnyddir am hyn yw rheolaeth dolen gaeëdig. Mae'n isymwybodol yn ei hanfod, ond gan fod adborth yn gweithredu mae'n hawlio rhywfaint o'r sianel sylw. Ei swyddogaeth yw darparu symudiad esmwyth parhaol ond gellir darganfod camgymeriadau. Gan ei fod yn dibynnu ar gymharu'r hyn sy'n digwydd â gofynion y rhaglen fotor, mae'n datblygu wrth i ddeheurwydd *(expertise)* ddatblygu, h.y. pan fydd y rhaglen wedi'i sefydlu'n dda.

Lefel 3

Mae Lefel 3 hefyd yn enghraifft o reolaeth dolen gaeëdig gan ei bod hithau hefyd yn dibynnu ar adborth. Yn yr achos hwn defnyddir adborth gweledol a chinesthetig ac felly mae'r rheolaeth yn ymwybodol ac yn wirfoddol. Mae'r perfformiwr yn edrych ar ganlyniad y rhan gyntaf o'r sgìl cyn symud ymlaen i'r nesaf ac felly gellir cael oedi rhwng symudiadau olynol; mae'r cyfanwaith yn ymddangos yn herciog a lletchwith. Fel y nodwyd yn gynharach, gall rhagddisgwyl canfyddiadol gyflymu pethau, ond hyd yn oed wedyn defnyddir cryn dipyn o'r sianel sylw, felly nid oes gan y perfformiwr lawer o gynhwysedd yn weddill i'w ganolbwyntio ar ofynion amgylcheddol y dasg. Mae'r math hwn o reolaeth yn nodweddiadol o ddysgwyr ac arbenigwyr sy'n wynebu problem yn sydyn – e.e. pan fydd naid driphlyg sglefriwr yn mynd o'i le, rhaid iddo ganolbwyntio'n galed iawn ar adennill ei gydbwysedd a'i gael ei hun yn ôl i'r act arferol.

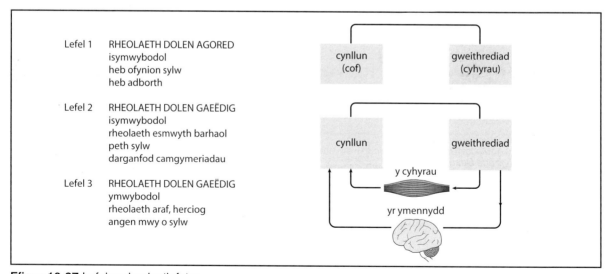

Ffigur 10.27 Lefelau rheolaeth fotor

Cwestiynau Arholiad

1. Ar ôl dehongli gwybodaeth mae perfformiwr sgìl motor yn llunio cynllun gweithredu. Mae rhai damcaniaethwyr yn dweud y defnyddir rhaglen fotor weithredol gan y perfformiwr.

a. Gan ddefnyddio enghraifft o un gweithgaredd addysg gorfforol, eglurwch ystyr rhaglen fotor weithredol a nodwch isreolweithiau'r rhaglen honno. (3 marc)

b. Defnyddiwch yr un enghraifft i ddangos sut y gall rhaglen fotor weithredol ddod yn isreolwaith. (2 farc)

c. Sut y gall perfformio sgìl gael ei fireinio gan ddefnyddio damcaniaeth dolen gaeëdig? (4 marc)

 Crynodeb

1. Mae dysgu yn broses lle caiff perfformiadau arwahanol o ymddygiad medrus eu mireinio. Mae'n cynrychioli newid cymharol barhaol mewn ymddygiad.

2. Mae modelau prosesu gwybodaeth mewn perthynas â phobl yn cynnig diffiniad gweithrediadol o berfformiad a dysgu mewn sgiliau motor.

3. Mae pob model o'r fath yn nodi mecanweithiau derbynnydd, trawsfudol ac effeithydd ac o leiaf un ddolen adborth.

4. Mae organau'r synhwyrau yn galluogi mewnbynnu gwybodaeth i'r brif system nerfol. Maen nhw'n cychwyn y broses o sylwi ar symbyliad.

5. Trwy sylw detholus y rhwystrir gorlwytho'r system â gwybodaeth. Pennir maint y sylw gan ddwysedd a pherthnasedd y symbyliad.

6. Mae'r cof yn 'weithle' ar gyfer prosesu gwybodaeth ac yn stôr ar gyfer gwybodaeth a sgiliau.

7. Caiff sgiliau motor eu storio fel rhaglenni motor, wedi'u trefnu'n hierarchaidd.

8. Mae penderfynu mewn ymateb i symbyliadau yn cymryd amser am fod y system yn cynnwys 'atalfeydd'. Cynhwysedd cyfyngedig sydd i'r sianeli rhwng y prosesau canfod, penderfynu ac allbynnu.

9. Mae tri dull gwahanol o reolaeth fotor yn galluogi i broblemau sy'n gysylltiedig â'r oedi hwn gael eu goresgyn i raddau gan berfformwyr medrus, ond mae'n ffactor cyfyngu yn ystod cyfnod cynnar dysgu a rhaid ei gymryd i ystyriaeth mewn strategaethau dysgu.

 Deunydd Darllen

Deunydd Cyfeirio
Arnot R. a Gaines C. *Sports Talent,* Rhan 1 Penguin, 1984.
Davis D. ac eraill. *Physical Education: Theory and Practice,* Rhan 4, Macmillan, 1986.
Hennessy J. *Torvill and Dean,* David & Charles, 1984.
Martenuik R.G. *Information Processing in Motor Skills,* Holt, Rinehart & Winston, 1976.
Schmidt R.A. *Motor Learning and Performance: from Principles to Practice,* Pen. 2-5, Human Kinetics, 1991.
Singer R.N. *The Learning of Motor Skills,* Pen. 2, 4, 5, 7, 9, Collier Macmillan, 1982.
Welford A. *Fundamentals of Skill,* Methuen, 1968.
Whiting H.T.A. *Acquiring Ball Skill,* Bell & Sons, 1969.

Deunydd Darllen Ychwanegol
Bull R. *Teachers' Guide and Answers to Skill Acquisition,* Jan Roscoe Publications, 1996.

Davis D. ac eraill. *Physical Education: Theory & Practice,* Rhan 4, Macmillan, 1986.
Hawkey R. *Sport Science,* Pen. 7, Hodder & Stoughton, 1981. (Llyfr elfennol, ond man cychwyn defnyddiol.)
Magill R.A. *Motor Learning: Concepts and Applications,* Brown & Benchmark, 1993.
Schmidt R.A. *Motor Learning and Performance: from Principles to Practice,* Pen. 2-5, Human Kinetics, 1991.
Sharp B. *Acquiring Skill in Sport,* Pen. 1, Sports Dynamics, 1992.
Stallings L.M. *Motor Learning From Theory to Practice,* Pen. 4, 5, CV Mosby, 1982.

Fideos Amlgyfryngol
Analysing Physical Activity: The Learning of Skills, Video Education Australia.
The Sports Science Series: Motor Skill Acquisition, Sports Safety, Preparing for Competition, Video Education Australia, 1988.

Pennod 11

Egwyddorion Dysgu ac Addysgu

Wrth weithio drwy'r bennod hon fe wnewch y canlynol:

- ymgyfarwyddo â damcaniaethau ynglŷn â'r hyn yw dysgu a sut y byddwn yn dysgu;
- defnyddio modelau prosesu gwybodaeth i ddadansoddi agweddau ar ddysgu motor;
- deall goblygiadau rhaglenni motor a damcaniaeth

sgemâu *(schema theory)*;

- archwilio prosesau trosglwyddo dysgu ac ymarfer meddyliol;
- sylweddoli pwysigrwydd adborth i dysgu;
- archwilio'r ffordd y gall arddulliau addysgu, dulliau cyflwyno, ffurfiau ar gyfarwyddyd a mathau o ymarfer effeithio ar ddysgu.

11.1 Cyflwyniad: Dysgu, Perfformiad a Chromliniau Dysgu

 Geiriau allweddol a chysyniadau

cromlin cyflymiad negatif	graff camgymeriadau	perfformiad
cromlin cyflymiad positif	lleihaol	strategaeth wybyddol
cromlin dysgu	graff llinol	
dysgu	gwastadedd	

Ym Mhennod 9 diffiniwyd dysgu yn gyffredinol a'i gyferbynnu â pherfformiad. Nodwn eto ddiffiniadau dysgu a perfformiad.

> *Ystyrir dysgu yn gyfystyr â newid mwy neu lai parhaol mewn perfformiad sy'n gysylltiedig â phrofiadau ond heb gynnwys newidiadau a ddigwydd o ganlyniad i aeddfedu a dirywio, neu unrhyw newid yn yr organau derbynnydd neu effeithydd.*

(Knapp, 1973)

> *Gellir ystyried perfformiad fel digwyddiad dros dro ... a fydd yn amrywio o bryd i'w gilydd oherwydd llawer o newidynnau gweithredol potensial. Fel rheol y perfformiad fydd yn cynrychioli yr hyn a ddysgwyd, gan fod yn rhaid casglu (infer) yr ymgymerwyd â'r broses dysgu ar sail y newid a welir yn y perfformiad.*

(Singer, 1975)

Gweithgaredd
11.1: Ystyr dysgu a pherfformiad
Gweithiwch mewn grwpiau o ddau neu dri. Trafodwch ystyr y ddau ddiffiniad ar y dudalen hon i wneud yn siŵr eich bod yn eu deall. Yn arbennig, eglurwch y canlynol:

- newid parhaol mewn perfformiad,
- yn gysylltiedig â phrofiadau,
- aeddfedu a dirywio,
- newid yn yr organau derbynnydd neu effeithydd,
- newidynnau gweithredol potensial,
- casglu ar sail y newid a welir mewn perfformiad.

Ymchwiliad

11.1: Gwahaniaethu rhwng dysgu a pherfformiad

Dull: Gweithiwch mewn parau, y naill yn ddisgybl a'r llall yn hyfforddwr. Heb i'r disgybl ei weld, mae'r hyfforddwr yn llunio dilyniant o symudiadau a ddewiswyd ar hap. Dewiswch symudiadau syml 'heb drefn synhwyrol'. Bydd tua 10 symudiad gwahanol yn ddigon. Dylai'r hyfforddwr ymarfer y dilyniant er mwyn medru ei arddangos yn gelfydd i'r disgybl. Wedyn addysgir y dilyniant i'r disgybl drwy ei arddangos yn gyflawn **unwaith yn unig**; yna mae'r disgybl yn ei berfformio orau y gall. Mae'n debygol y bydd yna gamgymeriadau ac y gadewir pethau allan. Heb egluro na chywiro, mae'r hyfforddwr yn dangos y dilyniant eto ac yn gofyn am arddangosiad arall. Gwnewch hyn eto, heb hyfforddiant llafar, hyd nes yr atgynhyrchir y dilyniant yn gwbl gywir.

Canlyniadau: Nodwch faint o gamgymeriadau a wneir ym mhatrwm y symud neu'r dilyniant ym mhob perfformiad. Lluniwch graff fel y dangosir yn Ffigur 11.1.

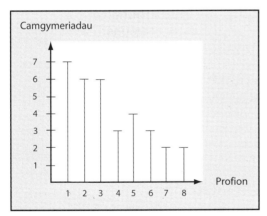

Ffigur 11.1 Graff camgymeriadau lleihaol i arddangos yr hyn a ddysgwyd

Graff **camgymeriadau lleihaol** yw'r un a luniwyd gennych yn Ymchwiliad 11.1. Dyma un ffordd o fesur yr hyn a ddysgwyd a dangos ei fod wedi digwydd. Ffordd arall fyddai mesur i ba raddau yr oedd eich partner yn gwella drwy fesur cynnydd mewn perfformiad, e.e. cyfrif nifer y daliadau llwyddiannus wrth jyglo. Gallai'r graff edrych fel yr un a welir yn Ffigur 11.2.

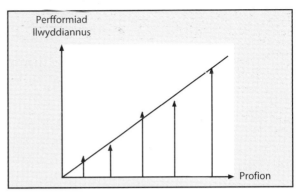

Ffigur 11.2 Graff gwelliant cynyddol mewn dysgu

Mae pob cynnig ar y dasg yn **berfformiad**, yn arddangosiad o allu'r dysgwr i gyflawni'r dasg honno ar yr adeg honno. Wrth i unigolyn ddysgu, mae pob perfformiad yn debygol o fod yn wahanol i'r un blaenorol (a, gobeithio, yn well). Wrth i'r sgìl gael ei ddysgu, bydd y perfformiad yn fwy cyson. Felly, trwy ddysgu y caiff perfformiad ei fireinio yn y fath fodd nes iddo gynrychioli newid parhaol mewn ymddygiad.

Cromliniau dysgu

O wastatáu'r amrywiadau mewn perfformiad a ddangosir yn Ffigur 11.1, fel y gwnaed yn Ffigur 11.2, fe gewch ddarluniad **llinol** o'r gyfradd dysgu lle bo dysgu (gwelliant mewn perfformiad) mewn perthynas uniongyrchol â nifer y profion (perfformiadau). Go brin y bydd graffiau profiadau dysgu go iawn mor syml a chymesur â hyn. Mae pobl yn amrywio o ran cyfraddau dysgu. Gellir dysgu rhai sgiliau yn gyflym, sy'n rhoi cromlin 'serth' iawn; yn achos sgiliau eraill mae angen mwy o ymarfer, felly mae'r graff yn fwy gwastad.

Fel rheol, fodd bynnag, bydd y gyfradd dysgu yn newid wrth ddysgu sgìl ac felly bydd plotio graff dros gyfnod o amser ymarfer yn cynhyrchu cyfres o **gromliniau dysgu** yn hytrach na llinell syth. Mae Ffigur 11.3 yn dangos dwy gromlin o'r fath ar gyfer dau sgìl gwahanol.

Pwyntiau Allweddol
- Os cynhyrchir **cromlin cyflymiad negatif** wrth blotio cyfradd dysgu, mae'n dangos bod y gyfradd dysgu yn gyflymach yn y cyfnodau cynnar nag yw yn ddiweddarach.
- Os cynhyrchir **cromlin cyflymiad positif**, mae'n dangos bod dysgu'n dechrau'n araf, gyda mân welliannau yn unig mewn perfformiad ar y cychwyn, ond yna'n cyflymu tua diwedd y cyfnod dysgu.

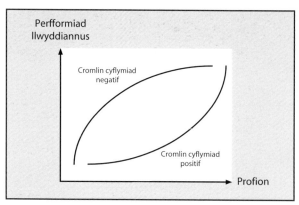

Ffigur 11.3 Cromliniau cyflymiad positif a negatif

Gweithgaredd
11.2: Cromlin dysgu
Lluniwch gromlin dysgu ddamcaniaethol (wedi'i seilio ar eich dychymyg chi yn hytrach na'r byd go iawn) yn cynrychioli ymdrechion dysgwr sy'n ei chael hi'n anodd gwneud cynnydd ar y cychwyn, yn dechrau dysgu'n gyflym, ac yna'n cyrraedd rhyw '**wastadedd**' *(plateau)* lle mae'n cadw'r un safon o berfformiad ond heb wella ymhellach.

Pa resymau posibl allai egluro'r gwastadedd? Beth allai'r hyfforddwr ei wneud ynglŷn â hyn?

Achosion gwastadeddau

Fel rheol mae gwastadeddau'n dangos cyfnod o drawsnewid wrth ddysgu neu ddatblygu'r sgìl neu newidiadau yn ffordd y mabolgampwr o fyw.

Mae Christina a Corcos (1988) yn dosbarthu achosion gwastadeddau fel a ganlyn:

- **Ffactorau seicolegol** – pryder, diffyg cymhelliant, diflastod, problemau emosiynol.
- **Diffygion ffitrwydd corfforol** – ymarfer annigonol neu anaddas, blinder, diffyg gallu corfforol.

- **Newid techneg** – wrth i ddysgwr ganolbwyntio ar agwedd newydd ar y dechneg neu'r dacteg, efallai y bydd rheolweithiau *(routines)* sefydledig yn dirywio dros dro neu na fydd y sgìl fel cyfanwaith yn datblygu. Er enghraifft, wrth i daflwr disgen ychwanegu'r troi ar ôl dysgu tafliad statig gyntaf, efallai na fydd ei bellteroedd yn gwella am gyfnod neu efallai y byddant hyd yn oed yn gwaethygu. Ond wedi i'r dechneg newydd gael ei hymgorffori yn y weithred bydd perfformiad yn dechrau gwella eto, yn aml ar gyfradd uwch.
- **Newid strategaeth wybyddol** – mae'r ffordd y mae'r mabolgampwr yn meddwl am y sgìl cyn ac yn ystod y perfformiad yn effeithio ar y dysgu. Os newidir hyn, effeithir ar y perfformiad. Er enghraifft, pe bai'r hyfforddwr yn cyflwyno techneg dychmygu *(visualization)* newydd, byddai angen amser ar y mabolgampwr i'w dysgu ac addasu iddi. Efallai y byddai hyn yn rhwystro cynnydd yn y tymor byr wrth i'r addasu gael ei wneud. Yn yr un modd, pe bai athro'n gofyn i nofiwr sy'n dechrau dysgu'r dull broga feddwl am nofio drwy diwb cul – er mwyn gwneud y dull yn fwy lliliniog – gallai canolbwyntio ar hyn amharu ar gyd-drefniant dros dro a gallai'r nofiwr deimlo nad yw'n datblygu.

Gall yr athro/hyfforddwr helpu'r dysgwr i oresgyn y trafferthion hyn drwy wneud y canlynol:

- egluro bod gwastadeddau'n rhan normal o'r broses dysgu;
- egluro'r hyn sy'n achosi'r gwastadedd a rhoi hyder i'r dysgwr y gellir goresgyn y gwastadedd;
- cynllunio nodau addas i sicrhau parhad yn y cynnydd;
- strwythuro hyfforddiant ac ymarfer yn briodol;
- rhoi cymorth seicolegol a chadw rhag rhoi'r dysgwr dan bwysau os credir mai straen yw un o'r ffactorau posibl sy'n achosi'r gwastadedd.

 # Cwestiynau Adolygu

1. Diffiniwch 'dysgu' a 'perfformiad' a dangoswch y berthynas rhyngddynt.
2. Lluniwch gyfres o gromliniau dysgu sy'n dangos cyflymiad positif, cyflymiad negatif a gwastadedd dysgu.
3. Beth sy'n achosi gwastadeddau a beth all athrawon neu hyfforddwyr ei wneud i helpu'r dysgwr i'w goresgyn?

Cwestiynau Arholiad

1. Rydych yn gwylio dysgwr yn gwneud nifer o serfiadau tennis dros gyfnod o 20 munud o **ymarfer cyfunedig** *(massed practice)*.
a. Lluniwch graff yn dangos y newidiadau posibl ym mherfformiad y dysgwr dros gyfnod yr ymarfer. Rhowch amser mewn munudau ar yr echelin *x* a'r gyfradd llwyddo ar yr echelin *y*. (3 marc)
b. Eglurwch siâp y gromlin perfformiad ar eich graff. (4 marc)
c. Pa strategaethau y gallai'r athro eu defnyddio i wella perfformiad unrhyw sgìl caeëdig gan ddysgwr yn ystod sesiwn ymarfer 20 munud? (4 marc)

11.2 Dysgu: Egwyddorion a Damcaniaethau

 Geiriau allweddol a chysyniadau

adborth	damcaniaeth dysgu	rhaglen weithredu
arfer	cymdeithasol	siapio
atgyfnerthu	damcaniaethau	symbyliad
atgyfnerthu cadarnhaol	gwybyddol	symbyliad cyflyredig
atgyfnerthu negyddol	deddf effaith	symbyliad diamod
atgyrch	deddf parodrwydd	symbyliad niwtral
cosb	deddf ymarfer	symbyliad-ymateb (S-Y)
cyflyru clasurol	dysgu arsylwadol	trosglwyddo
cyflyru cyfrannol	gestalt	ymateb
cyflyru gweithredol	gwobr	ymateb cyflyredig
cymhelliant	isreolwaith	ymateb diamod
damcaniaeth cymhelliad	map gwybyddol	
damcaniaeth cyswllt	modelu	

Ym Mhennod 10 nodwyd bod dysgu'n golygu cofio sgiliau a gwybodaeth. Trafodwyd 'mewnbwn', y gellir ei alw hefyd yn 'symbyliad', a sut y prosesir hyn i gynhyrchu 'allbwn' neu 'ymateb' addas. Gyda'r broses hon mae'n ofynnol ein bod yn ystyried yr hyn sydd i'w ddysgu yn berthnasol, ein bod yn rhoi sylw i'r hyn a wnawn a'n bod yn barod i ymarfer fel bo'r wybodaeth neu'r symudiad yn cael ei 'rigoli' yn y cof. Hynny yw, rhaid bod gennym yr ewyllys, neu'r angen, i ddysgu; hebddo ni ellir dysgu dim yn effeithiol. Term a ddefnyddir am yr ewyllys neu'r angen i ddysgu yw **cymhelliant** *(motivation)*.

Cymhelliant a damcaniaeth cymhelliad

Diffiniwyd cymhelliant fel 'y mecanweithiau mewnol a'r symbyliadau allanol sy'n sbarduno a chyfeirio ymddygiad' (Sage 1977, tud. 457).

Mae llawer o ddamcaniaethau cymhelliant. Mae un yn deillio o **ddamcaniaeth cymhelliad** *(drive theory)* gan ystyried dysgu fel modd i ddatblygu '**arferion**',

h.y. yn yr achos hwn yr ymatebion ymddygiadol mwyaf addas i broblemau symud y mae angen eu datrys. Dangosir hyn yn Ffigur 11.4.

Damcaniaeth gymhleth iawn yw hon yn ei chyfanrwydd, ond o'i nodi'n syml a'i chymhwyso i weithgaredd corfforol mae'n awgrymu'r canlynol: pan fydd problem yn codi, e.e. wrth gynllunio dawns neu berfformio sgìl penodol mewn gêm, bydd angen am feistrolaeth, angen i ddatrys y broblem. Mae hynny'n symbylu'r **cymhelliad** *(drive)* i ddysgu er mwyn

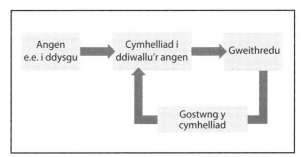

Ffigur 11.4 Damcaniaeth gostwng cymhelliad

285

datrys y broblem a hefyd arfer, sef y ffordd o berfformio'r sgìl. Felly, dechreuwn ymarfer. Ar y cychwyn nid yw'r perfformiad yn effeithiol, ond wrth i lwyddiant ddod fe'i gwelir fel **gwobr** ac felly mae'n gweithredu fel **atgyfnerthiad** *(reinforcement)*. O ganlyniad ffurfir cwlwm yn y cof rhwng y **symbyliad** *(stimulus)*, sef y broblem, a'r **ymateb**, sef y perfformiad effeithiol (gweler Ffigur 11.5). Daw'r ddau'n gysylltiedig â'i gilydd yn y cof a datblygir 'arfer', h.y. perfformiad llwyddiannus.

Wrth i'n perfformiad wella, caiff yr arfer ei gryfhau a gostyngir y cymhelliad i barhau i ddysgu. Bryd hynny mae angen i'r athro/hyfforddwr ymestyn y broblem er mwyn cynnal diddordeb a chymhelliant. Y pwynt pwysig a wneir gan y ddamcaniaeth hon yw bod dysgu'n dibynnu ar gymhelliad, h.y. yr ysgogiad i fod yn ddeheuig ac i feistroli'r sgìl neu ddatrys y broblem; heb gymhelliad, ni ellir dysgu dim. Ystyriwn gymhelliant mewn cyd-destun ehangach yn ddiweddarach.

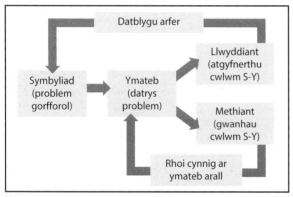

Ffigur 11.5 Y cwlwm symbyliad-ymateb

Damcaniaethau cyswllt

Nid Hull oedd y seicolegydd cyntaf i nodi mewn perthynas â dysgu bwysigrwydd y berthynas rhwng symbyliad (y dasg neu'r broblem) a'r ymateb iddo (y perfformiad). Gelwir damcaniaethau dysgu sy'n canolbwyntio ar hyn yn ddamcaniaethau 'symbyliad-ymateb (S-Y)' neu'n ddamcaniaethau 'cyswllt' *(association)*.

Ffigur 11.6

Cyflyru clasurol *(classical conditioning)*

Dyma fath sylfaenol o ddysgu S-Y. Fe'i hastudiwyd gan Pavlov, ffisiolegydd enwog o Rwsia, a ddefnyddiodd gŵn yn ei waith. Mewn arbrawf dan oruchwyliaeth, cyflwynodd fwyd i gi newynog, gan ganu cloch ychydig eiliadau cyn rhoi'r bwyd (Ffigur 11.6). Mae arogli a/neu weld bwyd yn achosi i gŵn lafoerio'n awtomatig, fel atgyrch. Ar y cychwyn ni chafodd y gloch effaith ar y ci (symbyliad niwtral), ond ar ôl ychydig droeon dechreuodd y ci gysylltu sŵn y gloch â bwyd, a byddai'n dechrau glafoerio cyn gynted ag y canai'r gloch, hyd yn oed cyn i'r bwyd ymddangos.

Mae'n bwysig sylweddoli'r hyn a ddysgwyd yn yr enghraifft hon – nid ymddygiad newydd, ond yn hytrach ymddwyn yn yr un ffordd i symbyliad newydd drwy gysylltu'r symbyliad cyntaf â'r ail.

Pwynt allweddol

Ystyr cyflyru clasurol yw paru symbyliad niwtral a symbyliad diamod fel y ffurfir cyswllt rhyngddynt ac y daw'r ymateb diamod gwreiddiol yn ymateb cyflyredig *(conditioned)*. Y pwynt pwysig i'w gofio ynglŷn â chyflyru clasurol yw bod yn rhaid i'r ymateb fod yn atgyrch (ymateb diamod) i gael ei ystyried yn 'glasurol'. Mae atgyrch yn ymateb anrheoledig i symbyliad penodol, ymateb na chafodd ei ddysgu. Ni chaiff ei reoli gan unrhyw feddwl ymwybodol ac mae iddo sail a diben esblygol yn helpu'r anifail i addasu i'r amgylchedd neu i gael ei ddiogelu (Miller, 1972).

Gweithgaredd
11.3: Atgyrchoedd

- Ysgrifennwch o leiaf dri atgyrch dynol – gwnewch yn siŵr mai atgyrchoedd ydynt.
- Beth yw dibenion yr atgyrchoedd hyn o safbwynt esblygiad neu ddiogelu?
- Pa rai sy'n arbennig o bwysig i ni mewn gweithgaredd corfforol?

Gall bodau dynol ddysgu drwy gyflyru clasurol. Er enghraifft, os chwythir pwff o aer i lygad unigolyn i beri iddo amrantu ac y caiff y symbyliad hwn ei baru â chloch, bydd yr unigolyn yn dysgu'n fuan i amrantu wrth glywed y gloch. Ond cyfyngedig yw nifer yr atgyrchoedd dynol. Mae'r rhan fwyaf o'n dysgu yn dibynnu ar ddatblygu ymatebion a sgiliau newydd yn hytrach nag ar gyswllt ag atgyrchoedd diarwybod cynhenid.

Mae rhai awduron yn sôn am 'atgyrchoedd a ddysgwyd', h.y. symudiadau a ddysgwyd ond nad ydynt dan reolaeth ymwybodol. Enghreifftiau yw tynnu eich llaw oddi ar arwyneb poeth neu wyro'ch pen os teflir rhywbeth tuag ato. Os derbyniwn y syniad hwn – ac nid yw pob seicolegydd yn gwneud hynny – gallwn ehangu ystod yr ymddygiadau y gellid eu galw'n 'glasurol gyflyredig'. Gellid dysgu ymatebion ofn afresymol drwy'r math hwn o gyflyru. Gallai hyn egluro ofn plant – ac oedolion – mewn pwll nofio. Ond mae'n dal yn wir mai cyswllt rhwng dau symbyliad sy'n cael ei gyflyru, nid yr ymddygiad. Yr hyn sydd o ddiddordeb i ni wrth astudio addysg gorfforol a chwaraeon yw'r ymddygiad. Felly, o ble y daw sgiliau hollol newydd megis trosbennu?

Cyflyru gweithredol (cyfrannol)

Yn ôl Skinner (1974), er nad yw llawer o'n hymddygiad yn atgyrchol fe ellir ei gyflyru, ond nid drwy ddulliau clasurol. Gelwir ymddygiad a ddysgwyd ac sy'n digwydd yn naturiol yn ymddygiad 'gweithredol' *(operant)*. Os caiff hyn ei wobrwyo mewn rhyw fodd, bydd yn fwy tebygol o ddigwydd eto; mae'n ymddangos ein bod wedi'n rhaglennu i geisio am wobr neu foddhad.

Mae nofiwr ifanc yn dysgu tro tin-dros-ben *(tumble turn)*. Nid yw'r cynigion cyntaf ar y trosben – yr ymddygiad gweithredol a ddysgwyd eisoes – yn llwyddiannus, ond yn hwyr neu'n hwyrach bydd ei draed yn cyffwrdd â'r wal a bydd y gwthio ymaith yn effeithiol. Bydd hynny'n deimlad da, yn enwedig os bydd yr hyfforddwr yn canmol ac yn annog. Mae'r

boddhad hwn yn gweithredu fel **atgyfnerthydd cadarnhaol** *(positive reinforcer)*. Mae'n cryfhau'r cyswllt rhwng y symbyliad a'r ymateb (Ffigur 11.7).

Mae atgynerthu cadarnhaol yn gysyniad cymharol syml. Gall canlyniad yr ymateb greu ymdeimlad o foddhad (e.e. y trosbennwr), neu fe ellir ei roi gan yr athro drwy ganmol. Cofiwch, fodd bynnag, nad yw canmol yn gweithredu fel atgyfnerthydd ond os yw'n rhoi boddhad i'r dysgwr.

Mae'n fwy anodd deall **atgyfnerthu negyddol**. Dyma enghraifft i'n helpu. Mae'r hyfforddwr wedi bod yn gweithio ar ymarferion amddiffyn gyda'r tîm pêl-droed. Mae'r tîm wedi gweithio'n galed, ond maen nhw'n awyddus i ddefnyddio'r ymarferion mewn 'gêm go iawn'. Ceisia'r hyfforddwr drefnu gêm gyflyredig, ond mae'r chwaraewyr yn edrych ymlaen at gyffro'r cystadlu a dydyn nhw ddim yn gwrando. Mae'r hyfforddwr am iddyn nhw wrando (yr ymateb gofynnol). Mae'n peidio ag egluro, yn aros am sylw, yna'n dweud, 'Nes y byddwch chi'n sefyll yn llonydd ac yn gwrando fyddwn ni ddim yn dechrau. Eich amser chwarae chi sy'n cael ei wastraffu.' Peidio â gadael i'r sesiwn hyfforddi barhau yw'r atgyfnerthiad negyddol; mae'n amhleserus am fod y tîm yn awyddus i chwarae. Rhoi sylw yw'r ymateb gofynnol. Wedi i'r tîm wneud hynny, ceir gwared â'r atgyfnerthiad negyddol, h.y. mae'r hyfforddwr yn rhoi'r gorau i rwystro'r gêm. Y gobaith yw y bydd y chwaraewyr yn dysgu bod yn rhaid gwrando ar yr hyfforddwr os ydyn nhw am gael digon o amser i chwarae'r gêm.

Ni ddylid drysu rhwng atgyfnerthiad negyddol a chosb. Rhoddir cosb o **ganlyniad** i ymateb er mwyn **osgoi** cael yr un ymateb eto. I fynd â'r enghraifft ymhellach, pe bai un o'r tîm yn dal i 'chwarae'r ffŵl' efallai y byddai'r hyfforddwr yn dweud, 'Alun, rwy wedi dy rybuddio di unwaith. Rwyt ti'n dal heb wneud yr hyn ofynnais i, felly dwyt ti ddim yn cael chwarae am y deng munud cyntaf. Gwisga dy dracwisg.' Bwriedir i'r gosb, sef peidio â chwarae, annog Alun i beidio â chamymddwyn yn y dyfodol.

Ehangodd Skinner ei ddamcaniaeth cyflyru

Pwyntiau Allweddol

- Cyflyru gweithredol – trwy'r broses hon y bydd yr ymateb gofynnol (a ddewisir o amrywiaeth o ymatebion sy'n digwydd yn naturiol) yn cael ei atgyfnerthu ac felly ei ddatblygu. Noder: mewn cyflyru gweithredol canolbwyntir ar y berthynas rhwng yr ymateb a'r wobr; mae'r symbyliad yn llai pwysig. Defnyddir yr amgylchedd i gynhyrchu ymddygiad newydd.
- Atgyfnerthu – y broses o gynyddu'r ymddygiad gofynnol drwy roi boddhad i'r dysgwr.
- Atgyfnerthu cadarnhaol – rhoi ymdeimlad o foddhad i gynyddu'r tebygolrwydd y ceir yr ymateb gofynnol eto.
- Atgyfnerthu negyddol – dileu profiad amhleserus er mwyn cynyddu'r tebygolrwydd y ceir yr ymateb gofynnol eto.

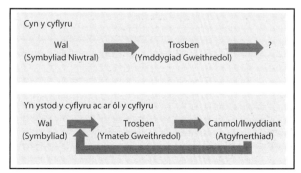

Ffigur 11.7 Cyflyru gweithredol: dysgu'r tro tin-dros-ben mewn nofio

gweithredol i gynnwys y cysyniad 'siapio'. Sylweddolodd yn achos sgiliau cymhleth, e.e. serfiad tennis, na fedrir atgyfnerthu'r weithred gyfan am ei bod yn annhebygol o gael ei chynhyrchu yn y prawf cyntaf. Felly, gallai'r hyfforddwr wneud y naill neu'r llall o'r canlynol:

- ymrannu'r sgìl yn rhannau bach hawdd eu dysgu ac atgyfnerthu'r rhain yn raddol, gan adeiladu'r sgìl cyfan; weithiau defnyddir y term '**cadwyno**' *(chaining)* am hyn;
- cyflwyno'r sgìl cyfan, ond ei 'siapio' drwy atgyfnerthu gweithredoedd sy'n mynd i'r cyfeiriad iawn er nad ydynt yn hollol gywir. Trwy atgyfnerthu gweithredoedd sy'n agosach ac yn agosach at y canlyniad gofynnol, dysgir y symudiad cyflawn cywir yn raddol.

Mae cyflyru gweithredol yn hwyluso dysgu'r sgìl ar y cychwyn. Wedi i'r sgìl gael ei ddysgu, nid oes angen parhau â'r atgyfnerthu ac felly gellir ei dynnu'n ôl yn raddol a'i drosglwyddo i ddysgu sgìl mwy datblygedig.

Deddfau dysgu Thorndike
Lluniodd Thorndike (1932) dair deddf dysgu – deddf parodrwydd, deddf effaith a deddf ymarfer – sy'n arbennig o bwysig wrth ddysgu sgiliau.

Deddf parodrwydd
Dim ond pan fydd y system nerfol yn ddigon aeddfed i ganiatáu'r cysylltiadau S-Y priodol y gall dysgu ddigwydd. Dylid datblygu sgiliau elfennol rheoli'r corff, megis gymnasteg syml, cyn gweithredu sgiliau ergydio/taro a dal. Mae'r cysyniad hwn o barodrwydd y system nerfol yn ychwanegol at faterion cryfder cyhyrol ac aeddfedrwydd sgerbydol, sydd hefyd yn ystyriaethau pwysig iawn.

Deddf effaith
Mae dysgu'n digwydd pan fydd ymateb penodol yn cael effaith ar yr unigolyn, h.y. pan gaiff yr ymateb ei atgyfnerthu. Mae atgyfnerthwyr bodloni *(satisfying reinforcers)* yn cynyddu cryfder y cwlwm S-Y a thebygolrwydd rhoi'r ymateb eto. Felly, i alluogi llwyddiant cynnar mae'n bwysig i hyfforddwr neu athro ddefnyddio adborth cadarnhaol i atgyfnerthu cynigion cywir.

Os yw'r dysgwr yn gwybod yr hyn y mae'n ceisio'i gyflawni, gall gweld llwyddiant weithredu fel atgyfnerthydd cadarnhaol a methiant fel cosb, heb gael athro/hyfforddwr yno i roi atgyfnerthiad ychwanegol. Gelwir y broses hon yn ddysgu 'profi a methu' *(trial and error)*. Mae'n dibynnu ar allu'r dysgwr i adnabod llwyddiant ac i deimlo'n fodlon â'r ymateb neu fel arall i gyfaddef nad oedd yr ymateb yn addas ac i roi cynnig

ar un arall. Y broblem gyda'r dull hwn yw y gall adael i ddysgwyr sefydlu 'arferion gwael', h.y. ymatebion sy'n llwyddiannus ar unwaith yn ystod y cyfnod cynnar ond nad ydynt yn caniatáu datblygiad pellach.

Deddf ymarfer
Mae ail-wneud yn cryfhau'r cwlwm S-Y. Dyna pam mae ymarfer yn bwysig. Hyd yn oed os yw'n ymddangos bod sgìl wedi'i ddysgu'n effeithiol, bydd ymarfer y tu hwnt i'r pwynt hwnnw yn arwain at 'ddysgu meistrolaeth' *(mastery learning)*. Mae dysgu meistrolaeth yn sicrhau na chaiff sgìl ei anghofio'n rhwydd ac y gellir ei berfformio dan amgylchiadau amrywiol ac anodd.

Pwyntiau Allweddol
- Mae cyflyru clasurol yn pwysleisio'r cyswllt rhwng symbyliad ac ymateb atgyrch.
- Mae cyflyru gweithredol yn pwysleisio'r cyswllt rhwng yr ymateb i symbyliad ac effaith yr ymateb ar yr unigolyn.
- Dibynna dysgu ar ail-wneud cysylltiadau S-Y ac atgyfnerthiad.
- Mae'r atgyfnerthu fwyaf effeithiol pan fo'n dilyn yr ymateb ar unwaith a phan fo'n gadarnhaol, h.y. yn foddhaol i'r dysgwr.
- Mae'r dysgu fwyaf effeithiol pan fo dysgwyr â chymhelliant ac yn barod yn ffisiolegol i ddysgu.

Damcaniaethau gwybyddol
Mae damcaniaeth S-Y wedi bod yn ddylanwadol iawn yn ein helpu i ddeall sut y daw pobl yn fedrus, ond mae llawer o seicolegwyr yn credu nad dyma'r ateb cyflawn. Eu dadl hwy yw na ellir egluro maint, amrywiaeth a helaethrwydd dysgu gan glymau S-Y yn unig. Cynigiwyd nifer o ddamcaniaethau 'gwybyddol'. Fe'u gelwir yn wybyddol am eu bod yn rhoi mwy o bwyslais ar brosesau meddwl ac ar ddeall sut mae cysyniadau'n gysylltiedig â'i gilydd.

Credai Tolman (1946) y cymhellir ymddygiad gan bwrpas a disgwyliad, ac felly y cymhellir dysgwyr i weithio tuag at nodau y maent yn ymwybodol ohonynt. Mewn chwaraeon ac addysg gorfforol y sgiliau a'r ddealltwriaeth sydd ynghlwm wrth y gweithgaredd penodol yw'r nodau. Bydd dysgwyr yn symud tua'r nod, e.e. medru rhyng-gipio pas mewn pêl-droed, drwy adnabod arwyddion, defnyddio profiad a ffurfio 'map gwybyddol' o'r gweithgaredd a ddaw'n fwy cymhleth a soffistigedig wrth i'r dysgwr ddod yn fwy medrus.

Cynigiodd grŵp o seicolegwyr a elwir yn 'gestaltwyr' ddwy egwyddor dysgu:
- Gellir cyflymu dysgu drwy ddefnyddio 'mewnwelediad' *(insight)* neu 'reddf' i ddatrys

problem. Er enghraifft, os ydy gymnastwraig a'i hyfforddwr am gysylltu dau symudiad mewn dilyniant ond heb fod yn siŵr sut i'w wneud, gall y gymnastwraig arbrofi â sawl syniad (profi a methu) sy'n helpu i wneud y problemau a'r posibiliadau yn gliriach. Yna efallai y bydd yn dweud yn sydyn, 'Rwy'n gwybod, beth am ...' ac yn dangos symudiad sy'n datrys y broblem – ennyd o fewnwelediad.

- Bydd y dysgu fwyaf effeithiol pan welir problem yn gyfan neu pan ellir ymarfer patrwm cyflawn symudiad. Bydd hynny'n galluogi i'r dysgwr ddeall yr holl faterion a'r cysylltiadau sydd angen eu hystyried. Felly, mae gestaltwyr yn argymell bod dysgwyr yn ymarfer serfiad tennis yn gyfan yn hytrach na'i dorri i lawr yn rhannau.

Gweithgaredd
11.4: Manteision ac anfanteision yr agwedd gestalt

- Nodwch ar bapur enghreifftiau eraill o sgiliau y gellid eu dysgu'n gyfan.
- Nodwch broblemau tactegol mewn gêm o'ch dewis chi y gallech eu cyflwyno i grŵp o ddysgwyr i'w datrys.
- Nodwch sgiliau na ddylid, yn eich barn chi, eu dysgu'n gyfan, ond y dylid yn hytrach eu torri i lawr yn rhannau. Pam mae dysgu mewn rhannau yn fwy addas ar gyfer y sgiliau hyn?

Damcaniaeth dysgu cymdeithasol

Mae damcaniaeth dysgu cymdeithasol yn egluro sut mae ymddygiad pobl eraill yn dylanwadu ar ein hymddygiad ni. Defnyddir y ddamcaniaeth hon pan ddefnyddir arddangos fel arf dysgu. Mae arddangos yn arf dysgu grymus wrth gaffael sgiliau.

Ystyr arddangos yw cymhwyso 'modelu' neu 'ddysgu arsylwadol'. Yn ôl y ddamcaniaeth hon, dysgir llawer o ymddygiad cymdeithasol drwy **arsylwi** modelau, ac nid yw ymddygiad medrus yn eithriad. Ond un broblem yw na ellir rheoli bob amser yr hyn a ddysgir. Gallai person ifanc ddysgu llawer ynglŷn â sgil o wylio'i arwr pêl-droed yn chwarae, ond gallai ddysgu arferion gwael hefyd!

Awgrymodd Bandura (1977) fod pedair proses mewn dysgu arsylwadol (gweler tud. 364):

- **rhoi sylw** *(attention)* a **chadw mewn cof** *(retention)*, sy'n gysylltiedig â chaffael y sgìl;
- **atgynhyrchu motor** a **chymhelliant**, sy'n pennu perfformiad.

Dangosir isod sut mae hyfforddwyr ac athrawon yn defnyddio'r model hwn:

- Byddan nhw'n mynnu bod chwaraewyr yn **rhoi sylw** i gyfarwyddiadau neu'n rhoi arwyddion ynglŷn â sut i berfformio orau, e.e. 'Peidiwch ag edrych ble mae'r bêl yn mynd, gwyliwch sut mae fy raced yn swingio drwodd ar lefel y wasg a ble mae'n cyrraedd'.
- **Cadw mewn cof** yw'r broses o gofio'r ymddygiad a fodelwyd. Mae hyfforddwyr da yn helpu'r broses drwy ail-wneud pethau, drwy wneud y dysgu'n ddiddorol, drwy hybu delweddu *(imaging)* y sgìl yn y meddwl a thrwy 'ymadroddion bachog': mae 'cam-cam-cam-codi' yn helpu gyda cham y glwyd *(hurdle step)* wrth ddeifio o sbringfwrdd.
- Mae **atgynhyrchu motor** yn cyfeirio at gynnig gan y dysgwr ar y sgìl a fodelwyd. Mae'n bwysig bod yr hyfforddwr wedi'i arddangos yn gywir a bod gan y dysgwr y gorffolaeth i fedru gwneud y dasg. Fel rheol mae arweiniad ychwanegol o gymorth ar yr adeg hon.
- Tuedda pobl i efelychu'r hyn sydd o ddiddordeb iddynt ac mae ganddynt **gymhelliant** i gyflawni. Mae hyfforddwyr da yn deall yr hyn sy'n cymell eu chwaraewyr ac yn defnyddio hyn fel arf hyfforddi pwysig. Defnyddiant atgyfnerthiad i gynyddu cymhelliant.

 # Cwestiynau Adolygu

1. Eglurwch y gwahaniaeth rhwng cyflyru clasurol a chyflyru gweithredol gan roi enghreifftiau ym myd chwaraeon.
2. Beth yw ystyr 'siapio'? Dewiswch sgìl caeëdig ac eglurwch sut y gallai hyfforddwr 'siapio' dysgu'r sgìl hwnnw.
3. Pam mae tair deddf dysgu Thorndike yn bwysig wrth gaffael sgiliau?
4. Eglurwch y gwahaniaeth rhwng atgyfnerthiad negyddol a chosb?

 # Cwestiynau Arholiad

1. Trafodwch fanteision dulliau dysgu'r cyfan a dysgu rhannau a rhowch sylwadau ar unrhyw ffactorau cyffredinol y dylai'r hyfforddwr eu hystyried wrth bennu'r ffordd addas i hyfforddi sgìl newydd. Defnyddiwch enghreifftiau o sgiliau mewn chwaraeon i egluro'ch ateb. (20 marc)

11.3 Dysgu Motor a Rheolaeth Fotor

 ## Geiriau allweddol a chysyniadau

adborth allanol	cyfnod cysylltiadol	gwybodaeth am y
adborth atodol	cyfnod gwybyddol	perfformiad
adborth cydamserol	cyfnod motor geiriol	rhaglennu dilyniannol
adborth cynhenid	damcaniaeth cyfnodau	rheolaeth dolen agored
adborth disymwth	damcaniaeth/rheolaeth	sgema
adborth gohiriedig	dolen gaeëdig	sgema adnabod
adborth mewnol	gwybodaeth am y	sgema galw i gof
adborth terfynol	canlyniadau	sgiliau balistig
cyfnod ymreolaethol		

Rhaglenni motor

Yn Adran 10.4 ystyriwyd rhaglenni motor fel elfen prosesu gwybodaeth. Fe'u hystyriwn yma fel agwedd ar ddysgu.

Damcaniaeth dolen agored

Yn ôl y ddamcaniaeth hon, pan gaiff sgìl ei ddysgu llunnir cynllun cyffredinol neu raglen o'r sgìl hwnnw yn y cof tymor hir. Gelwir hwn yn **rhaglen weithredol**, sy'n cynnwys **isreolweithiau**. Trefnir y rhaglen gyfan yn **hierarchaidd**, h.y. mae'r rhaglen weithredol yn cynnwys nifer o isreolweithiau, sydd yn eu tro yn cynnwys unedau isreolweithiol bach.

**Gweithgaredd
11.5: Rhaglenni gweithredol ac isreolweithiau**
- Nodwch y rhaglenni gweithredol a'r isreolweithiau yn Ffigur 10.26.
- Pa isreolweithiau llai fyddai'n ffurfio'r 'taflu'?

Mae'r rhaglen hefyd wedi'i threfnu yn **ddilyniannol** *(sequentially)*, h.y. gall ddweud wrth y cyhyrau ym mha drefn i gynhyrchu'r isreolweithiau priodol.

Mae dysgu'r serfiad tennis yn golygu ymarfer y sgìl fel bo dilyniant a chyd-drefniant yr isreolweithiau yn gywir. Hefyd daw'r isreolweithiau'n fwyfwy awtomatig nes y bydd y rhaglen weithredol gyfan hefyd yn awtomatig. Ystyr 'awtomatig' yma yw nad oes raid i'r perfformiwr feddwl am y perfformiad. Wedi i'r rhaglen gael ei rhoi ar waith mae'r rhaglen fotor yn gorchymyn y symudiad cyfan.

Felly, wrth addysgu serfiad mae angen i'r athro sicrhau bod yr isreolweithiau wedi'u sefydlu'n dda ac yna bod y sgìl cyfan yn cael ei ymarfer, gan bwysleisio amseriad a chyd-drefniant yr isreolweithiau.

Yn ôl damcaniaeth dolen agored, wedi i'r sgìl gael ei ddysgu gellir ei roi ar waith heb ddefnyddio adborth i reoli'r symudiad. Dim ond ar ddiwedd y symudiad y defnyddir gwybodaeth am y canlyniadau a hynny i roi adborth i'r dysgwr ynglŷn â'r canlyniadau. Er enghraifft, bydd y chwaraewr yn y tîm sy'n cymryd y ciciau cosb wedi ymarfer saethu am gryn dipyn o amser, felly wedi iddo benderfynu ar gic benodol fe'i cyflawnir dan reolaeth dolen agored (Ffigur 11.8). Bydd adborth y canlyniad yn amlwg iawn – i bawb!

Ceir enghraifft arall o ddolenni agored yn achos sgiliau **balisitig**, lle bo aelodau'r corff yn swingio'n gyflym ac yn symud dros dro dan eu momentwm eu hunain, e.e. mewn olwyndro cyflym. Mae golff yn gêm anodd yn rhannol am fod y swing golff yn falistig ac na ellir ei reoli wedi iddo ddechrau.

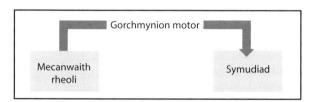

Ffigur 11.8 Rheolaeth dolen agored

Damcaniaeth dolen gaeëdig

Os yw sgìl dan reolaeth dolen gaeëdig (Ffigur 11.9), bydd y rhaglen fotor wedi'i strwythuro yn yr un modd ond gellir diddymu ei gorchmynion gan yr angen i gywiro camgymeriadau. Defnyddir adborth cinesthetig i wneud hyn.

Er enghraifft, os yw gymnastwr yn dysgu olwyndro araf rheoledig, mae'n bosibl synhwyro nad yw'r corff wedi'i alinio'n iawn a gwneud addasiadau wrth berfformio'r sgìl. Wrth gwrs, dim ond wedi i'r gymnastwr ddysgu digon i wybod pa deimlad sydd i aliniad cywir y corff y gall hyn ddigwydd.

Yn ôl Adams (1971), wrth i symudiad penodol gael

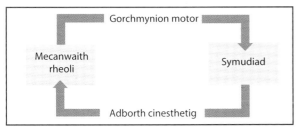

Ffigur 11.9 Rheolaeth dolen gaeëdig

ei atgyfnerthu yn ystod y dysgu, fe gaiff ei storio yn y cof tymor hir fel 'ôl cof' *(memory trace)*.

Darllenwch eto yr adran ar brosesu gwybodaeth ym Mhennod 10 i weld sut mae'r ôl cof yn datblygu. Bydd yn gryf os bydd:

- y symudiad wedi'i ymarfer yn helaeth;
- y wybodaeth wedi'i storio mewn 'talpiau' fel bo'r berthynas rhwng isreolweithiau unigol wedi'i sefydlu'n dda;
- dwysedd emosiynol cryf i'r symudiad neu'r symbyliad, h.y. mae'n bwysig i'r dysgwr;
- delwedd ginesthetig y symudiad yn cael ei hatgyfnerthu gan ddelweddaeth *(imagery)* weledol h.y. lluniau yn y meddwl.

Mae'r ôl cof hwn yn cynnwys isreolweithiau a rhaglen weithredol y symudiad. Er enghraifft, bydd gan gymnastwr sy'n dysgu olwyndro ar y trawst ôl cof o'r symudiad cyfan a'i wahanol elfennau – ymestyn y coesau, safleoedd y dwylo, y glanio, yr amseriad, etc. Wrth i'r olwyndro gael ei gyflawni, cofnodir 'ôl canfyddiadol' *(perceptual trace)* yn y cof tymor byr a'i gymharu â'r ôl cof. Os yw'r cydweddu'n dda, bydd y symudiad yn parhau; os na fydd, bydd y dysgwr yn ceisio cywiro'r camgymeriad, e.e. drwy addasu safle'r droed wrth lanio er mwyn cael gwell cydbwysedd. Mae Adams (1971) yn awgrymu bod y ddolen adborth gaeëdig yn gweithredu drwy gydol y symudiad ac felly yn caniatáu cywiro yn ystod y symudiad.

Mae rhai seicolegwyr chwaraeon yn anfodlon â'r farn begynedig *(polarized)* hon ar reolaeth fotor; maen nhw'n credu bod perfformiad yn cynnwys prosesau dolen agored a dolen gaeëdig. Mae Schmidt (1980) yn awgrymu y defnyddir y ddwy ar wahanol adegau mewn gweithred. Ystyriwch serfiad tennis – pa elfennau sydd dan reolaeth dolen gaeëdig yn eich barn chi a pha rai sydd dan reolaeth dolen agored? Yn ôl arbrofion sy'n ymwneud â symudiadau dilyn trywydd rhywbeth yn barhaol, e.e. defnyddio ffon reoli i chwarae gêm gyfrifiadurol, gall pyliau byr o weithio gael eu rhaglennu'n ganolog a gellir gwirio'r canlyniad (yn berifferol) am gamgymeriad a'i gywiro cyn cychwyn y pwl nesaf o weithio (Schmidt, 1980, tud. 127).

Pwyntiau Allweddol
- Storir sgiliau yn y cof fel rhaglenni motor.
- Trefnir rhaglen fotor yn hierarchaidd ac yn ddilyniannol, mae'n cynnwys rhaglen weithredol a lefelau o isreolweithiau.
- Os na safonir sgìl drwy adborth dywedir ei fod dan reolaeth dolen agored.
- Mae rheolaeth dolen gaeëdig yn caniatáu i adborth cinesthetig gymharu ôl cof y rhaglen fotor sydd wedi'i storio ag ôl canfyddiadol yr hyn sy'n digwydd wrth berfformio'r sgìl, ac felly yn caniatáu cywiro camgymeriadau.

Gweithgaredd
11.6: Dolenni agored a chaeëdig
- Gwnewch yn siŵr eich bod yn deall y gwahaniaeth rhwng modelau dolen agored a dolen gaeëdig mewn perthynas â rheolaeth fotor a dysgu motor.
- Dewiswch enghraifft o fyd chwaraeon neu addysg gorfforol ac eglurwch sut mae dysgwr yn adnabod camgymeriadau mewn perfformiad gan ddefnyddio damcaniaeth dolen agored a dolen gaeëdig.
- Pa ddamcaniaeth sy'n cydweddu orau â'ch enghraifft chi?

Damcaniaeth sgemâu

Dewis arall o ran damcaniaeth yw damcaniaeth sgemâu *(schema theory)*. Un o'r problemau ynglŷn â damcaniaeth dolen gaeëdig Adams yw ei bod yn ofynnol storio symudiadau fel unedau gwahanol. O ystyried faint o wahanol olion cof y byddai eu hangen, mae'n debyg y byddai cynhwysedd y cof yn broblem. Mae damcaniaeth sgemâu (Schmidt, 1977) yn honni nad patrwm sefydlog o symud (rhaglen) sy'n cael ei storio yn y cof, ond yn hytrach set o berthnasoedd neu reolau sy'n pennu perfformiad y sgìl. Dyma'r '**sgema**'. Gellid ystyried y 'set o berthnasoedd' yn rhaglen o ryw fath, ond yn un gyffredinol y gellir ei rhedeg yn wahanol yn unol â gofynion y sefyllfa.

Mae dwy elfen i sgema – galw i gof *(recall)* ac adnabod *(recognition)*. Y **sgema galw i gof** sy'n gyfrifol am gynhyrchu'r symudiad. Mae'n cynnwys gwybodaeth wedi'i storio yn y cof tymor hir ynglŷn â'r canlynol:
- yr amodau cychwynnol ar gyfer cynhyrchu'r symudiad, h.y. 'ble ydw i mewn perthynas â'r bêl?'.

- manylion yr ymateb gofynnol, h.y. y gofynion symud, h.y. 'beth sy'n rhaid i mi ei wneud a sut y gwna' i hynny?'.

Y **sgema adnabod** sy'n gyfrifol am werthuso'r ymateb symud. Yn y lle cyntaf storir y wybodaeth hon yn y cof tymor byr i'w chymharu â'r sgema galw i gof. Y ddwy elfen wybodaeth yw:

- y canlyniadau synhwyraidd, h.y. teimlad cinesthetig y symudiad;
- canlyniadau'r ymateb, h.y. beth ddigwyddodd o ganlyniad i'r symudiad.

Pan fydd symudiad wedi'i gwblhau, storir yr holl elfennau hyn yn y cof tymor hir at eu defnyddio yn y dyfodol mewn symudiadau o'r un fath neu rai tebyg.

Efallai y byddwch wedi sylwi ar y tebygrwydd i ddamcaniaeth Adams ynglŷn ag olion cof ac olion canfyddianol, ond dylech nodi'r gwahaniaethau pwysig.

Pwyntiau Allweddol

- Yn namcaniaeth dolenni agored a chaeëdig storir y rhaglen fotor fel **model union** o'r symudiad i'w gynhyrchu yn y dyfodol.
- Yn namcaniaeth sgemâu storir y rhaglen fotor fel **model cyffredinol** neu set o reolau ynglŷn â sut mae sgìl i gael ei gynhyrchu o ystyried yr amodau ar y pryd.

Gweithgaredd
11.7: Cymharu damcaniaethau sgemâu a dolenni agored a chaeëdig

Trafodwch sut mae (i) damcaniaeth dolenni agored a chaeëdig a (ii) damcaniaeth sgemâu yn dadansoddi'r modd y mae cricedwr neu chwaraewr pêl-fas yn dysgu taflu pêl at y wiced neu'r bas dros bellter o 30 m.

Er mwyn datblygu sgema yn achos cicio neu daflu, er enghraifft, bydd chwaraewr yn ymarfer i sefydlu'r rheolau ar gyfer perthynas rhwng pellter anfon y bêl a newidynnau fel grym cyhyrol, cyflymder yr aelod, ongl neu gyfeiriad y rhyddhau, etc. Caiff y sgema hwn ei addasu i ganfyddiad y chwaraewr o ofynion penodol y dasg.

Gall sgema fod yn gymwys ar unrhyw ran o hierarchaeth y sgìl (gweler Ffigur 10.26). Felly, datblygwyd sgema gennych ar gyfer taflu pêl pan oeddech yn ifanc iawn ac fe gaiff hynny ei fireinio er

mwyn taflu pêl fasged, er enghraifft; gellir hefyd ei gyffredinoli i'ch helpu i ddysgu gweithred daflu newydd, e.e. y waywffon. Mae damcaniaeth sgemâu yn gweld dysgu fel cynhyrchu rhaglenni cyffredinol sy'n fwyfwy cynhwysfawr. Dylech sylweddoli bod damcaniaeth sgemâu yn cydfynd â sawl syniad a drafodwyd gennym yn gynharach, e.e. yr angen i addysgu sgiliau agored drwy roi pwyslais ar amrywio'r ymarfer a'r penderfynu. Datblygodd Schmidt (1977) oblygiadau pwysig ei ddamcaniaeth sgemâu ar gyfer dysgu sgiliau motor:

- Mae pobl yn dysgu o gamgymeriadau. Lle bo'n addas, gellid hyd yn oed cynnwys camgymeriadau yn yr ymarfer i ddiweddaru a chryfhau'r sgema. Er enghraifft, pa mor bell y gallwch 'bwyso' ar eich rhwyf cyn troi eich caiac drosodd? Does ond un ffordd o ddarganfod hynny!
- Mae adborth terfynol (*terminal*) yn bwysig wrth ddysgu, am ei fod yn cryfhau'r sgema yn y cof.
- Rhaid i'r ymarfer fod yn amrywiol ac yn berthnasol i'r gêm neu'r gystadleuaeth. Yn achos sgiliau agored yn arbennig, peidiwch â threulio gormod o amser yn ymarfer symudiad neu ddull penodol dros yr un pellter ac i'r un cyfeiriad. Rhaid i'r dysgwr gael digon o gyfle i sefydlu rheolau er mwyn datblygu sgema cryf sy'n cymryd i ystyriaeth yr holl sefyllfaoedd posibl. Gelwir hyn yn 'amrywioldeb ymarfer' (*variability of practice*).

Mae rheolaeth fotor yn agwedd ar gaffael sgiliau ac mae'r ddamcaniaeth ynglŷn â hyn yn dal i ddatblygu. Felly, mae'n bwysig ystyried y gwahanol ddamcaniaethau yn rhagdybiaethau sydd heb eu profi. Er y gall y rhain fod yn ddefnyddiol wrth eu cymhwyso i broblemau ymarferol dysgu sgìl, rhaid bod yn ymwybodol o'u cyfyngiadau.

Dysgu motor ac adborth
Rydym wedi ystyried:

- sut mae atgyfnerthu yn agwedd bwysig ar ddamcaniaeth dysgu S-Y;
- sut mae adborth cinesthetig yn chwarae rhan bwysig mewn dysgu motor.

Ystyriwn nesaf ychydig yn fanylach rôl adborth mewn dysgu sgiliau, yn arbennig sut y gall yr hyfforddwr/athro strwythuro adborth i helpu dysgwyr.

Mae nifer o wahanol fathau o adborth. Ceir crynodeb yn Ffigur 11.10.

Gall ymchwiliadau fel 11.2 ddangos llawer ynglŷn â sut mae adborth yn effeithio ar ddysgu, ond mae'n bwysig sylweddoli mai canllawiau ar gyfer gweithredu yw'r damcaniaethau a geir ac efallai na fyddant yn berthnasol ym mhob achos.

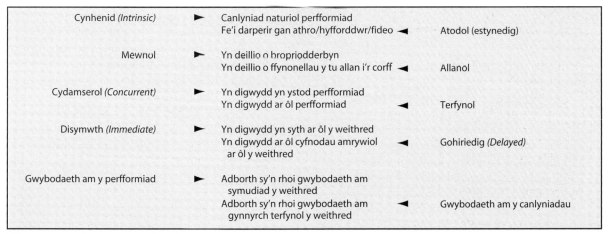

Cynhenid *(Intrinsic)*	►	Canlyniad naturiol perfformiad		
		Fe'i darperir gan athro/hyfforddwr/fideo ◄		Atodol (estynedig)
Mewnol	►	Yn deillio o bropriodderbyn		
		Yn deillio o ffynonellau y tu allan i'r corff ◄		Allanol
Cydamserol *(Concurrent)*	►	Yn digwydd yn ystod perfformiad		
		Yn digwydd ar ôl perfformiad ◄		Terfynol
Disymwth *(Immediate)*	►	Yn digwydd yn syth ar ôl y weithred		
		Yn digwydd ar ôl cyfnodau amrywiol ◄ ar ôl y weithred		Gohiriedig *(Delayed)*
Gwybodaeth am y perfformiad	►	Adborth sy'n rhoi gwybodaeth am symudiad y weithred		
		Adborth sy'n rhoi gwybodaeth am ◄ gynnyrch terfynol y weithred		Gwybodaeth am y canlyniadau

Ffigur 11.10 Categorïau adborth

Adborth er gwybodaeth

Gall adborth gwybodaeth fod naill ai'n gynhenid neu'n estynedig *(augmented)* Dylai'r athro/hyfforddwr strwythuro adborth estynedig fel y bydd (i) yn atgyfnerthu perfformiad cywir a (ii) o gymorth i gywiro camgymeriadau. Dylai gynnwys:

• canlyniad y perfformiad (os nad yw'n eglur i'r dysgwr);
• agweddau cywir ac anghywir;
• sut y dylai deimlo i roi'r ymateb symud cywir;
• eglurhad o'r hyn a achosodd gamgymeriadau;
• newidiadau mewn techneg neu dacteg i gywiro'r camgymeriadau;
• pam yr awgrymir y newidiadau hyn.

Pwyntiau Allweddol
Mae gan adborth bedair swyddogaeth (Christina a Corcos, 1988):
1. Gwybodaeth am y perfformiad neu'r canlyniad.
2. Atgyfnerthiad (cadarnhaol neu negyddol).
3. Cosb.
4. Cymhelliant.

Bydd hyfforddwr da yn rhoi adborth gwybodaeth cadarnhaol yn gyntaf ac yna'n cywiro camgymeriadau (Ffigur 11.11) gan roi sylwadau cymelliannol yn olaf. Cyn rhoi'r adborth, bydd hefyd yn rhoi ennyd neu ddwy i'r dysgwr werthuso'i berfformiad a llunio casgliadau ynglŷn ag ef. Weithiau gellid holi: 'Sut oedd hynny'n teimlo?', 'Pam, yn dy farn di, y digwyddodd hynny?'. Mae hyn yn rhoi rheolaeth i'r dysgwr, yn dangos i'r hyfforddwr allu'r dysgwr i ddadansoddi ei berfformiad ac yn sicrhau na fydd yr hyfforddwr yn dweud dim wrth y dysgwr y mae eisoes yn ei wybod.

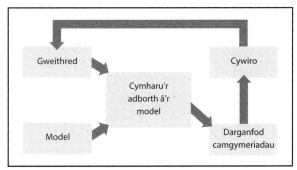

Ffigur 11.11 Adborth ar ffurf darganfod camgymeriadau

Pwyntiau Allweddol
• Gwybodaeth am y perfformiad – adborth sy'n rhoi gwybodaeth i'r perfformiwr am yr agwedd symud ar y weithred. Gall fod yn ginesthetig (yn fewnol) neu'n estynedig (yn cael ei roi gan yr athro).
• Gwybodaeth am y canlyniadau – adborth sy'n rhoi gwybodaeth am gynnyrch terfynol y weithred. Gall fod yn gynhenid (yr hyn y mae'r dysgwr ei hun yn ei ganfod ynglŷn â'r canlyniad) neu'n estynedig.

Ffigur 11.12 Gwybodaeth am y perfformiad a ... gwybodaeth am y canlyniadau

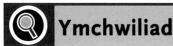 **Ymchwiliad**

11.2: Effaith gwybodaeth am y perfformiad ar y dysgu

Dull: Gweithiwch mewn dau grŵp gydag un person yn cymryd rhan yr arbrofwr. Yn ddelfrydol, wedi i'r dasg gael ei phennu, ni ddylai'r bobl dan sylw wybod manylion yr arbrawf. Lluniwch dasg fotor sgìl caeëdig sy'n anghyfarwydd i bob aelod o'r ddau grŵp ac sy'n debygol o ddangos rhywfaint o ddysgu dros gyfnod byr. Enghraifft bosibl fyddai anelu at darged â'r llaw anffafriedig, ond mae'n siŵr y gallwch feddwl am un well. Trefnwch tua deg bloc ymarfer y gellir rhoi sgôr iddynt. Ar ddiwedd y cyfnod hwn, rhowch egwyl am 5 munud ac yna cynhaliwch tua phum bloc 'perfformio'. Rhoddir i Grŵp A wybodaeth am y canlyniadau a gwybodaeth am y perfformiad ar ôl pob un o'r deg bloc ymarfer; rhoddir i Grŵp B wybodaeth am y canlyniadau ac atgyfnerthiad cymdeithasol (anogaeth heb gyfeirio at wybodaeth am y perfformiad na gwybodaeth am y canlyniadau).

Canlyniadau: Cofnodwch eich data ar gyfer pob aelod o'r grŵp a mynnwch sgôr gymedrig ar gyfer pob grŵp ar gyfer pob bloc ymarfer. Os yw eich data'n addas, plotiwch gromlin dysgu fel y dangosir yn Ffigur 11.13.

Trafodaeth: Beth mae eich canlyniadau, neu'r canlyniadau damcaniaethol yn Ffigur 11.13, yn ei awgrymu ynglŷn â phwysigrwydd gwybodaeth am y perfformiad i ddysgu? Sut y byddech yn addasu'r fethodoleg i ymchwilio i fathau eraill o adborth?

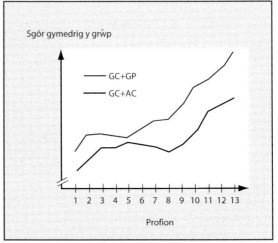

Ffigur 11.13 Cromlin dysgu ddamcaniaethol i ddangos effaith gwahanol fathau o adborth ar ddysgu *(Addaswyd o Wallace a Hagler, 1979)*

Yn achos dysgwyr, dylai adborth gwybodaeth fod yn syml ac yn gryno. Dylai ganolbwyntio ar ddilyniant ac amseriad fel y gellir datblygu'r rhaglen fotor yn effeithiol. Dylid ei roi mor aml ag y bo modd, ar ôl pob prawf os yw'n bosibl; dylai helpu'r dysgwr i nodi arwyddion pwysig; dylai ddibynnu ar fewnbwn gweledol a geiriol.

Yn achos dysgwyr canolradd, gellir rhoi adborth yn llai aml; mae angen i'r dysgwr gael cyfle i gysylltu teimlad y symudiad â'r canlyniadau, felly dylai adborth gwybodaeth ganolbwyntio ar hyn. Gall yr adborth fod yn fwy manwl.

Mae ar berfformwyr o safon uwch angen llawer llai o adborth gwybodaeth estynedig; dylai'r hyn a roddir fod yn fanwl ac yn dechnegol.

Adborth fel atgyfnerthiad

Trafodwyd atgyfnerthu yn gynharach – dylech ddarllen yr adran honno eto os nad ydych yn siŵr o'r cysyniad. Defnyddir atgyfnerthu gryn dipyn yn ystod camau cynnar dysgu a thrwy'r holl gyfnodau ar gyfer sgiliau agored. Gall fod yn gynhenid neu'n estynedig. Rhoddir atgyfnerthiad cadarnhaol i gryfhau'r dechneg ofynnol. Gellir ei ddefnyddio i 'siapio' ymatebion. Yng nghyswllt chwaraeon ceir atgyfnerthu cadarnhaol fel rheol ar ffurf canmol ac annog. Yn achos atgyfnerthu negyddol estynedig mae gofyn cael gwared â chanlyniad amhleserus y camgymeriad. Er enghraifft, mae dyfais y gall golffiwr ei gysylltu â'i ffon fydd yn rhoi clec uchel oni fydd y swing yn esmwyth. Yr atgyfnerthu negyddol yw'r ymgais i osgoi'r glec drwy swingio'n esmwyth. Trwy ymarfer gall yr atgyfnerthu negyddol gywiro'r camgymeriad ac atgyfnerthu'r swing cywir. Rhaid atgyfnerthu yn syth ar ôl yr ymateb os yw i fod yn effeithiol.

Adborth fel cosb

Yn ddelfrydol ni ddylai fod angen i hyfforddwr/athro gosbi, ond nid angylion mo chwaraewyr ac o bryd i'w gilydd byddan nhw'n camymddwyn neu'n gwrthod derbyn cyngor yr hyfforddwr/athro. Mae peryglon o gosbi a dylid ei ddefnyddio dim ond os bydd pob math arall o adborth yn ymddangos yn aneffeithiol. Enghraifft o gosb yw rhoi chwaraewr 'ar y fainc' ar gyfer gêm am iddo golli ymarfer.

Ni ddylai cosb:
- fod yn gorfforol na chynnwys gweithgaredd corfforol;
- ddiraddio'r dysgwr na niweidio'i hunan-barch;
- gael ei rhoi mewn rhwystredigaeth na dicter.

Dylai cosb:
- gael ei chanfod fel cosb gan y dysgwr;
- gael ei rhoi ar ôl rhybudd;
- gael ei defnyddio'n gyson ac yn deg;
- gael ei defnyddio yn erbyn yr ymddygiad annymunol yn hytrach na'r unigolyn;
- gael ei hategu gan atgyfnerthiad cadarnhaol ac adborth cymelliannol.

Adborth fel cymhelliant

Caiff dysgwyr eu cymell pan fydd ganddyn nhw nodau eglur y byddan nhw am eu cyflawni. Mewn chwaraeon mae gosod nodau yn elfen bwysig wrth ddysgu a bydd yr hyfforddwr/athro da yn sicrhau bod gan ddysgwyr nodau eglur strwythuredig y gellir eu cyflawni a'u bod yn ymrwymedig i'r nodau hyn.

Mae adborth cymelliannol yn rhoi gwybodaeth i ddysgwyr am eu cynnydd tuag at y nodau hyn. Mae'n eu helpu i ddeall y gwahaniaeth rhwng lefel bresennol eu perfformiad a'r lefel sydd ei hangen i gyflawni eu nod. Mae'n bwysig ei fod hefyd yn rhoi hunanhyder iddyn nhw a'r hyder i barhau i ymarfer. Strategaeth gymelliannol ddefnyddiol yw ymrannu nodau tymor hir (e.e. cyrraedd y bencampwriaeth genedlaethol) yn nodau mwy uniongyrchol (e.e. yn nhermau amserau gorau personol neu safle yn y gynghrair). Mae siartiau cynnydd a dyddiaduron ymarfer neu gystadlu yn ddefnyddiol yn hyn o beth am eu bod yn helpu'r dysgwr i weld gwellhad. Ond yn aml yr adborth cymelliannol mwyaf boddhaol yw'r hyfforddwr/athro yn cydnabod cynnydd.

Pwyntiau Allweddol
- Mae'n debyg bod mathau gwahanol o adborth yn addas ar adegau gwahanol wrth ddysgu.
- Amrywia unigolion o ran y math o adborth sy'n well ganddynt ac sydd orau am eu symbylu i ymateb.
- Gall un math o adborth fod yn fwy addas ar gyfer camp neu weithgaredd penodol nag yw ar gyfer un arall.
- Cyffredinoliad cyffredin yw gorau po gyntaf y digwydd adborth atodol *(supplementary)* neu estynedig ar ôl y weithred; ond nododd Gentile (1972) fod damcaniaeth prosesu gwybodaeth yn awgrymu bod angen amser ar berfformiwr i brosesu adborth cynhenid a chydamserol cyn delio â rhagor o wybodaeth. Beth bynnag, nid yw adborth atodol disymwth yn ymarferol bob amser.
- Ni ddylai adborth atodol/estynedig ohirio'r cynnig nesaf ar y sgil ormod, neu fe anghofir pethau.
- Ond ni ddylid ychwaith roi adborth atodol/estynedig ar ôl pob cynnig. Wedi i'r dysgwr ddeall y dasg a deall sut mae'n teimlo i'w pherfformio, dylid gadael iddo ganolbwyntio ar yr adborth cynhenid sydd ar gael.
- Mae'n anodd pennu faint o adborth y dylid ei roi. Dylai'r hyfforddwr/athro ganolbwyntio ar gydrannau allweddol y sgìl, h.y. yr isreolweithiau sy'n hanfodol i feistrolaeth gynnar. Ond gall canolbwyntio gormod ar fanylder yn ystod y camau cynnar amharu ar ddysgu effeithiol.
- Mae penodoldeb yr adborth atodol sy'n ofynnol yn dibynnu ar oed a cham dysgu y dysgwr a'i allu i brosesu gwybodaeth.

Damcaniaethau cyfnodau dysgu motor

Mae adborth yn effeithio ar ddysgu ar bob cam. Mae Fitts a Posner (1967) yn disgrifio tri chyfnod dysgu sgiliau: y cyfnodau motor gwybyddol-eiriol, cysylltiadol-eiriol ac ymreolaethol *(autonomous)*. Mae Adams (1971) yn defnyddio dadansoddiad tebyg ond yn cyfyngu'r cyfnodau i ddau (Ffigur 11.14).

Cyfnod motor gwybyddol-eiriol

Ceisia'r dysgwr ymgodymu â natur y gweithgaredd sydd i'w ddysgu. Mae arddangos yn bwysig, ond mae egluro ar lafar yn bwysig hefyd i bwysleisio'r arwyddion pwysig. Ceisia'r dysgwr ddysgu ar gof ddilyniannau symudiadau a bydd hi'n aml yn ddefnyddiol eu rhoi ar eiriau, e.e. 'plygu, cicio, gyda'i gilydd' ar gyfer y coesau wrth nofio yn ôl y dull broga. Rhaid i athrawon gofio am beryglon gorlwytho gwybodaeth yn y cyfnod hwn, am fod y dysgwyr yn gorfod meddwl am bron bob elfen o'r weithred wrth ei hymarfer ac efallai yn gorfod canolbwyntio'n weledol ar y symudiad yn ogystal ag ar y man chwarae/perfformio. Wrth roi adborth dylid canolbwyntio ar atgyfnerthu ymatebion cywir ac ar 'siapio'. Bydd y perfformiad yn llawn camgymeriadau a bydd y symudiadau'n anghyson ac yn lletchwith.

Cyfnod motor cysylltiadol-eiriol

Erbyn hyn bydd y dysgwr yn deall amcan y gweithgaredd a bydd y patrymau symud yn fwy llyfn a chyfannol. Bydd yr agweddau syml ar y sgìl wedi'u dysgu'n dda a bydd cyfle i fireinio'r agweddau mwy cymhleth. Amcan y dysgwr fydd dechrau cysylltu 'teimlad' y symudiadau â'r canlyniadau terfynol. Dylai'r adborth fod yn bcnodol a chanolbwyntio ar wybodaeth am y perfformiad ac am y canlyniadau fel y gellir cysylltu adborth cinesthetig â chanlyniadau.

Cyfnod motor ymreolaethol

Erbyn hyn bydd y patrymau symud wedi'u cyfannu'n dda ac yn awtomatig; gellir eu perfformio heb i'r perfformiwr roi sylw ymwybodol i'r symudiad, oni bai fod angen hynny. Gall y perfformiwr ganolbwyntio ar ofynion allanol yr amgylchedd a rhoi llawer o sylw i arwyddion main iawn. Er enghraifft, gall chwaraewr tennis ddefnyddio gweithred arddwrn a gweithred raced y gwrthwynebydd i farnu pa fath o droelliad a roddir ar y bêl, tasg a fyddai'n amhosibl i ddysgwr gan fod gormod o bethau eraill i hwnnw feddwl amdanynt. Bydd angen llai o adborth gan yr athro, gan y gall y perfformiwr farnu ei berfformiad ei hun, ond gall unrhyw wybodaeth a roddir fod yn benodol a manwl iawn.

Fitts a Posner (1967)		Adams (1971)
Cyfnod gwybyddol (cynnar)	Deall natur y gweithgaredd. Dadansoddi technegau. Sefydlu 'modelau'.	
Cyfnod cysylltiadol (canraddol)	Canolbwyntio ar symud. Cymharu gweithred â model. Darganfod a chywiro camgymeriadau. Mae'r symud yn amrywiol ac yn anghyson.	Cyfnod motor geiriol
Cyfnod ymreolaethol (terfynol)	Mae'r weithred yn awtomatig. Gellir rhoi sylw i agweddau amgylcheddol ar y gêm/gweithgaredd. Gellir canolbwyntio ar strategaeth.	Cyfnod motor

Ffigur 11.14 Cyfnodau dysgu motor

Bydd cyflymdra'r dysgwr yn mynd trwy'r gwahanol gyfnodau yn ddibynnol ar yr ymarfer, effeithiolrwydd prosesu gwybodaeth a faint o atgyfnerthiad, arweiniad ac adborth sydd ar gael.

 ## Cwestiynau Adolygu

1. Rhowch enghreifftiau o reolaeth dolen gaeëdig a rheolaeth dolen agored mewn chwaraeon.
2. Sut y ffurfir sgema motor yn y cof?
3. Gwahaniaethwch rhwng gwybodaeth am y perfformiad a gwybodaeth am y canlyniadau.

4. Rhowch bedair swyddogaeth adborth.
5. Pa bwyntiau y dylai hyfforddwr eu hystyried wrth roi adborth?
6. Disgrifiwch ddamcaniaeth dysgu motor Fitts a Posner sy'n nodi tri chyfnod. Amlinellwch nodweddion y dysgwr ym mhob cyfnod?

 ## Cwestiynau Arholiad

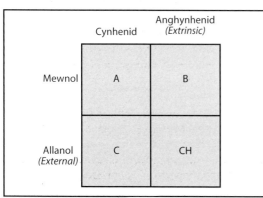

Ffigur 11.15 Dosbarthu ffynonellau adborth

1 **a.** Diffiniwch y term adborth, a disgrifiwch yn gryno dair swyddogaeth adborth. (4 marc)
b. Mae Ffigur 11.15 yn dangos dwy ffordd o ddosbarthu ffynonellau adborth. Lle bo'n bosibl, eglurwch y mathau o adborth sydd ar gael i berfformwyr a fyddai'n cael eu dosbarthu'n A, B, C, CH. (4 marc)

Cwestiynau Arholiad

parhad

2. Un o elfennau sylfaenol ymarfer yn llwyddiannus yw cymhelliant.

a. Diffiniwch y term cymhelliant, a defnyddiwch enghreifftiau ym myd chwaraeon i egluro ystyr cymhelliant cynhenid ac anghynhenid. (4 marc)

b. Gall adborth effeithio ar gymhelliant. Pa fath o adborth sy'n addas i gymell dysgwr a sut y gallai hyn newid ar gyfer chwaraewr medrus? (3 marc)

c. Wrth i ddysgu ddatblygu, bydd y perfformiwr yn mynd o gyfnod gwybyddol dysgu, drwy'r cyfnod cysylltiadol i'r cyfnod ymreolaethol. Gan gyfeirio at sgìl driblo pêl (e.e. pêl-fasged, hoci neu bêl-droed), disgrifiwch sut mae'r prif fath o adborth a ddefnyddir yn ystod cyfnod gwybyddol dysgu yn wahanol i'r un a ddefnyddir yn ystod y cyfnod ymreolaethol. (4 marc)

ch. Pa amodau eraill ynglŷn â rhoi adborth y dylai hyfforddwr eu hystyried wrth helpu perfformwyr i wella lefel eu sgìl. (7 marc)

3. Trafodwch y syniad bod gwelliant ym mherfformiad sgìl yn dibynnu ar natur ac amlder yr adborth a roddir gan yr hyfforddwr. (20 marc)

11.4 Trosglwyddo Dysgu

Geiriau allweddol a chysyniadau

| sero-drosglwyddo | trosglwyddo negyddol | trosglwyddo |
| trosglwyddo cadarnhaol | trosglwyddo ôl-weithredol | rhagweithredol |

Mae damcaniaeth sgemâu yn awgrymu y gall rhai agweddau ar sgìl a ddysgwyd mewn un sefyllfa bennu perfformiad mewn sefyllfa debyg. Mae Singer (1982) yn cyfeirio at hyn fel 'cysylltu'r presennol â'r dyfodol' ac yn awgrymu mai prin y byddwn yn dysgu sgìl hollol newydd ar ôl ein blynyddoedd cynnar. Y term a ddefnyddir am hyn yw 'trosglwyddo'.

Diffinnir **trosglwyddo** fel effaith dysgu a pherfformio un sgìl ar ddysgu a pherfformio sgìl arall. Os ceir yr effaith hon ar sgìl sydd ar fin cael ei ddysgu defnyddir y term **trosglwyddo rhagweithredol** *(proactive)*. Mae **trosglwyddo ôl-weithredol** *(retroactive)* yn digwydd ar sgiliau a ddysgwyd eisoes. Dylid cofio nad yw pob trosglwyddiad yn gwella'r dysgu.

Mae athrawon a hyfforddwyr yn ceisio defnyddio trosglwyddo cadarnhaol pryd bynnag y bo'n bosibl. Nododd Stallings (1982) amryw ffurfiau ar drosglwyddo yn ogystal â'r categorïau cyffredinol a restrir isod (Ffigur 11.17).

Pwyntiau Allweddol

- Digwydd **trosglwyddo cadarnhaol** pan hybir dysgu un dasg gan yr hyn a ddysgwyd yn flaenorol mewn tasg arall, e.e. os medrwch daflu'n dda â'ch llaw, efallai y byddwch yn medru taflu pêl â ffon *lacrosse* yn well ar y cychwyn.
- Gall **sero-drosglwyddo** (dim trosglwyddo o gwbl) ddigwydd, hyd yn oed rhwng sgiliau sy'n ymddangos yn debyg.
- Digwydd **trosglwyddo negyddol** (Ffigur 11.16) pan rwystrir dysgu tasg newydd am eich bod yn gwybod gweithgaredd tebyg,

e.e. gall y defnydd hyblyg a wneir o'r arddwrn mewn sboncen neu fadminton amharu ar ddysgu techneg yr arddwrn gadarn sy'n angenrheidiol ar gyfer dreif tennis, neu i'r gwrthwyneb.

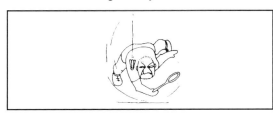

Ffigur 11.16 Trosglwyddo negyddol

1. O sgìl i sgìl	Rhwng dau sgìl. Awgryma tystiolaeth nad oes fawr ddim trosglwyddo cadarnhaol yn y tymor hir.
2. O ymarfer i berfformiad	Dim ond os yw'r amodau amgylcheddol yn debyg yn y ddwy sefyllfa y bydd trosglwyddo cadarnhaol yn debygol o ddigwydd. Dylai ymarferion efelychu'r symbyliadau a'r arwyddion *(cues)* a ddigwydd mewn perfformiad.
3. O alluoedd i sgìl	Nid yw galluoedd yn trosglwyddo'n llwyr i berfformio'r sgiliau y maen nhw'n sail iddynt, ond maen nhw'n cyfrannu'n sylweddol.
4. O aelod i aelod (dwyochrol)	Ceir trosglwyddo cadarnhaol o ddysgu ac ymarfer rhwng aelodau'r corff (llaw-llaw; coes-coes). Mae'r effaith fwyaf amlwg wrth drosglwyddo o aelod ffafriedig i aelod anffafriedig.
5. O egwyddorion i sgìl	O dan amodau penodol (Stallings, 1982, tud. 213) bydd gwybod egwyddor sgìl, e.e. siâp y corff, cyflymder cylchdroi, yn gwella dysgu a pherffformio'r sgìl.
6. O gam i gam	Mae datblygu sgiliau motor yn dibynnu ar adeiladu pob sgìl newydd ar rai a ddysgwyd o'r blaen. Gweler Adrannau 10.4 ac 11.1 ar batrymau motor sylfaenol a hierarchaeth rheolaeth fotor.

Ffigur 11.17 Categorïau trosglwyddo *(Addaswyd o Stallings, 1982)*

Mae trosglwyddo'n gysyniad cymhleth nad yw'n hawdd ei gymhwyso i'r sefyllfa ddysgu-addysgu. Beth allwn ei ddysgu o'r deunydd ymchwil?

- Po debycaf yw'r sgiliau, mwyaf i gyd fydd trosglwyddo cadarnhaol yn bosibl.
- Po fwyaf annhebyg yw'r sgiliau, lleiaf tebygol fydd trosglwyddo cadarnhaol.
- Lle bo rhywfaint o debygrwydd rhwng sgiliau ond hefyd gwahaniaethau pwysig, mae perygl y ceir trosglwyddo negyddol.
- Dysgir technegau a thactegau newydd yn fwy effeithiol os bydd yr hyn a ddysgir yn adeiladu ar sgiliau a ddysgwyd eisoes ac yn gysylltiedig â nhw.
- Dylai hyfforddwyr bwysleisio'r tebygrwydd rhwng sgiliau wrth addysgu ar gyfer trosglwyddo, e.e. gadael i chwaraewyr ymarfer taflu'r bêl â llaw cyn ceisio pas dros yr ysgwydd mewn *lacrosse*.
- Gellir trosglwyddo dealltwriaeth dactegol, e.e. amddiffyn cylchfa mewn pêl-fasged a phêl-rwyd.
- Gellir trosglwyddo egwyddorion cyffredinol ymosod ac amddiffyn mewn gêmau goresgyn.
- Po fwyaf trylwyr y dysgwyd y sgìl cyntaf, mwyaf effeithiol fydd y trosglwyddo.
- Mewn gweithgareddau lle hybir trosglwyddo dwyochrol *(bilateral)*, e.e. dribla pêl-fasged, cicio pêl-droed, mae'n bwysig dysgu'r sgìl yn dda ar yr aelod ffafriedig cyn trosglwyddo i'r llall.

Ystyriwn enghraifft gymnastwr da sy'n mynd i'r coleg ac yn dilyn cwrs dawns ar gyfer dysgwyr fel rhan o'i astudiaethau. I ba raddau y mae profiad llwyddiannus mewn gymnasteg o gymorth i ddysgu dawns? Gan ddefnyddio Ffigur 11.17 i ddadansoddi'r sefyllfa:

- Bydd agwedd y myfyriwr tuag at y gweithgaredd newydd yn cyfrannu'n sylweddol at y dysgu cynnar. Bydd ein gymnastwr yn hyderus ynglŷn â delwedd ei gorff wrth symud ac yn mwynhau dangos perfformiad unigol deheuig. Yn hyn o beth mae'n debyg y ceir trosglwyddo cadarnhaol. Ond mae'r gymnastwr yn gyfarwydd ag athro/hyfforddwr yn cynllunio perfformiad ac efallai y bydd yn teimlo'n anesmwyth ynglŷn ag elfen greadigol dawns. Mae hyd yn oed yn bosibl y bydd y ffaith fod rheolau a thechneg mor bwysig mewn gymnasteg gystadleuol yn achosi trosglwyddo negyddol ar y cychwyn.
- O ran trosglwyddo sgiliau, awgryma tystiolaeth na fydd y gweithredoedd a ddysgodd fel gymnastwr yn trosglwyddo'n rhwydd i ddawns oni fydd arddull gymnastig i'r coreograffi. Yn hyn o beth ni cheir effaith drosglwyddo amlwg.
- O ran trosglwyddo o alluoedd i sgìl, mae'n llawer mwy tebygol y bydd rhywfaint o effaith gadarnhaol. Gall cydbwysedd, cyd-drefniant, hyblygrwydd a sawl gallu arall a ddatblygwyd mewn gymnasteg gael eu defnyddio'n effeithiol iawn mewn dawns.

Gweithgaredd
11.8: Enghreifftiau o fathau o drosglwyddo

Rhowch y parau canlynol o sgiliau yn un o dri chategori – (i) tebyg iawn; (ii) yn debygol o achosi rhwystro; (iii) annhebyg:

- serfiad tennis a serfiad pêl-foli,
- serfiad hir a serfiad byr mewn badminton,
- dreif golff a bowlio deg,
- tyniad braich syth a thyniad braich blyg wrth nofio ar y cefn,
- Rygbi 13eg a Rygbi'r Undeb,
- disgyniadau oddi ar y bar uchel a'r cylchoedd mewn gymnasteg dynion,
- dawnsio gwerin yr Alban ac Iwerddon,
- hoci iâ a hoci maes.

Ymchwiliad

11.3: Effeithiau trosglwyddo cadarnhaol wrth ddysgu sgiliau

Dull: Dewiswch un o'r categorïau 1-5 yn Ffigur 11.17. Dewiswch ddau grŵp, gyda'u gallu dysgu motor mor debyg ag sy'n bosibl. Lluniwch ddwy dasg newydd, A a B, y byddech yn disgwyl i'r dysgu yn Nhasg A drosglwyddo'n gadarnhaol i'r dysgu yn Nhasg B. Gwnewch eich tasgau yn berthnasol i'r categori trosglwyddo a ddewiswyd. Gwnewch yn siŵr y gellir dysgu'r tasgau yn yr amser sydd ar gael ond eu bod yn creu rhywfaint o anhawster.

Penderfynwch ar feini prawf i bennu a ydy dysgu wedi digwydd, c.e. bod saith cynnig cywir allan o ddeg mewn tasg anelu newydd yn dangos y llwyddwyd i ddysgu'r sgìl.

Mae Grŵp 1 yn dysgu Tasg A ac yna Tasg B; mae Grŵp 2 yn dysgu Tasg B yn unig.

Canlyniadau: Pa grŵp ddysgodd Dasg B gyflymaf?

Trafodaeth: A thybio bod yr holl newidynnau eraill wedi'u rheoli (tybiaeth beryglus ar gyfer arbrawf dosbarth), beth mae eich canlyniadau'n ei ddangos ynglŷn â phosibilrwydd trosglwyddo rhwng Tasg A a Thasg B yn achos Grŵp 1? Sut y gallech wella'r arbrawf fel y gallech fod yn fwy hyderus ynglŷn â'ch canlyniadau?

Efallai y bydd y gallu rhythmig sydd mor angenrheidiol mewn dawns yn bresennol neu efallai na fydd.

- Bydd trosglwyddo o ymarfer i berfformiad yn dibynnu ar ba mor dda y mae'r gymnastwr wedi dysgu defnyddio ymarferion olaf fel rihyrsal ar gyfer y perfformiad go iawn. Os defnyddir y strategaeth hon hefyd wrth baratoi ar gyfer perfformiadau dawns, gallai trosglwyddo cadarnhaol ddigwydd.
- Dwy egwyddor bwysig coreograffi dawns yw ail-wneud ac amrywio. Un ffordd o ail-wneud ac amrywio'r symudiad yw defnyddio dwy ochr y corff mewn cyfnod dawns. Os yw'r gymnastwr wedi datblygu'r sgìl hwn, ceir trosglwyddo cadarnhaol i ddawns. Ond mae gymnastwyr, yn dueddol o fod yn 'unochrog', e.e. defnyddio'r un droed bob tro ar gyfer esgyn, a gall hynny fod yn anhawster mewn gwaith dawns.

- Mae egwyddorion symud yn gyffredinol, ond fe gân nhw eu dadansoddi a'u mynegi'n wahanol. Mae'r hyn a ŵyr y gymnastwr am fiomecaneg, er enghraifft, yn trosglwyddo'n uniongyrchol i gynhyrchu techneg dda mewn dawns. Ond mae ymchwil yn dangos bod yn rhaid amau i ba raddau y bydd gwybod egwyddorion gweithred o gymorth wrth berfformio'r weithred.

Os yw hyfforddwyr/athrawon i ymgymryd â gwaith trosglwyddo yn gadarnhaol, rhaid dadansoddi'r tasgau perthnasol a'r amgylchedd dysgu yn ofalus i sicrhau pwysleisio'r holl bwyntiau trosglwyddo sy'n bosibl.

Defnyddiwch Ymchwiliad 11.4 i astudio'r berthynas rhwng cam y dysgu a'r adborth addas.

Ymchwiliad

11.4: Camau dysgu ac adborth

Dull: Gweithiwch fesul tri – 'dysgwr', 'athro' ac 'arsylwr'. Cyn dechrau'r ymchwiliad, dylai pob aelod o'r triawd ddewis sgìl seicomotor newydd, syml i'w addysgu; byddai dilyniant byr o hercian a chamu yn addas, neu dasg ddrycholrhain *(mirror-tracing)* os na ddefnyddiwyd tasg o'r fath cyn hyn. Cyfnewidiwch rolau ar gyfer pob un o'r sefyllfaoedd dysgu canlynol (os oes modd recordio hyn ar fideo, bydd hynny o gymorth i'r dadansoddi a'r trafod):

- Mae'r athro'n arddangos y sgìl i'r dysgwr, sy'n ei ymarfer. Ni roddir adborth, ond arddangosir y sgìl gan yr athro bob hyn a hyn. Ceisia'r arsylwr nodi pryd y bydd dysgu'n newid o 'wybyddol' i 'gysylltiadol' i 'ymreolaethol'. Byddai gwneud fideo o'r dysgu o gymorth i adolygu.
- Mae'r athro'n arddangos y sgìl i'r dysgwr, sy'n ei ymarfer. Mae'r athro'n canolbwyntio ar roi cyfarwyddiadau sy'n addas i'r cyfnod dysgu, h.y. arddangosiad a chyfarwyddyd geiriol cyffredinol yn y cyfnod gwybyddol, darganfod camgymeriadau a chyfarwyddyd penodol yn y cyfnod cysylltiadol a

Ymchwiliad

11.4 parhad

chanolbwyntio ar arddull a/neu gyflymder yn y cyfnod ymreolaethol. Tasg yr arsylwr yw gwirio addasrwydd y cyfarwyddiadau.

- Mae'r athro'n arddangos y sgìl i'r dysgwr, sy'n ei ymarfer. Bydd yr athro wedi nodi ymlaen llaw enghreifftiau o adborth atodol sy'n rhoi (a) gwybodaeth am y canlyniadau a (b) gwybodaeth am y perfformiad a defnyddia'r rhain yn ystod y dysgu. Bydd yr arsylwr yn nodi'r rhain ac yn ceisio gweld pa rai y bwriedir iddynt roi gwybodaeth am y canlyniadau a pha rai sydd i roi gwybodaeth am y perfformiad.

Trafodaeth

- A oedd y sgiliau yn eu hanfod yn agored neu'n gaeëdig?
- Pa wahaniaeth sydd rhwng sgiliau agored a chaeëdig o ran y cyfarwyddyd yn y gwahanol gyfnodau?
- Pa dystiolaeth a ddefnyddiwyd gan yr arsylwr i nodi'r gwahanol gyfnodau dysgu?
- Pa mor effeithiol oedd yr athro o ran rhoi cyfarwyddiadau addas?
- Ydy'r athro a'r arsylwr yn cytuno ynglŷn â'r enghreifftiau o wybodaeth am y canlyniadau a gwybodaeth am y perfformiad?
- Pa mor ddefnyddiol i'r dysgwr oedd y cyfarwyddyd a'r adborth o ran maint, amser a phenodoldeb?

 Cwestiynau Adolygu

1. Rhowch enghraifft o'r canlynol ym myd chwaraeon: (a) trosglwyddo cadarnhaol; (b) trosglwyddo negyddol.
2. Rhestrwch chwe chategori trosglwyddo a rhowch enghraifft o bob un.

3. Rhestrwch bedwar peth sy'n ofynnol os yw trosglwyddo cadarnhaol i ddigwydd.
4. Rhowch enghraifft o hyfforddwr yn defnyddio trosglwyddo cadarnhaol i ddatblygu techneg.

 Cwestiynau Arholiad

1. **a.** Diffiniwch y termau trosglwyddo cadarnhaol a throsglwyddo negyddol yng nghyd-destun rhywun sy'n dysgu sgìl ym myd chwaraeon. (2 farc)
b. Yn Ffigur 11.18 dangosir graddau gwahanol o drosglwyddo mewn sefyllfaoedd gwahanol wedi'u labelu'n A, B, C. Yn achos pob sefyllfa rhowch enghraifft o un pâr o sgiliau gêm sy'n dangos y math o drosglwyddo a welir, gan egluro yn gryno y rhesymau dros eich dewis. (10 marc)
c. Disgrifiwch sut y gallai hyfforddwr helpu i hyrwyddo trosglwyddiad cadarnhaol wrth ddysgu sgiliau chwaraeon. (8 marc)
2. Disgrifiwch a gwerthuswch y defnydd a wneir o recordiad fideo wrth ddysgu sgiliau chwaraeon. (20 marc)

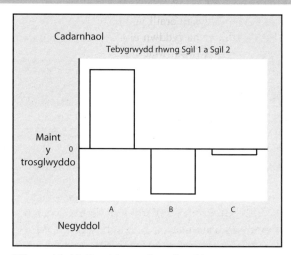

Ffigur 11.18 Graddau o drosglwyddo mewn gwahanol sefyllfaoedd

11.5 Addysgu

 Geiriau allweddol a chysyniadau

addasu arddangosiad
arddull cilyddol
arddull darganfod
arddull gorchymyn
arddull ymarfer
cyfarwyddyd
cyfarwyddyd geiriol
cyfarwyddyd gweledol
cyfarwyddyd llaw
cyfarwyddyd
   mecanyddol

cyflwyno rhannau cynyddol
cyflwyno rhannau pur
dadansoddi tasgau
datrys problemau
dull cyfan-rhan-cyfan
dull y cyfan
profi a methu
sbectrwm arddulliau
   addysgu
trefniadaeth
trosglwyddo negyddol

ymarfer amrywiol
ymarfer cyfan-rhan-cyfan
ymarfer cyfunedig
ymarfer gwasgaredig
ymarfer meddyliol
ymarfer rhannau
ymarfer rhannau
   cynyddol
ymarfer sefydlog
ymarfer y cyfan

Hyd yma yn y bennod hon ystyriwyd rhai o elfennau'r broses dysgu. Mae'r adran hon yn canolbwyntio ar sut y gellir strwythuro'r dysgu i'w gyflawni'n effeithlon. Dylech gofio'r pwyntiau hyn wrth gynllunio eich ymarfer eich hun neu wrth helpu eraill â'u hymarfer nhw. Rydym wedi cyfeirio at addysgu a hyfforddi fel pe baent yr un gweithgaredd. Byddai rhai'n dadlau bod ganddynt amcanion a dibenion gwahanol, ond mae dulliau cyfredol yn awgrymu bod gan addysg gorfforol a hyfforddi chwaraeon lawer yn gyffredin, felly byddwn yn trin y ddau fel un broses.

Y broses addysgu

Bydd y rhan fwyaf o bobl yn dysgu o gael eu haddysgu mewn rhyw fodd neu'i gilydd. Mae dysgu drwy 'brofi a methu' neu 'ddysgu drwy brofiad' hefyd yn digwydd. Mae addysgu eraill yn broses yr ydym i gyd ynghlwm wrthi, er na fyddwn efallai yn ein hystyried ein hunain yn athrawon. Mae addysgu'n ymwneud â rhoi profiadau neu gyngor sy'n cynorthwyo dysgu.

Yn Ffigur 11.19 dangosir un ffordd o grynhoi'r broses addysgu, sy'n adleisio hen ddihareb o China ynglŷn â dysgu, a briodolir i'r athronydd Confucius:

Rwy'n clywed ac rwy'n anghofio;
Rwy'n gweld ac rwy'n cofio;
Rwy'n gwneud ac rwy'n deall.

Yn ôl damcaniaethau cyfredol mae **pedair** elfen i'r broses addysgu – cyfarwyddo *(instruct)*, arddangos, cymhwyso a chadarnhau – a bydd addysgu da yn mynd trwy bob un o'r rhain yn ei dro.

Cyfarwyddo

Yn ystod cyfnod y cyfarwyddo (dweud) mae athrawon yn gwneud yn siŵr bod dysgwyr yn deall y dasg a bod ganddynt ddigon o wybodaeth i'w galluogi i ddechrau ymarfer. Fel rheol gwneir hyn ar lafar, ond weithiau defnyddir taflenni gwaith neu amserlenni ymarfer ysgrifenedig. Y perygl yn y cyfnod hwn yw y bydd athrawon yn rhoi gormod o wybodaeth wrth geisio sicrhau bod y dysgwyr yn deall yn llwyr. Oni fydd y wybodaeth yn eglur ac yn gryno, caiff y rhan fwyaf ohoni ei hanghofio yn fuan.

Arddangos

Fel y nodwyd gennym eisoes, mae arddangos (dangos) yn agwedd bwysig ar ddysgu sgìl oherwydd yr angen i'r dysgwr sefydlu model o'r sgìl yn y cof. Rhaid ei gynllunio'n ofalus fel bo'r athro a'r dysgwr yn siŵr ynglŷn â diben yr arddangosiad a'r hyn sydd i'w ddysgu ohono. Gall arddangosiad gwael fod yn waeth na dim arddangosiad o gwbl.

Cymhwyso

Ystyr cymhwyso (gwneud) yw'r cyfle i'r dysgwr ymarfer y sgìl – heb ddigon o amser ar gyfer hyn, mae'n annhebyg y digwydd dysgu effeithiol. Rôl yr athro yw strwythuro'r ymarfer yn effeithiol a thrwy arweiniad priodol helpu'r dysgwyr i gymhwyso'r hyn

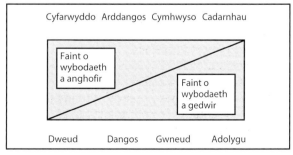

Ffigur 11.19 Y broses addysgu *(Addaswyd o Priest a Hammerman, 1989)*

a ddysgwyd ganddynt o'r cyfarwyddo a'r arddangos i'r gweithgaredd ei hun.

Cadarnhau

Ystyr cadarnhau (adolygu) yw'r broses o roi adborth. Ymdriniwyd â hyn yn gynharach. Mae'n rhan hanfodol o'r broses dysgu, ond weithiau fe'i gadewir allan gan athrawon er anfantais i'r dysgu. Rhan bwysig o adolygu yw holi'r dysgwr ynglŷn â'r hyn y mae wedi'i ddysgu a'r cynnydd a wnaed. Mae hynny nid yn unig yn helpu'r athro i gadarnhau'r hyn sydd wedi'i ddysgu, ond hefyd mae'n hybu'r dysgwr i'w werthuso ei hun ac yn atgyfnerthu'r dysgu.

Arddulliau addysgu

O fewn pedair elfen y broses addysgu mae sawl ffordd wahanol o ddysgu. Gelwir y rhain yn **arddulliau** *(styles)* ac fe'u dadansoddwyd a'u dosbarthwyd fwy neu lai yn yr un modd ag a ddefnyddiwyd gennym i ddosbarthu sgil, h.y. drwy edrych ar weithred, nodi nodweddion y weithred a dyfeisio fframwaith damcaniaethol i weddu i'r arsylwadau.

Lluniodd Mosston ac Ashworth (1986) ddosbarthiad – sy'n seiliedig ar arsylwadau o addysg gorfforol ond sy'n gymwys i bob math o addysgu – a'i alw'n 'sbectrwm arddulliau addysgu' (Ffigur 11.20). Maen nhw'n awgrymu bod addysgu a dysgu yn eu hanfod yn ymwneud â gwneud penderfyniadau: beth i'w addysgu-dysgu; pryd i addysgu-dysgu; sut i gyflwyno'r syniadau a chaffael y sgiliau, etc. Yn eu model nhw, ar y naill ben i'r sbectrwm yr athro sy'n gwneud y penderfyniadau hyn i gyd ac ar y pen arall y dysgwr sy'n eu gwneud nhw i gyd. Rhwng y ddau mae amrywiaeth o arddulliau lle mae'r athro a'r dysgwr yn rhan o'r penderfynu. Mae'r arddulliau'n wahanol i'w gilydd ac mae Mosston ac Ashworth (1986) yn rhoi labeli ac enwau iddynt, e.e. Arddull A = Arddull Gorchymyn.

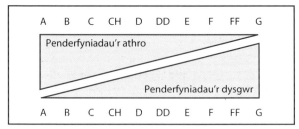

Ffigur 11.20 Sbectrwm arddulliau addysgu

Mae'n debyg fod yr athro yn Ymchwiliad 11.5 yn agosach at Arddull A, lle mae'r athro'n gwneud y penderfyniadau i gyd. Mae'n anodd iawn addysgu drwy'r arddull hwn yn hir ac nid yw'n ddoeth gwneud hynny, oherwydd fel rheol da o beth yw rhoi rhai o'r penderfyniadau i'r dysgwr, e.e. 'dechreua pan fyddi di'n barod'. Gelwir Arddull A yn 'arddull gorchymyn' *(command style)* ac fe'i defnyddir pan fydd athro am gadw rheolaeth gadarn ar yr hyn a wna'r dysgwr neu am gael unffurfiaeth yn y dosbarth. Gwneir llawer o addysgu aerobeg a chadw'n heini drwy'r arddull gorchymyn. 'Arddull ymarfer' *(practice)* yw Arddull B – yr athro sy'n gosod y dasg, ond mae'r myfyrwyr yn gweithio arni yn eu hamser eu hunain.

Mae Arddull C yn ddiddorol. Bydd y myfyrwyr yn gweithio mewn parau, gyda'r naill yn 'gweithredu' a'r llall yn 'arslwi'. Gyda'r arddull hwn mae'r athro'n trosglwyddo pob cyswllt â'r dysgwyr (y 'gweithredwyr') i'w cydfyfyrwyr (yr 'arsylwyr'). Mae'r athro'n sicrhau, naill ai drwy daflen waith neu gyfarwyddiadau manwl iawn, fod y myfyrwyr i gyd yn deall y dasg a'r meini prawf ar gyfer ei chyflawni'n llwyddiannus. Yna yr arsylwr sydd i helpu'r gweithredwr; mae'r athro'n helpu'r arsylwyr â'u haddysgu. Gelwir hyn yn addysgu **cilyddol** *(reciprocal)*; mae'n arddull defnyddiol iawn ar gyfer grwpiau mawr am ei fod yn galluogi i bob dysgwr gael llawer o adborth disymwth. Gweler Adran 11.3 am

---

 # Ymchwiliad

11.5: Penderfynu mewn addysgu a dysgu
Dull: Gweithiwch mewn parau, gyda'r naill yn athro a'r llall yn ddysgwr. Mae'r athro'n dyfeisio tasg syml i'w haddysgu i'r dysgwr. Gall fod yn rhywbeth y medra'r dysgwr ei wneud eisoes ond ei fod am wella. Gall fod yn dasg i'w gwneud yn y dosbarth neu'r neuadd chwaraeon, ond dylai fod â chydran fotor. Treuliwch beth amser yn addysgu ac yn ymarfer y dasg. Gelwir y cyfnod hwn yn 'episod'.

Trafodaeth: Pan fydd yr episod ar ben, rhestrwch y penderfyniadau a wnaed gan yr athro a'r dysgwr:
* cyn yr episod,
* yn ystod yr episod,
* pan oedd yr episod ar ben.
1. Pwy wnaeth pob penderfyniad?
2. Beth oedd cymhareb penderfyniadau'r athro i benderfyniadau'r dysgwr?
3. Yn eich barn chi, a oedd yr athro'n agosach at Arddull A neu Arddull G?

fanteision hyn. Mae'n siŵr, fodd bynnag, y gallwch feddwl am rai anfanteision.

Yn Arddulliau A a C mae'r athro'n ymwneud nid yn unig â'r hyn y bydd y dysgwyr yn ei ddysgu ond hefyd sut y byddan nhw'n ei ddysgu. Ar adegau eraill efallai y bydd yr athro'n canolbwyntio ar 'sut i ddysgu' ac yn defnyddio arddull datrys problemau. Gosodir tasg neu broblem a rhaid i'r myfyrwyr ei datrys yn eu ffyrdd eu hunain. Efallai mai un ateb sydd i'r broblem a bydd yr athro am i'r myfyrwyr ei **ddarganfod** (Arddull DD); neu efallai bod sawl ateb posibl (rhai, efallai, nad yw'r athro wedi'u hystyried) a thasg y myfyrwyr fydd ymchwilio i'r rhain a dewis yr un sydd o'r diddordeb mwyaf iddyn nhw (Arddull F). Mae athrawon dawns ac agweddau addysgol tuag at gymnasteg yn defnyddio'r arddulliau hyn yn helaeth; felly hefyd, mewn ffordd wahanol, athrawon gweithgareddau awyr agored.

Nid oes modd trafod yma y sbectrwm cyfan o arddulliau, ond mae'n bwysig i chi sylweddoli bod sawl ffordd o ddysgu ac felly o addysgu, a bydd yr athro medrus yn dewis y rhai addas. Felly, y tro nesaf y byddwch yn helpu ffrind neu grŵp o blant â gweithgaredd, ystyriwch ffyrdd o amrywio'ch dulliau.

Dulliau cyflwyno

Mae'r arddull addysgu yn ymwneud â'r ffordd y mae athro'n dewis delio â'r gwahanol benderfyniadau sy'n deillio o'r broses addysgu. Un penderfyniad yw 'Sut ydw i'n cyflwyno'r wybodaeth/sgìl newydd yma i'r myfyrwyr?' Dibynna'r ateb ar ddadansoddiad yr athro o ddau ffactor pwysig (Ffigur 11.21).

Mae dadansoddi tasgau yn golygu penderfynu beth yw elfennau pwysig y dasg – mae prosesu gwybodaeth o gymorth i hyn:

- Beth yw'r gofynion canfyddiadol?
- Beth yw'r gofynion penderfynu?
- Pa dechnegau sydd eu hangen ar y perfformiwr?
- Pa adborth sydd ar gael?

Mae'r atebion yn dangos cymhlethdod y dasg. Sylwch fod cymhlethdod yn gysylltiedig â natur y dasg; mae'r ateb i'r cwestiwn, 'Ydy tasg yn syml neu'n anodd?' yn dibynnu ar faint o sylw/lle prosesu sy'n rhaid ei roi iddi ac ar brofiad y dysgwr.

Dylai dadansoddiad ddangos hefyd i ba raddau y mae'r sgìl wedi'i drefnu. Dywedir bod sgiliau'n drefnedig iawn *(highly organized)* os na ellir eu torri i lawr yn hawdd yn rhannau cyfansoddol. Mae dulliau nofio yn enghreifftiau o drefniadaeth isel, am fod gweithredoedd y coesau, y breichiau a'r anadlu i gyd yn wahanol ac ar wahân – ond wrth gwrs, rhaid eu cyd-drefnu'n dda i gael perfformiad effeithiol.

Dylid cymharu dadansoddiad y tasgau â dadansoddiad o gyflwr parodrwydd a gallu'r dysgwr. Mae'r athro/hyfforddwr da yn ystyried oed, profiad, galluoedd corfforol, arddull dysgu ffafriedig, cymhelliant a nodau.

Ymarfer y cyfan (Whole practice)

Yn ddelfrydol dylid addysgu sgìl yn gyfan. Yna gall y dysgwr ddeall y cynnyrch terfynol a datblygu ymdeimlad â llif y symud sy'n angenrheidiol ar gyfer cynhyrchu'r sgìl yn esmwyth ac yn effeithlon; gall weld y berthynas rhwng y symudiadau yn y weithred gyfan.

Ymarfer rhannau (Part practice)

Yn achos rhai sgiliau, fodd bynnag, ni fydd yn addas nac yn synhwyrol dysgu'r cyfan ar unwaith, e.e:

- pan fydd y sgìl yn rhy gymhleth a/neu yn rhy anodd i'r dysgwr, h.y. mae llawer o brosesu gwybodaeth yn ofynnol;
- pan fydd elfen o berygl.

Torrir y sgìl i lawr yn rhannau cyfansoddol (isreolweithiau); addysgir y rhannau fel gweithredoedd ar wahân ac yna fe'u rhoddir at ei gilydd. Gellir gwneud hyn mewn amryw ffyrdd (Ffigur 11.22).

Mae dulliau addysgu rhannau yn ddefnyddiol lle bo'r sgìl yn gymhleth a/neu yn anodd, lle nad yw'n drefnedig iawn a lle bo mecanwaith y symud yn bwysig. Fel rheol dysgir sgiliau caeëdig, fel y ceir mewn gymnasteg, deifio a thrampolinio, yn y ffordd hon. Mae'n lleihau ofn a risg o wneud sgiliau peryglus ac yn galluogi i'r athro ganolbwyntio ar elfennau allweddol y sgìl. Gall helpu cymhelliant, gan y gall yr athro strwythuro addysgu'r rhannau fel 'cyfanweithiau bach' a thrwy hynny roi ymdeimlad o lwyddiant a chynnydd i'r dysgwr. Y prif broblem yw trosglwyddo, gan ei bod hi'n holl bwysig ymarfer yr elfennau a

Ffigur 11.21 Penderfynu ar gyflwyniad

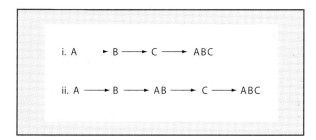

Ffigur 11.22 Dulliau addysgu 'rhannau'

Ymchwiliad

11.6: Effeithiolrwydd ymarfer y cyfan ac ymarfer rhannau wrth ddysgu dilyniant newydd o symudiadau

Dull: Rhennir y dosbarth yn bedwar grŵp; penodir pedwar arweinydd grŵp. Bydd yr athro eisoes wedi dyfeisio dilyniant o symudiadau sy'n llifo i mewn i'w gilydd ac sy'n cynnwys rhai symudiadau cymhleth (ond nid amhosibl). Bydd wedi addysgu'r rhain i arweinwyr y grwpiau. Cytunir ar rannau cyfansoddol y dilyniant.

- Mae Grŵp A yn dysgu'r dilyniant yn ôl y dull 'rhannau pur' (Ffigur 11.22i).
- Mae Grŵp B yn dysgu'r dilyniant yn ôl y dull 'rhannau cynyddol' (Ffigur 11.22ii).
- Mae Grŵp C yn dysgu'r dilyniant yn gyfan.
- Mae Grŵp CH yn dysgu yn ôl y dull cyfan-rhan-cyfan.

Trafodaeth:

1. Pa grŵp sy'n cymryd yr amser mwyaf i ddysgu?

2. Pa grŵp sy'n perfformio'r dilyniant orau?

3. Pa ddull sy'n ymddangos y gorau ar gyfer addysgu'r sgìl arbennig hwn?

4. Rydych wedi bod yn ymchwilio i ddulliau addysgu, ond beth yw'r 'newidynnau drysu' yn yr arbrawf hwn, h.y. ffactorau ar wahân i'r dull addysgu a allai effeithio ar y canlyniad?

addysgir ar wahân yn yr un ffordd ag y cân nhw eu perfformio o fewn y sgìl cyfan. Nid yw hynny'n hawdd. Mae'n bwysig hefyd arddangos y sgìl cyfan i'r dysgwr ar y cychwyn fel y gellir deall y cynnyrch terfynol o ran ei ddiben, ei gyflymder, ei lif a'i drefniadaeth.

Ymarfer cyfan-rhan-cyfan

Gellir addysgu llawer o sgiliau drwy'r dull cyfan-rhan-cyfan, lle mae'r dysgwr yn gyntaf yn rhoi cynnig ar y sgìl cyfan i gael ymdeimlad o ofynion ei berfformio ac i nodi'r elfennau hawdd ac anodd. Gall y rhain amrywio o unigolyn i unigolyn. Drwy arsylwi'n ofalus gall yr athro neilltuo'r elfennau anodd a'u dysgu fel rhannau, yna gellir eu cynnwys yn rhan o'r cyfan eto.

Mae addysgu'r cyfan a fesul rhannau yn tybio bod rhannau'r sgìl yn cael eu haddysgu fel pe baen nhw'n cael eu perfformio o fewn y cyfan, ac maen nhw'n dibynnu ar drosglwyddo cadarnhaol. Fodd bynnag, os yw'r cyfanwaith yn gymhleth ac na ellir ei dorri i lawr yn hawdd yn rhannau ystyrlon, efallai y gellir symleiddio'r dasg ei hun. Enghraifft dda yw'r duedd i ganolbwyntio ar y 'gêm fach' *(mini-game)* ar gyfer plant. Mae gan dennis byr a *lacrosse* pop lawer o elfennau gêm lawn yr oedolion, ond fe gân nhw eu chwarae â rheolau a chyfarpar addasedig.

Os na ellir symleiddio, gellir defnyddio'r syniad o siapio'r perfformiad. Agwedd ar gyflyru gweithredol yw hyn, fel y disgrifiwyd yn gynharach. Mae'r hyfforddwr/athro yn gwobrwyo agweddau ar y perfformiad wrth i'r perfformiwr symud tuag at y dechneg gywir ac felly yn raddol mae'r perfformiwr yn caffael y sgìl. Y term a ddefnyddir am hyn yw **metamorffosis graddol** y sgìl.

Mathau o gyfarwyddyd

Wrth i ni ymarfer neu brofi sgìl neu weithgaredd, mae'n anochel y bydd peth dysgu'n digwydd; ond fe ddysgwn orau drwy gyfuniad o brofiad a chyfarwyddyd *(guidance)*. Defnyddiwn y gair Cymraeg 'ymarfer' ar gyfer *practice* a *training*, ond mae Sharp (1992) yn gwahaniaethu rhwng *practice* (sydd **heb** gyfarwyddyd) a *training* (ymarfer **gyda** chyfarwyddyd). Nid yw pawb, fodd bynnag, yn gwahaniaethu rhwng y ddau.

Gweithgaredd
11.9: Ymarfer heb gyfarwyddyd ac ymarfer gyda chyfarwyddyd
Yn eich barn chi, pa un o'r rhain yw'r ffordd fwyaf effeithiol o ddysgu? Trafodwch a chyfiawnhewch eich casgliad.

Pwyntiau Allweddol
- Gall ymarfer heb gyfarwyddyd am gyfnodau hir greu diffyg cymhelliant; mae hefyd yn galluogi i gamgymeriadau ddod i mewn i'r sgìl y gall fod yn anodd eu dileu.
- Mae angen amser ar ddysgwyr i ymarfer heb deimlo dan bwysau oddi wrth yr athro/hyfforddwr, fel y gallan nhw ddatrys problemau yn eu ffyrdd eu hunain.
- Dylid osgoi rhoi cyfarwyddyd tra bydd yr unigolyn wrthi'n ymarfer. Dylid yn hytrach ei roi cyn dechrau ar y dasg neu wedyn.

O gofio'r pwyntiau allweddol, bydd yn rhaid i'r athro benderfynu pa fath o gyfarwyddyd i'w roi. Mae tri math sylfaenol o gyfarwyddyd neu ddulliau y gall athro eu defnyddio i drosglwyddo gwybodaeth am berfformiad:

- cyfarwyddyd gweledol;
- cyfarwyddyd geiriol;
- cyfarwyddyd llaw *(manual)* neu fecanyddol.

Mae'r dysgwr yn derbyn cyfarwyddyd drwy'r synhwyrau; gan fod gennym sawl synnwyr, gellir trosglwyddo gwybodaeth i ni mewn amryw ffyrdd. Mae dau bwynt yn bwysig yma:

- mae'r synhwyrau'n rhyngweithio, felly gall cyfuniad o fathau o gyfarwyddyd fod yn effeithiol;
- mae pobl yn amrywio o ran y math o gyfarwyddyd sy'n well ganddynt.

Cyfarwyddyd gweledol
Fe'i defnyddir yn ystod pob cam o'r addysgu-dysgu, ond mae'n arbennig o werthfawr yn y cyfnod cynnar i gyflwyno'r dasg a pharatoi ar ei chyfer.

Arddangos
Mae arddangos yn dibynnu ar ddysgu efelychol a/neu fodelu (Bandura, 1977) ac mae'n arf grymus. Mae'n effeithlon, 'yn y fan a'r lle' ac yn ddiddorol i ddysgwyr, ond rhaid iddo fod yn gywir ac yn berthnasol i'w hoed, eu profiad a'u rhyw. Rhaid iddo ddangos y gweithgaredd fel y digwydd go iawn. Dylai athro osgoi siarad gormod wrth arddangos (cofiwch gynhwysedd sianeli), ond bydd angen tynnu sylw'r dysgwyr at arwyddion *(cues)* pwysig perfformiad.

Cymhorthion gweledol
Gall cymhorthion gweledol *(visual aids)* fod o werth o'u llunio a'u cyflwyno'n feddylgar. Mae lluniau, siartiau a modelau yn rhad ac yn hawdd eu cael; gellir eu haddasu i gwrdd ag union ofynion y sefyllfa dan sylw, ond maen nhw'n statig ac felly yn gyfyngedig. Cytunir yn gyffredinol bod fideo yn fwy buddiol, yn enwedig os gellir arafu'r recordiad, ond mae'r cyfarpar yn ddrud. Gellir defnyddio fideo naill ai yn lle arddangosiad neu i roi adborth gwybodaeth am berfformiadau'r dysgwyr.

Erbyn hyn mae llawer iawn o gyfle i recordio perfformiadau chwaraeon o'r safon uchaf – na chânt eu darlledu – a defnyddio'r rhain mewn sefyllfa hyfforddi neu addysgu. Mae cyfarpar ffilmio *(camcorder)* wedi ymestyn defnyddioldeb fideo i recordio cynnydd dysgwyr, ond mae'n cymryd llawer o amser i ffilmio a dadansoddi grwpiau mawr.

Addasu'r arddangosiad
Weithiau mae'n briodol rhoi cymorth drwy wella canfyddiad o'r agweddau pwysig ar yr amgylchoedd. Trafodwyd sylwi ar arwyddion yn Adran 10.3 a'r ffordd, er enghraifft, y gallai lliw peli tennis effeithio ar chwarae. Gellir amlygu mannau penodol, e.e. gallai hyfforddwr farcio targed ar gwrt ar gyfer ymarfer serfio, neu sialcio'r pwyntiau ar fat gymnasteg lle dylid rhoi'r dwylo ar gyfer olwyndro. Mae bibiau lliw neu ddillad chwarae o liwiau gwahanol yn helpu nid yn unig y dyfarnwr ond hefyd y chwaraewyr mewn gêm dîm.

Cyfarwyddyd geiriol
Defnyddir cyfarwyddyd geiriol i raddau helaeth wrth addysgu a hyfforddi. Gall hyfforddwr da nid yn unig osod y dasg yn eglur a diamwys a disgrifio'r gweithredoedd, ond hefyd amlygu arwyddion pwysig perfformiad. Gyda dysgwyr uwchradd bydd yr arwyddion hyn yn fanwl a thechnegol. Gyda dysgwyr newydd gall fod yn fwy addas mynegi'r arwyddion mewn ffyrdd nad ydynt efallai yn hollol gywir ond sy'n cyfleu ymdeimlad y symudiad i'r dysgwr: 'Dringa â'th lygaid!'; 'Ymestyn fysedd dy draed i'r nenfwd!'. Manteision defnyddio cyfarwyddyd geiriol yw y caiff ei roi 'yn y fan a'r lle' a phan gaiff ei ddefnyddio gan athro deallus a chraff bydd yn uniongyrchol berthnasol i broblemau a gallu y dysgwr unigol.

 Ymchwiliad

11.7: Cynhyrchu cymorth gweledol
Dull: Dewiswch sgìl neu weithgaredd yr ydych yn gyfarwydd iawn ag ef. Penderfynwch ar agwedd benodol y gallech ganolbwyntio arni wrth helpu ffrind i ddysgu'r gweithgaredd. Ewch ati i lunio cymorth gweledol i ategu'ch hyfforddiant arfaethedig. Gwnewch fideo os mynnwch, ond gall gymryd llawer o amser, felly byddai'n well osgoi manylion technegol ffilmio a chanolbwyntio ar gynhyrchu siart neu fodel da. Ystyriwch y canlynol:

- symlrwydd;
- eglurder;
- defnyddio lliw;
- amlygu arwyddion pwysig perfformiad.

Rhowch brawf ar eich cymorth gweledol drwy ofyn i ffrind am feirniadaeth adeiladol arno.

Mae rhai anawsterau y mae'n rhaid i athro weithio i'w goresgyn:

- Ydy'r dysgwr yn deall y cyfarwyddiadau?
- A all y dysgwr gofio'r hyn a ddywedwyd (cofiwch gynhwysedd y cof tymor byr)?
- A all y dysgwr droi'r gair llafar yn symudiad?

Cyfarwyddyd llaw neu fecanyddol

Mae'r math hwn o gymorth yn cynnwys cysylltiad corfforol, e.e. yr hyfforddwr yn cynnal ac yn arwain y symudiad (megis wrth ymarfer llofnaid gymnasteg) neu unigolyn yn cael ei gynnal gan ddyfais megis rhwymyn braich wrth nofio, gwregys drampolîn neu 'raff dynn' wrth ddringo. Mae'n galluogi i'r dysgwr ddarganfod yr agweddau ar y symudiad sy'n ymwneud ag amseru a gofod, ond nid yw'n ei helpu i ddod i wybod am y grymoedd sy'n gweithredu ar y corff na'r arwyddion symud. Yr amcan yw lleihau camgymeriadau ac ofn – sy'n bwysig lle mae diogelwch yn ffactor i'w ystyried. Felly, yn gyffredinol defnyddir cymorth o'r fath gyda phobl ifanc a phobl sydd ag anghenion arbennig. Mae dau fath o gyfarwyddyd llaw wedi'u nodi:

  • cyfyngiad corfforol – mae person neu wrthrych yn cyfyngu corff symudol y perfformiwr i symudiadau sy'n ddiogel, e.e. gwregys drampolîn;

  • ymateb gorfodol – arweinir y dysgwr drwy'r symudiad, e.e. gall hyfforddwr arwain chwaraewr yn gorfforol drwy ddreif blaenllaw *(forehand)* mewn tennis.

Mathau o ymarfer

Mae'r gwahaniaeth rhwng sgiliau agored a chaeëdig yn rhoi cyfarwyddyd i'r athro wrth benderfynu sut i strwythuro ymarfer gweithgaredd penodol. Yn gyffredinol, dylid ymarfer sgiliau agored â chymaint o amrywiaeth ag sy'n bosibl (**ymarfer amrywiol**) i alluogi datblygu sgema cyffredinol; ond yn achos sgiliau caeëdig – lle mae'r unigolyn yn amcanu at atgynhyrchu patrwm symud penodol – **ymarfer sefydlog** sy'n addas, gydag ailadroddiadau i alluogi gorddysgu'r symudiadau.

Rhaid penderfynu ynglŷn â hyd y cyfnodau ymarfer ac i ba raddau y mae angen i'r dysgwyr gael gorffwys yn ystod ymarfer. Yn achos athrawon, mae'r penderfyniadau hyn yn gysylltiedig â sut maen nhw'n strwythuro ymarfer o fewn gwers, am faint y dylai pob episod bara a sut i newid canolbwynt ymarfer gan gynnal cyflymder dysgu. Yn achos hyfforddwr, mae'r penderfyniad hefyd yn cynnwys faint o weithiau yr wythnos y dylai'r mabolgampwr ymarfer ac am faint y dylai'r cyfnod ymarfer bara, yn ogystal â beth i'w gynnwys yn yr ymarfer.

Os oes angen i ddysgwyr orffwys yn ystod sesiwn ymarfer, am faint y dylai'r cyfnodau gorffwys bara a beth ddylai'r dysgwyr ei wneud yn ystod y cyfnodau hynny? Mae hwn yn gwestiwn pwysig oherwydd, fel y gwyddoch o brofiad, os ydy'r unigolyn yn dechrau blino neu ddiflasu, mae ei allu i ddysgu'n lleihau'n sylweddol.

Pwyntiau Allweddol

- **Ymarfer amrywiol** – ymarfer sgìl mewn amrywiaeth o gyd-destunau a phrofi'r ystod lawn o sefyllfaoedd lle y gellid defnyddio'r dechneg neu'r dacteg mewn cystadleuaeth.
- **Ymarfer sefydlog** – ymarfer patrwm symud penodol dro ar ôl tro. Term arall am hyn yw 'driliau'.
- **Ymarfer cyfunedig** – ymarfer y sgìl heb doriad nes iddo gael ei ddysgu.
- **Ymarfer gwasgaredig** – cymysgu ymarfer a seibiau. Gall y seibiau fod ar gyfer gorffwys neu ymarfer sgìl arall.

Pa fath o drefniadaeth sydd orau ar gyfer ymarfer? Nid oes ateb syml i hyn. Mae'n ymddangos bod **ymarfer cyfunedig** *(massed practice)* fwyaf addas:

- lle bo'r sgìl yn syml;
- lle bo'r cymhelliant ar gyfer dysgu yn uchel;
- lle bo'r ymarfer yn ceisio efelychu'r amodau blino y gellid eu profi mewn cystadleuaeth neu berfformiad;
- lle bo'r amser ymarfer sydd ar gael yn fyr iawn;
- lle bo'r dysgwyr yn brofiadol, yn alluog ac yn heini.

Os yw'r perfformwyr yn fedrus iawn, yn heini ac wedi'u cymell yn dda, efallai mai ymarfer cyfunedig sydd fwyaf addas. Golyga hyn fod y dysgwyr yn gweithio'n barhaol heb saib nes i'r sgìl gael ei feistroli neu nes i'r amser ddod i ben. Mae ymarfer cyfunedig yn effeithiol ac yn galluogi canolbwyntio a gorddysgu.

Dylid defnyddio **ymarfer gwasgaredig** *(distributed)* lle bo'r canlynol yn wir:

- sgìl newydd a/neu gymhleth sydd i'w ddysgu;
- mae perygl cael anaf os yw'r dysgwr wedi blino;
- mae rhychwant y sylw yn fyr, h.y. gyda dysgwyr ifanc;
- mae cymhelliant yn isel;
- nid yw'r dysgwyr yn ddigon heini;
- mae'r tywydd yn anffafriol.

Yn achos trefniadaeth ymarfer gwasgaredig, rhennir y sesiwn ymarfer yn gyfnodau byrrach gyda seibiau rhyngddynt. Gall y seibiau fod yn gyfnodau gorffwys neu gall yr athro osod tasgau eraill i'w gwneud. Ar sail yr hyn a wyddoch am drosglwyddo negyddol, am beth y mae'n rhaid i'r athro fod yn ofalus wrth drefnu tasgau eraill yn y seibiau?

Yn gyffredinol, mae ymchwilwyr ac athrawon yn cytuno mai ymarfer gwasgaredig sydd fwyaf effeithiol yn y rhan fwyaf o achosion. Un o fanteision ymarfer gwasgaredig yw y gellir defnyddio'r seibiau gorffwys ar gyfer **ymarfer meddyliol** *(mental rehearsal)*, sef y broses lle mae'r perfformiwr, heb symud, yn mynd drwy'r perfformiad yn ei feddwl. Gall y dysgwr wneud hyn mewn sawl ffordd:

* drwy wylio arddangosiad neu ffilm,
* drwy ddarllen neu wrando ar gyfarwyddiadau,
* drwy ddelweddaeth feddyliol, os yw'r sgìl wedi'i sefydlu.

Mae'r strategaeth hon yn ddefnyddiol ar gyfer perfformwyr profiadol ac mae llawer yn ei defnyddio wrth baratoi ar gyfer cystadleuaeth ond, yn ddiddorol, mae'n ymddangos ei bod hefyd yn gwella'r broses dysgu. Yn ôl ymchwil a ddyfynnwyd gan Cratty (1973), pan fydd ymarfer meddyliol yn digwydd bydd y niwronau cyhyrol yn tanio fel pe bai'r cyhyr yn weithredol. Oherwydd hynny, awgrymir bod gan ymarfer meddyliol effaith ddysgu go iawn. Er na fyddai llawer o seicolegwyr chwaraeon yn honni y gellid dysgu sgìl yn llwyr drwy ymarfer meddyliol (Ffigur 11.23), awgryma tystiolaeth fod cyfuniad o ymarfer corfforol a meddyliol yn fuddiol. Ymdrinnir ag ymarfer meddyliol fel strategaeth baratoi wybyddol ym Mhennod 12.

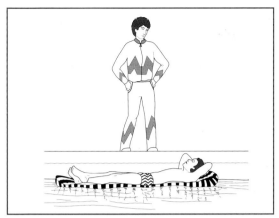

Ffigur 11.23 'Ond ti ddywedodd bod ymarfer meddyliol yn rhan bwysig o ymarfer!'

Pa ddulliau bynnag o ymarfer a ddefnyddir gan hyfforddwyr, ni ellir dadlau bod angen llawer o ymarfer i gynhyrchu perfformwyr o'r safon uchaf. Mae tystiolaeth yn dangos bod perthynas agos rhwng lefel y sgìl a nifer yr oriau ymarfer. Yn ôl Kottke ac eraill (1978), bydd chwarterwr proffesiynol wedi gwneud 1.4 miliwn o basiau erbyn iddo gyrraedd ei frig; mae angen i gymnastwraig 10 oed ymarfer yn ddyddiol am tua 8 mlynedd er mwyn cyrraedd rownd derfynol y Gêmau Olympaidd (mae rhai gwledydd yn dechrau ymarfer eu gymnastwyr o ddifrif yn iau o lawer na hynny). Felly, nid goruwchddynion a goruwchfenywod yw Olympiaid ond yn hytrach pobl sy'n fodlon rhoi cyfran sylweddol o'u hoes i ymarfer ar gyfer eu camp.

 Cwestiynau Adolygu

1. Lluniwch fodel Priest a Hammerman (1989) o'r broses addysgu. Eglurwch 'cadarnhau' ac 'adolygu'.
2. Beth yw'r prif wahaniaethau rhwng addysgu drwy orchymyn ac addysgu drwy ddarganfod?
3. O dan ba amodau y byddech yn addysgu (a) sgìl cyfan a (b) drwy rannau cynyddol?
4. Disgrifiwch yn gryno bedwar math o gyfarwyddyd.
5. Pam mae ymarfer amrywiol yn bwysig yn achos sgiliau agored?
6. Rhowch enghraifft o'r defnydd a wneir o ymarfer meddyliol.

 Cwestiynau Arholiad

1. a. Dosbarthodd Mosston ac Ashworth (1986) arddulliau addysgu ar sail penderfynu yn y broses dysgu. Dangosir y sbectrwm hwn o Arddulliau Addysgu yn Ffigur 11.20.
i. Pa arddull addysgu yw 'A'? Beth yw manteision ac anfanteision yr arddull hwn mewn gymnasteg? (5 marc)
ii. Beth yw ystyr y term arddull addysgu cilyddol? (2 farc)
iii. Gall athro ddefnyddio arddull datrys problemau. Defnyddiwch enghraifft ym myd chwaraeon i egluro prif fanteision arddull datrys problemau. (4 marc)

Crynodeb

1. Er mwyn dysgu rhaid bod gennym gymhelliant – mae addysgu effeithiol yn dibynnu ar y cymhelliant hwn. Amlygir y berthynas rhwng cymhelliant a dysgu yn 'namcaniaeth gostwng cymhelliad'. Mae yna lawer o ddamcaniaethau dysgu. Mae un grŵp, y damcaniaethau S-Y, yn ystyried dysgu fel proses o gyflyru, h.y. sefydlu cysylltiad rhwng symbyliad ac ymateb, gyda llwyddiant yn wobr neu'n atgyfnerthiad. Mae adborth yn rhan bwysig o fondio S-Y ac felly yn rhan hanfodol o'r broses dysgu. Mae'n darparu cymhelliant ac atgyfnerthiad ac felly yn effeithio ar newidiadau mewn perfformiad. Ond os yw adborth i fod yn effeithiol rhaid bod yna ffrâm gyfeirio, model a all fod yn sail i ddarganfod camgymeriadau. Mae sawl math o adborth a llawer o ymchwil wedi'i wneud i'w effaith ar ddysgu.

2. Mae adborth yn ganolog i reolaeth fotor. Mae damcaniaethau rheolaeth dolen gaeëdig a dolen agored yn arwain at athroniaethau gwahanol ar gyfer hyfforddiant, ond tuedda'r farn fodern gyfannu'r ddwy; canlyniad pwysig i hyn yw damcaniaeth sgemâu sy'n awgrymu nad patrwm symud sefydlog a storir yn y cof ond yn hytrach set o berthnasoedd. Un o oblygiadau ymarferol pwysig y syniadau hyn yw'r angen i ymarfer fod mor amrywiol ag sy'n bosibl.

3. Mae llawer o ffactorau i athrawon eu hystyried wrth strwythuro dysgu ar gyfer eu myfyrwyr. Un yw'r trosglwyddo sy'n bosibl o sgiliau a ddysgwyd eisoes i sgiliau newydd, ac un arall yw'r arddull addysgu. Mae penderfyniadau ar ba ddeunydd i'w gyflwyno a sut i'w gyflwyno yn arwain at angen i ddadansoddi tasgau a gwybod cam datblygiad motor y disgyblion. Gellir dysgu sgiliau sy'n gymharol syml yn gyfan, ond efallai y bydd angen torri sgiliau mwy cymhleth i lawr yn rhannau a'u haddysgu felly. Mae'r cyswllt rhwng cymhlethdod tasgau a gallu dysgwyr hefyd yn peri bod angen ystyried pa fath o gyfarwyddyd sydd fwyaf addas a sut i strwythuro ymarfer y gweithgaredd.

 Deunydd Darllen

Deunydd Cyfeirio
Adams J. 'A closed loop theory of motor learning.' *Journal of Motor Behaviour,* 1971; 3: 111-150.
Bandura A. *Social Learning and Theory,* Prentice Hall, 1977.
Christina R.W. a Corcos D.M. *Coaches Guide to Teaching Sport Skills,* Human Kinetics, 1988.
Davis D. ac eraill. *Physical Education and the Study of Sport,* Macmillan, 1986.
Fitts P.M. a Posner M.I. *Human Performance,* Brooks Cole, 1967.
Gentile A.M. 'A working model of skill acquisition with application teaching.' *Quest,* 1972; 17: 3-23.
Knapp B. *Skill in Sport.* Routledge and Kegan Paul, 1973.
Miller G.A. *Psychology: The Science of Mental Life,* Penguin, 1972.
Mosston M. ac Ashworth S. *Teaching Physical Education,* Merrill, 1986.
Priest S a Hammerman D. 'Teaching outdoor adventure skills.' *Journal of Physical Education, Recreation and Dance,* 1989; 63(1): 64-67.
Sage G.H. *Introduction to Motor Behaviour: A Neuropsychological Approach,* Addison Wesley, 1977.
Schmidt R.A. 'Schema theory: implications for movement education.' *Motor Skills: Theory into Practice,* 1977; 2(1): 36-38.
Schmidt R.A. 'Past and future issues in motor programming.' *Research Quarterly,* 1980; 51: 122-140.
Sharp B. *Acquiring Skill in Sport,* Sports Dynamics, 1992.
Singer R.N. *Motor Learning and Human Performance,* Macmillan, 1982.

Skinner B.F. *About Behaviourism,* Vintage Books, 1974.
Stallings L.M. *Motor Learning,* Mosby, 1982.
Thorndike E.L. *Fundamentals of Learning,* Columbia University Press, 1932.
Tolman E.C. 'Studies in spatial learning.' *Journal of Experimental Psychology,* 1946; 36: 221-229.
Wallace S.A. a Hagler R.W. 'Knowledge of performance and the learning of a closed motor skill.' *Research Quarterly,* 1979; 50: 265-271.

Deunydd Darllen Ychwanegol
Bull R. *Teachers' Guide and Answers to Skill Acquisition,* Jan Roscoe Publications, 1996.
Bunker L.K. ac eraill. *Sport Psychology,* Mouvement Publications, 1985.
Christina R.W. a Corcos D.M. *Coaches Guide to Teaching Sport Skills,* Human Kinetics, 1988.
Gill D.L. *Psychological Dynamics of Sport,* Human Kinetics, 1986.
Magill R.A. *Motor Learning: Concepts and Applications,* Brown & Benchmark, 1993.
Mosston M ac Ashworth S. *Teaching Physical Education,* Merrill, 1986.
National Coaching Foundation. *Planning Your Programme,* NCF, 1992.
National Coaching Foundation. *Improving Techniques/Planning and Practice: Introductory Study Packs 4 a 6,* NCF, 1993.
Schmidt R.A. *Motor Learning and Performance,* Human Kinetics, 1991.
Sharp B. *Acquiring Skill in Sport,* Sports Dynamics, 1992.

Pennod 12

Seicoleg Chwaraeon: Gwahaniaethau Unigol

12.1 Natur Seicoleg Chwaraeon

Ym Mhenodau 9-11 ystyriwyd sut y daw pobl yn fedrus a'r ffactorau sy'n dylanwadu ar ddysgu sgiliau motor. Yn awr trown ein sylw at y syniad o berfformio ac astudiwn yr hyn sy'n digwydd wrth i bobl gymryd rhan mewn gweithgareddau corfforol fel adloniant ac i gystadlu, wedi iddyn nhw ddod yn fedrus (ond, wrth gwrs, ni fydd byth terfyn ar ddysgu).

Gelwir yr astudiaeth hon yn seicoleg chwaraeon. Astudio ymddygiad unigolion yw seicoleg. Mae'r rhan fwyaf o ymchwilwyr yn y maes hwn wedi delio ag ymddygiad yng nghyd-destun chwaraeon, ond mae llawer o'u casgliadau yn berthnasol hefyd i weithgareddau corfforol eraill fel dawns a gweithgareddau awyr agored. Ar hyn o bryd mae seicolegwyr chwaraeon yn ehangu maes eu hastudiaeth i gynnwys seicoleg ffitrwydd ac ymarfer (Willis a Campbell, 1992). Mae gan seicoleg chwaraeon lawer i'w gynnig i fabolgampwyr; yn wir mae rhai'n honni y bydd yn ffactor allweddol wrth wella perfformiad yn y dyfodol.

Bydd arbenigwyr ym meysydd biomecaneg, ffisioleg a meddygaeth chwaraeon i gyd yn cyfrannu – ond yn y pen draw gallu'r mabolgampwr i reoli ei gorff a'i feddwl ei hun wrth weithredu ac ym mhob rhan o fywyd fydd yn pennu lefel y perfformiad athletaidd eithaf (Bunker a McGuire, 1985, tud. 13).

Mae maes astudio seicoleg chwaraeon yn cynnwys amrywiaeth o bynciau a byddwn yn ymdrin â rhai ohonyn nhw yn y llyfr hwn. Mae personoliaeth yn faes pwysig; astudiwn sut mae seicolegwyr wedi ceisio nodi cyfansoddiad personoliaeth a gweld a ydy'r math o berson sydd dan sylw yn effeithio ar ei berfformiad mewn chwaraeon. Datblygwn hyn ymhellach yn Adran 12.2. Hefyd astudiwn gymhelliant ymhellach ac yn Adran 12.6 ystyriwn effeithiau straen ar fabolgampwyr a sut y gallan nhw optimeiddio'u perfformiadau. Ym Mhennod 13 archwiliwn sut mae bod yn rhan o dîm neu grŵp yn effeithio ar ymddygiad.

Mae'r wybodaeth sydd gennym am yr agweddau seicolegol ar weithgareddau corfforol yn deillio o ymchwil gan 'fyddin' o seicolegwyr, athrawon a hyfforddwyr, yn ogystal â'r mabolgampwyr eu hunain. Mae'r ymchwil hwn yn defnyddio, gan amlaf, fethodoleg gwyddorau cymdeithasol, felly mae'n bwysig i chi ddeall ei sylfeini er mwyn gwneud eich ymchwiliadau eich hunain a deall sut mae eraill wedi llunio'u damcaniaethau nhw. Mae'r gwaith ymarferol ym Mhenodau 9-11 (a phenodau eraill) yn eich cyflwyno i'r fethodoleg hon, ond wrth i chi weithio drwy'r bennod hon dylech ddatblygu ymhellach eich ymwybyddiaeth o bwysigrwydd:

- gofyn cwestiynau addas,
- llunio rhagdybiaethau a nodi newidynnau,
- dewis dull ymholi, megis cyfweld, defnyddio holiadur, profi neu fesur, arsylwi a dadansoddi,
- dewis y testunau i'w profi yn briodol,
- dadansoddi, cyflwyno a gwerthuso eich data.

Fel enghraifft, edrychwch eto ar ymchwiliad lle defnyddiwyd y broses uchod (e.e. Ymchwiliad 11.2). Nodwch bob un o'r camau hyn yn yr ymchwiliad hwnnw. Er enghraifft, pa newidynnau oedd o ddiddordeb i chi; pa dechnegau casglu data a ddefnyddiwyd; sut y dewiswyd y sampl; sut y cafodd y data eu cyflwyno a'u dadansoddi; pa faterion trafod a gododd? Mae'r cwestiynau hyn yn gofyn i chi ddisgrifio'r hyn a wnaethoch. Rhaid i chi hefyd werthuso a gofyn:

- Pa mor gynrychiadol oedd fy sampl o'r grŵp cyffredinol (y boblogaeth) a oedd o ddiddordeb i mi?
- A oedd y technegau casglu data a ddefnyddiwyd yn ddilys, h.y. a wnaethon nhw fesur yr hyn y bwriadwyd iddyn nhw ei fesur?
- A oedd fy nulliau'n ddibynadwy, h.y. yn debygol o gynhyrchu canlyniadau tebyg mewn amgylchiadau tebyg?
- A oedd fy arsylwadau'n wrthrychol, h.y. yn rhydd o unrhyw wyriad neu duedd o ganlyniad i'r arbrofwr, neu a oedd elfen anochel o oddrychedd?
- A barchais hawliau'r bobl dan sylw i wrthod, i fod yn ddienw ac i amddiffyn eu lles corfforol ac emosiynol?

12.2 Personoliaeth

 Geiriau allweddol a chysyniadau

allblygedd	delwedd y corff	nodweddion arwyneb
anianawd	dulliau seicometrig	nodweddion gwreiddiol
corffoledd	eraill o bwys	rolau
cymeriad	holiaduron personol	Rhestr Personoliaeth
damcaniaeth dysgu	hunan-barch	Eysenck
cymdeithasol	hunansyniad	sefydlogrwydd
damcaniaeth	mesurau cyflwr	sgôr STEN
gyfansoddiadol	mewnblygedd	triniaeth ryngweithiol
damcaniaethau	modelau	16PF
nodweddion	niwrotiaeth	
deall	nodwedd	

Beth yw personoliaeth a pham mae'n bwysig i ni ei deall? Fel chwaraewr, capten, athro neu hyfforddwr, bydd angen i chi wybod pa mor wahanol yw pobl a sut maen nhw'n adweithio'n wahanol i'r un sefyllfa. Bydd rhai pobl yn ddiwyro yn eu penderfyniad wrth ymarfer; hawdd fydd tynnu sylw rhai eraill oddi wrth eu hymarfer neu bydd anawsterau yn eu digalonni. O golli neu os ymddengys y bu annhegwch bydd rhai chwaraewyr yn adweithio'n wael tra bydd eraill yn derbyn y cyfan yn ddigyffro. Bydd adnabod a deall chi eich hun a'r bobl y byddwch yn ymarfer ac yn chwarae gyda nhw yn debygol o'ch helpu i gael y gorau allan ohonoch chi ac eraill.

Ar ôl gorffen yr adran hon byddwch yn:
- medru diffinio personoliaeth a deall ei adeiledd;

- gwybod sut y gellir mesur personoliaeth a deall y cyfyngiadau ar ddehongli a defnyddio mesur o'r fath;
- gwybod yr hyn y mae ymchwil yn ei ddangos ynglŷn â'r berthynas rhwng personoliaeth a pherfformio neu gymryd rhan;
- deall pwysigrwydd personoliaeth fel newidyn pwysig mewn dysgu a pherfformio;
- deall y berthynas rhwng dysgu, perfformio a datblygu hunansyniad *(self-concept)*.

 Ymchwiliad

12.1: Llunio diffiniad o bersonoliaeth ar sail synnwyr cyffredin

Dull: Gweithiwch mewn grwpiau o dri neu bedwar. Dewiswch gamp a ddarlledir ar y teledu, camp yr ydych i gyd yn gyfarwydd â hi. Dewiswch ddwy 'bersonoliaeth' yn y gamp honno sy'n wahanol iawn yn eu hymddygiad wrth chwarae.

Trafodaeth: Beth sy'n wahanol ynglŷn â nhw? Pa nodweddion a ddangosant wrth ymateb i'r hyn sy'n digwydd yn y gêm neu'r gystadleuaeth?

Buoch yn siarad am batrwm o nodweddion sy'n gwneud y ddau berson yma'n wahanol. Rydych wedi dechrau diffinio'u personoliaeth.

Pwyntiau Allweddol
- Diffiniwyd **personoliaeth** fel y patrwm unigryw o nodweddion *(traits)* sydd gan unigolyn. Ystyr **nodwedd** yw rhagdueddiad parhaol, gwaelodol, cyffredinol i ymddwyn mewn ffordd benodol bob tro y digwydd sefyllfa benodol. Felly, os credwch fod gennych obaith da o ennill bob tro y cymerwch ran mewn cystadlaethau, gellid dweud eich bod yn dangos y nodwedd 'optimistiaeth'.
- Awgryma Eysenck (1969) mai ystyr personoliaeth yw'r 'drefniadaeth fwy neu lai sefydlog a pharhaol o **gymeriad, anianawd, deall** a **chorffoledd** unigolyn sy'n pennu'r addasiad unigryw i'r amgylchedd.'

Sylwch ar y term 'unigryw' yn y ddau ddiffiniad uchod a'r gwahanol briodoleddau sydd, yn ôl Eysenck (1969), yn cyfrannu at bersonoliaeth. Sylwch hefyd fod Eysenck yn honni bod personoliaeth yn pennu sut y bydd pobl yn adweithio i'w hamgylchoedd.

Damcaniaethau ynglŷn ag adeiledd a datblygiad personoliaeth

Mae nifer mawr o ddamcaniaethau gwahanol ynglŷn â'r hyn yw personoliaeth a sut mae'n datblygu. Ceir adolygiad da yn Cox (1994) neu Gill (1986).

Yn ôl llawer ohonynt mae personoliaeth wedi'i strwythuro mewn 'lefelau'. Mae'r lefelau hyn yn cyfeirio at ba mor ddwfn y mae nodwedd benodol wedi'i gwreiddio yn ein hysbryd *(psyche)*. Mae Ffigur 12.1 yn cynrychioli unigolyn sydd, fel rhan o'i bersonoliaeth graidd (lefel 1), yn gyfeiriedig iawn at lwyddiant *(highly achievement oriented)* – mae am lwyddo ym mhopeth. Fel chwaraewr gêmau mae hynny'n rhoi tuedd iddo ddangos ymosodedd *(aggression)* pan fydd dan bwysau (lefel 2). Pan ddaw'n gapten, fodd bynnag, bydd y cymhelliad i lwyddo yn aros (mae'n sefydlog ac yn barhaol), ond fe'i trosglwyddir i'r angen i'r tîm gael model da, felly mae'r ymosodedd yn diflannu (lefel 3).

Pwynt Allweddol

- Ni ellir ond **casglu** *(infer)* personoliaeth unigolyn o'i ymddygiad neu o'r hyn a ddywed wrthym amdano ef ei hun. Yn Ffigur 12.1, gallwn weld tystiolaeth o'r ymosodedd a'r model ymddygiad da, ond mae'r cymhelliant gwaelodol i lwyddo yn haniaethol.

Mae llawer o ddamcaniaethau ynglŷn â phersonoliaeth – damcaniaeth gyfansoddiadol Sheldon, damcaniaethau nodweddion, damcaniaeth dysgu cymdeithasol a thriniaethau rhyngweithiol *(interactionist approaches)* – sy'n gweithredu ar wahanol lefelau Ffigur 12.1. Mae'r ddwy gyntaf yn ymwneud â'r craidd seicolegol.

Damcaniaeth gyfansoddiadol Sheldon

Ni chafodd damcaniaeth gyfansoddiadol Sheldon erioed ei derbyn yn llwyr, ond mae'n cadw ei hygrededd yn rhannol am fod iddi ryw ddilysrwydd 'chwedlonol'. Ym Mhennod 4, mesurwyd y math o gorff drwy'r broses somatogrwpio *(somatotyping)*. Cysylltodd Sheldon a Stevens (1942) bob un o'r tri math o gorff *(somatotype)* â math arbennig o bersonoliaeth (Ffigur 12.2).

Damcaniaethau nodweddion

Mae damcaniaethau nodweddion yn tybio bod **nodwedd** yn rhagdueddiad parhaol, gwaelodol, cyffredinol i ymddwyn mewn ffordd benodol bob tro y digwydd sefyllfa benodol. Os teimlwn yn nerfus cyn pob cystadleuaeth gellid dweud ein bod yn meddu ar nodwedd 'pryder cystadleuol' *(competitive anxiety)*. Awgryma damcaniaethau nodweddion fod llawer o nodweddion i'n personoliaeth. Awgrymodd dau ddamcaniaethwr yn arbennig (Eysenck a Cattell) fod y nodweddion wedi'u trefnu mewn modd hierarchaidd. Arweiniodd eu hymchwil at fodel o bersonoliaeth lle rhoddir label i'r nodweddion sydd yn ôl pob golwg yn hel at ei gilydd, label sy'n crynhoi grŵp o ymddygiadau. Rhestrwch eiriau sy'n disgrifio ymddygiad mabolgampwr 'allblyg'. Ydy'ch rhestr yn cynnwys rhadlon *(outgoing)*, hyderus, siaradus, yn hoff o gyhoeddusrwydd?

Roedd damcaniaeth nodweddion yn bwysig iawn yng nghyfnod cynnar ymchwil i bersonoliaeth yng nghyswllt chwaraeon, yn bennaf am ei bod yn darparu ffordd syml o asesu personoliaeth (drwy ddefnyddio holiaduron personol). Ond er y dangoswyd bod y profion yn ddilys ac yn ddibynadwy nid ydynt, mae'n debyg, yn rhagfynegi ymddygiad yn gyson. Er enghraifft, gallai nofiwr ifanc fod yn hyderus a chymdeithasol yn ei gamp a chyda'i ffrindiau yn y clwb, ond yn swil a dihyder pe gofynnid iddo annerch cyfarfod yn y clwb. Mae'n debyg y byddai ei

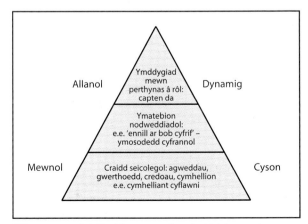

Ffigur 12.1 Adeiledd personoliaeth *(Addaswyd o Martens, 1975)*

MATH O GORFF	MATH O BERSONOLIAETH
Ectomorffedd Llinoledd	*Cerebrotonia* Tyndra Mewnblygedd
Endomorffedd Tewder	*Viscerotonia* Hoff o gymdeithasu, anwyldeb, hoff o gysur
Mesomorffedd Cyhyredd	*Somatotonia* Cymryd risg, ceisio am antur, allbyg

Ffigur 12.2 Teipoleg somatobersonoliaeth Sheldon *(Addaswyd o Carron, 1981)*

bersonoliaeth graidd rywle rhwng y swil a'r hyderus, yn ddibynnol ar ei farn amdano ef ei hun. Gan fod seicolegwyr am ddefnyddio mesurau personoliaeth i geisio rhagfynegi ymddygiad, mae'r diffyg dilysrwydd rhagfynegol yn broblem.

Hefyd tueddiad damcaniaeth nodweddion i awgrymu bod personoliaeth yn gynhenid, h.y. ein bod yn etifeddu rhagdueddiad i ddatblygu nodweddion penodol sydd i raddau helaeth yn pennu'n hymddygiad. Daw tystiolaeth Eysenck ar gyfer hyn o ymchwil sy'n cysylltu mewnblygedd ac allblygedd â gweithredu ffisiolegol. Mae beirniaid damcaniaeth nodweddion yn gwrthod hyn ac yn honni y dysgwn ein hymddygiad yn llwyr o'r ffordd y rhyngweithiwn â'n hamgylchedd.

Damcaniaeth dysgu cymdeithasol

Mae damcaniaeth dysgu cymdeithasol yn egluro ymddygiad yn nhermau ein hymateb i sefyllfaoedd penodol. Ffurf eithafol ar hyn yw damcaniaeth symbyliad-ymateb, sy'n awgrymu y rheolir ein hymddygiad gan atgyfnerthiad yn unig – nid yw personoliaeth yn chwarae unrhyw ran yn y broses.

Nid yw damcaniaeth dysgu cymdeithasol Bandura mor eithafol – mae'n cydnabod rhan personoliaeth mewn ymddygiad, i'r graddau y bydd gan unigolion rai rhagsyniadau (*preconceptions*) wrth wynebu sefyllfa arbennig. Yn ôl Bandura, dysgwn ddelio â sefyllfaoedd drwy arsylwi eraill – neu drwy arsylwi canlyniadau'n hymddygiad ni ar eraill – a thrwy fodelu'n hymddygiad ar yr hyn a welsom. Mae cymeradwyaeth neu anghymeradwyaeth gymdeithasol yn atgyfnerthu'n hymatebion. Felly, pennir ymddygiad yn bennaf gan y sefyllfa, ac ni roddir cymaint o bwys ar bersonoliaeth yn hyn o beth. Noder, felly, nad damcaniaeth personoliaeth yw damcaniaeth dysgu cymdeithasol ond, yn hytrach, damcaniaeth ynglŷn ag ymddygiad.

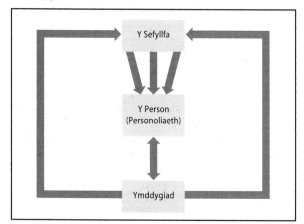

Ffigur 12.3 Personoliaeth, ymddygiad a'r sefyllfa: model rhyngweithiol

Triniaethau rhyngweithiol

Mae'r mwyafrif o seicolegwyr chwaraeon heddiw yn cydnabod bodolaeth nodweddion a'r ffaith fod nodweddion i raddau yn pennu ymddygiad, ond maen nhw'n cydnabod y gellir addasu eu heffeithiau gan sefyllfaoedd arbennig, fel y dangosir yn Ffigur 12.1. Defnyddiant **driniaeth ryngweithiol**, a ddangosir yn Ffigur 12.3, sy'n dwyn damcaniaethau nodweddion a dysgu cymdeithasol at ei gilydd.

> **Gweithgaredd**
> **12.1: Damcaniaeth ryngweithiol**
> Mae chwaraewraig dennis ifanc yn addawol, ond mae'n pryderu ynglŷn â chwarae mewn twrnameintiau pwysig ac yn tanberfformio *(underperforms)* yn y sefyllfaoedd hyn. Mae ei hyfforddwr yn gweithio gyda hi ar strategaethau rheoli pryder ac yn ei thwrnamaint nesaf mae hi'n ennill. Sut y byddech chi'n egluro hyn gan ddefnyddio damcaniaeth ryngweithiol?

> **Pwynt Allweddol**
> • Ffwythiant rhwng y person (personoliaeth) a'r amgylchedd yw ymddygiad. (Lewin, 1935).

Sut yr asesir personoliaeth?

Mae llawer o ddamcaniaethau personoliaeth a hefyd sawl ffordd wahanol o asesu personoliaeth. Yr un a ddefnyddir fwyaf mewn hyfforddiant, wrth gwrs, yw **arsylwi** – 'dod i'ch adnabod chi'. Mae hyfforddwyr ac athrawon da yn arsylwi eu mabolgampwyr yn ofalus, gan nodi pryd maen nhw'n gyson yn eu hymddygiad a phryd mae'n ymddangos bod y sefyllfa'n effeithio ar yr hyn a wnânt, h.y. cymryd i ystyriaeth nodweddion a sefyllfaoedd. Mae hyfforddwyr ac athrawon da yn gyfathrebwyr da ac, yn arbennig, yn wrandawyr da, ac felly mae ganddyn nhw ddealltwriaeth gynhwysfawr o'u mabolgampwyr.

Y dulliau a ddefnyddir amlaf mewn ymchwil i chwaraeon yw **dulliau seicometrig**, h.y. ffyrdd o fesur personoliaeth i ddweud, er enghraifft, pa mor allblyg yw unigolyn. Gwneir hyn fel rheol drwy ddefnyddio holiaduron personol.

Mesurau nodweddion

Mae mesurau nodweddion yn asesu tuedd gyffredinol unigolyn i ymddwyn mewn ffordd benodol. Mae rhai o'r mesurau'n canolbwyntio ar broffil cyflawn o bersonoliaeth, e.e. Holiadur Un Deg Chwech Ffactor Personoliaeth Cattell (*Sixteen Personality Factor*

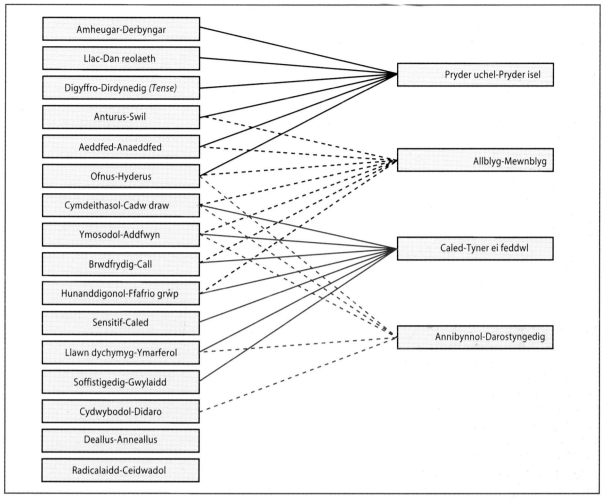

Ffigur 12.4 Adeiledd 16 ffactor personoliaeth Cattell

Questionnaire – yr **16PF***)*, sydd wedi'i ddefnyddio'n helaeth mewn ymchwil i chwaraeon (Ffigur 12.4). Yn gyntaf nododd Cattell 171 o ymddygiadau yr ydym ni oll, yn ei farn ef, yn eu harddangos i raddau mwy neu i raddau llai. Grwpiodd y rhain yn 16 clwstwr a galw'r clystyrau'n **nodweddion gwreiddiol** *(source traits)* neu'n ffactorau gradd un (cynradd). Yna lluniodd holiadur ac ar ôl cryn dipyn o waith rhagarweiniol profodd fod yr holiadur yn fesur dilys a dibynadwy o'r 16 nodwedd wreiddiol. Yn ôl y system sgorio gellir grwpio'r nodweddion gwreiddiol ymhellach yn bedair **nodwedd arwyneb** *(surface traits)*, h.y. pedwar ffactor gradd dau (eilaidd).

Mae 141 o osodiadau yn yr holiadur 16PF, gyda phob un yn asesu nodwedd benodol. Mae'r gosodiadau'n debyg i'r enghraifft ganlynol:

Rwy'n teimlo'r angen bob hyn a hyn i wneud gweithgaredd corfforol caled:

a) Ydw.

b) Rhwng y ddau.

c) Nac ydw,

Ar ôl cyfrif y sgôr bydd gan y person dan sylw sgôr safonedig *(standardized)* allan o 10 – a elwir yn **sgôr STEN** – ar gyfer pob un o'r 16 ffactor. Gallai ei broffil edrych fel yr un yn Ffigur 12.5.

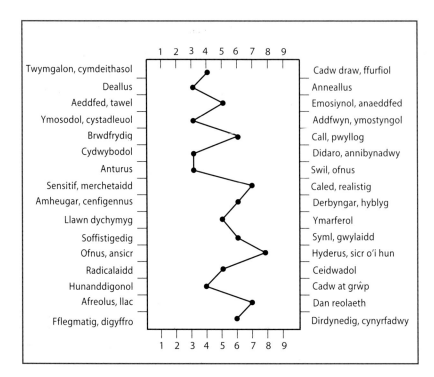

Ffigur 12.5 Proffil 16PF mabolgampwr penodol

Ymchwiliad

12.2: Dadansoddi proffil 16PF
Dull: Tybiwch eich bod wedi casglu data ar bersonoliaeth mabolgampwr gan ddefnyddio'r holiadur 16PF ac wedi llunio proffil tebyg i Ffigur 12.5.
Arsylwadau: Dadansoddwch y proffil, gan nodi yn arbennig y nodweddion lle mae sgôr y mabolgampwr y tu allan i'r amrediad 3.5-6.5. Ystyriwn oblygiadau sgorau fel hyn yn ddiweddarach yn yr adran hon.

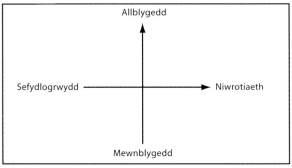

Ffigur 12.6 Dimensiynau personoliaeth: allblygedd a niwrotiaeth

Datblygodd Eysenck holiadur personol tebyg ond byrrach gydag atebion 'Ie/Na' yn hytrach na graddfa dri phwynt Cattell. Fe'i gelwir yn Rhestr Personoliaeth Eysenck *(Eysenck Personality Inventory – **EPI**) neu'n Holiadur Personoliaeth Eysenck *(Eysenck Personality Questionnaire –* EPQ*)*. Mae yna fersiwn hefyd ar gyfer plant. Y prif wahaniaeth rhwng holiaduron Eysenck a Cattell yw bod Eysenck yn nodi'n uniongyrchol ffactorau gradd dau; y ddau y cyfeirir atynt amlaf yw allblygedd a niwrotiaeth *(neuroticism)* (Ffigur 12.6).

Cysylltir **niwrotiaeth** ag emosiynoldeb ac fe'i nodweddir gan duedd i ofidio, i arddangos symptomau corfforol sy'n gysylltiedig â phryder ac i fod yn ansefydlog o ran hwyl. Y gwrthwyneb yw **sefydlogrwydd**. Ystyr **allblygedd** yw tuedd i fod yn rhadlon, yn gymdeithasol ac i fwynhau gweithgareddau corfforol; y gwrthwyneb yw **mewnblygedd**.

Yn Ffigur 12.7 crynhoir adeiledd personoliaeth yn ôl damcaniaeth nodweddion a dangosir y gwahaniaeth rhwng categorïau Cattell ac Eysenck.

Enghreifftiau eraill o fesurau nodweddion a ddefnyddiwyd mewn chwaraeon yw Proffil Hwyliau *(Profile of Mood States –* McNair ac eraill, 1971), Prawf Arddull Rhoi Sylw a Rhyngbersonol *(Test of Attentional and Interpersonal Style –* Nideffer, 1976), Rhestr Pryder Cyflwr-Nodwedd *(State-Trait Anxiety Inventory –* Spielberger ac eraill, 1970) a Phrawf Pryder Cystadleuaeth Chwaraeon *(Sport Competition Anxiety Test –* Martens, 1977).

Mesurau cyflwr
Wrth i'r diddordeb mewn damcaniaeth ryngweithiol

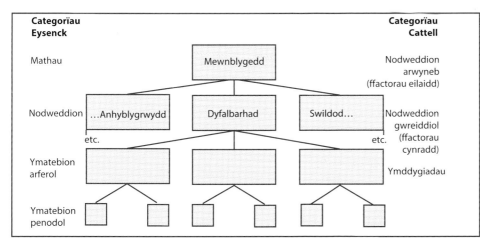

Ffigur 12.7
Modelau hierarchaidd personoliaeth Eysenck a Cattell

gynyddu, datblygwyd nifer o fesurau sy'n benodol i sefyllfa. Fe'u lluniwyd i asesu cyflwr meddwl unigolyn ar adeg benodol. Maen nhw'n ddefnyddiol i seicolegwyr chwaraeon sydd am blotio newidiadau yn agwedd feddyliol mabolgampwyr tuag at gystadleuaeth, er enghraifft. Dau brawf o'r fath yw Rhestr Pryder Cyflwr Cystadleuol *(Competitive State Anxiety Inventory* – Martens ac eraill, 1990) a Phrawf Tennis Arddull Rhoi Sylw a Rhyngbersonol (Van Schoyck a Grasha, 1981).

Pwyntiau Allweddol
- Mae mesurau nodweddion yn rhoi gwybodaeth am ffordd nodweddiadol mabolgampwr o ymddwyn yn gyffredinol. Maen nhw'n debygol o adlewyrchu'r 'craidd seicolegol'.
- Mae mesurau cyflwr yn rhoi gwybodaeth am gyflwr meddwl mabolgampwr ar adeg benodol ac mewn sefyllfa benodol, e.e. 24 awr cyn rownd derfynol twrnamaint tennis bwrdd.

Gweithgaredd
12.2: Nodi problemau hyder
Rydych yn hyfforddwr golff sydd â chymwysterau ym maes seicoleg chwaraeon. Rydych yn poeni am golffwr ifanc sy'n pytio'n dda wrth ymarfer, ond yn anghyson mewn cystadlaethau. Mae fel arfer yn berson hyderus a digyffro ac yn ôl pob golwg yn mwynhau cystadlu, ond rydych yn amau ei fod efallai yn colli hyder neu'r gallu i ganolbwyntio ar adegau holl bwysig yn ei gêm. Sut y gallech ddefnyddio (a) arsylwi, (b) mesurau nodweddion a/neu (c) mesurau cyflwr i'ch helpu i ganfod y broblem?

Sylwch fod gan yr hyfforddwr yng Ngweithgaredd 12.2 gymwysterau seicoleg chwaraeon. Os yw hyfforddwyr yn defnyddio profion o'r fath dylen nhw fod yn ymwybodol o'r cyfyngiadau yn ogystal â gallu dehongli'r canlyniadau'n briodol. Dylen nhw wybod am ganllawiau moesegol cynnal y profion. Dylen nhw bob amser ddefnyddio'r canlyniadau er lles y mabolgampwr, nid at ddibenion dewis tîm. Nid oes tystiolaeth y gall profion personoliaeth ragfynegi llwyddiant mewn chwaraeon.

Beth mae'r ymchwil yn ei ddangos ynglŷn â phersonoliaeth?

Yn ystod yr 1960au a'r 1970au gwnaed llawer iawn o ymchwil i'r berthynas rhwng personoliaeth a chwaraeon, gan ddefnyddio rhestrau Cattell ac Eysenck yn bennaf. Roedd gwyddonwyr chwaraeon am gael atebion i dri chwestiwn:
- A oes yna 'fath' athletaidd?
- A ellir rhagfynegi llwyddiant mewn chwaraeon ar sail mesurau personoliaeth?
- Ydy personoliaeth yn newid o ganlyniad i gymryd rhan mewn chwaraeon?

A oes yna fath athletaidd?
Ydy grwpiau penodol o fabolgampwyr, perfformwyr neu bobl sy'n ymgymryd â chwaraeon am adloniant yn wahanol i'r arfer o ran eu personoliaeth (e.e. ydy eu sgorau yn yr 16 PF y tu allan i'r amrediad 3.5-6.5)? Mae canlyniadau ymchwil i'r cwestiynau hyn yn aneglur iawn, yn bennaf oherwydd problemau damcaniaethol a methodolegol ynglŷn â'r ymchwil. Mae'n debyg y gwelir y dystiolaeth fwyaf pendant pan ystyrir ffactorau gradd dau. Ceir adolygiad da o'r data toreithiog ac amrywiol yn Butt (1987). Wrth astudio data ymchwil rhaid cofio mai sgorau cymedrig a gofnodir ac o fewn unrhyw grŵp o fabolgampwyr bydd amrywiaeth helaeth o bersonoliaethau. Yr hyn sy'n amlwg, fodd bynnag, yw bod mabolgampwyr yn

dangos nodweddion allblygedd, goruchafiaeth, brwdfrydedd, hyder, ymosodedd a lefelau uchel o weithgarwch (Butt, 1987).

A oes angen proffil personoliaeth arbennig i berfformio ar y lefel uchaf?

Mewn rhai gwledydd defnyddir profion seicolegol, yn ogystal â mesur perfformiad a chyfansoddiad y corff, i ganfod plant sy'n addas i'w hyfforddi'n ddwys mewn camp arbennig. Gwneir mwy a mwy o ddefnydd o brofion personoliaeth wrth ddewis pobl ar gyfer swyddi gweithredol mewn diwydiant a masnach yn y Deyrnas Unedig. Fodd bynnag, nid yw'r dystiolaeth i gefnogi prosesau dewis o'r fath yn holl gynhwysfawr; nid oes proffil personoliaeth cyson sy'n gwahaniaethu rhwng mabolgampwyr a phobl nad ydynt yn fabolgampwyr (Weinberg a Gould, 1995). Nododd Morgan (1980) berthynas rhwng llwyddiant athletaidd ac iechyd meddyliol, gan awgrymu bod gan fabolgampwyr llwyddiannus broffil iechyd meddyliol llawer mwy cadarnhaol nag sydd gan fabolgampwyr llai llwyddiannus na'r boblogaeth gyffredinol (Ffigur 12.8).

Ydy personoliaeth yn newid o ganlyniad i gymryd rhan mewn chwaraeon?

Ydy mabolgampwyr yn llwyddiannus am fod ganddyn nhw broffil personoliaeth arbennig neu ydy eu llwyddiant wedi rhoi'r proffil hwn iddyn nhw? Hyd yma nid yw ymchwil wedi rhoi ateb digonol i ni. Yn draddodiadol, mae chwaraeon a gweithgareddau corfforol caled wedi'u cysylltu â datblygu 'cymeriad' ac 'ysbryd cyd-dynnu' *(team spirit)*.

Ar sail ymchwil a wnaed yn ddiweddar i gymryd rhan mewn ymarfer – loncian, ymarferion aerobig, rhaglenni nofio-ffitrwydd etc. – awgrymir bod

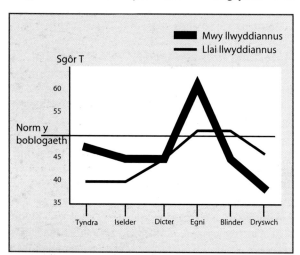

Ffigur 12.8 'Proffil mynydd iâ' *(Addaswyd o Morgan, 1980)*

ymarfer rheolaidd yn cael effaith fuddiol ar les seicolegol yn ogystal ag ar welliant corfforol. Mae Girdano ac eraill (1990) yn honni y gall nodweddion personoliaeth sy'n gysylltiedig â straen, tyndra a chlefyd cardiofasgwlaidd gael eu haddasu gan raglenni ymarfer, gan arwain at welliant mewn iechyd; dangosodd Sonstroem (1984) fod gwelliannau mewn hunan-barch wedi'u cysylltu ag ymarfer. Byddwn yn trafod hunan-barch fel agwedd arbennig ar bersonoliaeth yn yr adran nesaf. Ceir gan Willis a Campbell (1992) adolygiad manwl a defnyddiol ar ymchwil a wnaed i gymryd rhan mewn ymarfer.

> **Pwyntiau Allweddol**
> * Prin fu'r llwyddiant a gafwyd o ragfynegi llwyddiant mewn chwaraeon ar sail proffiliau personoliaeth.
> * Mae peth tystiolaeth bod proffiliau personoliaeth penodol yn gysylltiedig â chwaraeon penodol, ond nid yw'n bendant.
> * Mae tystiolaeth gryfach fod gan fabolgampwyr llwyddiannus broffil iechyd meddyliol mwy cadarnhaol nag sydd gan fabolgampwyr llai llwyddiannus na'r boblogaeth yn gyffredinol.
> * Mae tystiolaeth fod perthynas rhwng lles seicolegol ac ymarfer yn rheolaidd.

Yr hunansyniad *(self concept)*

Elfen ddiddorol o bersonoliaeth yw'r hunansyniad. Mae'n sicr fod hyn yn effeithio ar y ffordd y byddwn yn cymryd rhan, yn dysgu ac yn perfformio gweithgareddau corfforol. Ceir llawer o dermau yn y maes hwn, ond canolbwyntiwn yma ar ddau: hunansyniad a hunan-barch.

* Y darlun disgrifiadol sydd gennym ohonom ni ein hunain yw'r **hunansyniad**. Mae'n cynnwys priodoleddau corfforol, agweddau, galluoedd, rolau ac emosiynau. Mae'n bwysig cofio ei fod yn cynrychioli sut y gwelwn ni ein hunain, ac efallai na fydd hynny'n adlewyrchu realiti na'r ffordd y mae pobl eraill yn ein gweld ni.
* Ystyr **hunan-barch** yw'r graddau y byddwn yn ein parchu ein hunain. Eto, efallai y bydd hyn yn cyfateb i ddisgwyliadau pobl eraill neu efallai na fydd. Er enghraifft, efallai y bydd chwaraewr yn ymfalchïo yn ei allu i daclo'n galed ond y bydd y dyfarnwr a'r hyfforddwr yn ystyried hyn yn ymosodedd diangen.

Mae sawl damcaniaeth sy'n disgrifio adeiledd yr hunansyniad ac fe'u crynhoir yn Fox (1988). Yma tybiwn fod yr hunansyniad wedi'i adeiladu mewn lefelau, fel y dangosir yn Ffigur 12.9.

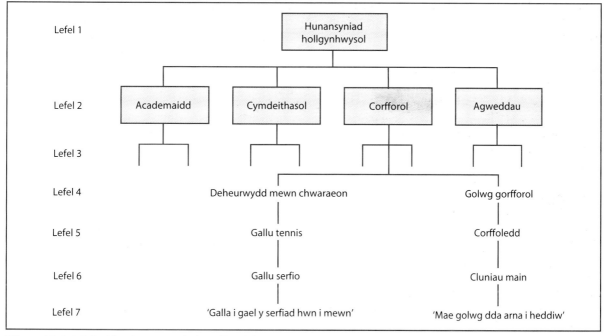

Ffigur 12.9 Adeiledd yr hunansyniad corfforol *(Addaswyd o Fox, 1988)*

Datblygiad yr hunansyniad

Mae seicoleg ddatblygiadol yn dweud wrthym na all y plentyn newydd anedig wahaniaethu rhyngddo ef ei hun a'i amgylchedd. Wrth iddo dyfu ac aeddfedu daw ymwybyddiaeth gynyddol o'r hunan, o bobl eraill ac o reolaeth ar yr amgylchoedd ac ar ddigwyddiadau. Bryd hynny daw'r hunansyniad i fodolaeth. Mae rhai agweddau ar yr hunansyniad yn barhaol; mae eraill yn newid wrth i'n profiadau, ein rolau a'n safle yn y gymdeithas newid.

Ffactorau sy'n dylanwadu ar yr hunansyniad

Mae Ffigur 12.10 yn dangos y ffactorau mewnol ac allanol sy'n achosi hunansyniad a hunan-barch penodol. Mae rhai'n wrthrychol – agweddau arnoch chi eich hun y gellir eu mesur neu y gellir cytuno arnynt yn hawdd. Ond caiff eraill eu datblygu'n gymdeithasol ac maen nhw'n dibynnu ar eich barn chi a barn pobl eraill am y nodweddion gwrthrychol. Dangosir hyn yn Ffigur 12.11 mewn perthynas â delwedd y corff, sef barn unigolyn am ei gorff a'i gyfansoddiad corfforol.

Ystyriwn ychydig yn fwy manwl y farn gymdeithasol neu ryngweithiol am ddatblygu'r hunansyniad a ddangosir yn Ffigurau 12.10 ac 12.11. Rydym am wybod sut mae pobl eraill yn ein gweld ni a nodwn eu hadweithiau i'r hyn a wnawn ac a ddywedwn. Yn hyn o beth bydd pobl eraill yn gweithredu fel drych i'n hadlewyrchu ni a nodwn yr hyn y byddwn yn ei ganfod. Os cawsoch ganmoliaeth

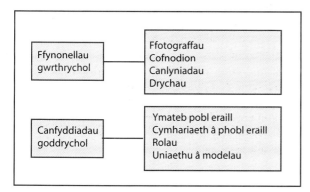

Ffigur 12.10 Ffactorau sy'n effeithio ar yr hunansyniad a hunan-barch

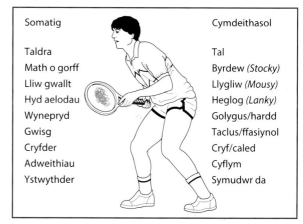

Ffigur 12.11 Agweddau gwrthrychol-somatig a goddrychol-cymdeithasol ar ddelwedd y corff

neu anogaeth wrth ddysgu cymryd rhan mewn gweithgaredd corfforol, mae'n debyg y byddwch wedi dechrau ystyried eich hun yn dda mewn chwaraeon neu ddawns neu gymnasteg. Wrth i'r darlun hwn o'n hunain ddechrau dod yn eglur holwn ein hunain, 'Wel, pa mor dda ydw i?' Dechreuwn gymharu ein hunain ag eraill. Yn ddiddorol, mae'n ymddangos ein bod yn synhwyrol ynglŷn â hyn, ac er mwyn cael gwerthusiad rhesymol fyddwn ni ddim yn ein cymharu ein hunain ag eraill sydd o safon uwch o lawer. Er enghraifft, os ydych yn chwaraewr tennis da yn y coleg fe ewch ati, ar hyn o bryd, i'ch cymharu eich hun ag aelodau eraill y tîm a chwaraewyr sy'n uwch na chi yn y clwb, yn hytrach na phencampwr Wimbledon!

Mae ein rôl yn y gymdeithas yn pennu i raddau helaeth sut mae eraill yn ein gweld ni ac yn adweithio i ni. Ystyr rôl yw set o ymddygiadau sy'n gysylltiedig â'n safle mewn teulu, grŵp neu gyfundrefn. Po hiraf a llawnaf y chwaraewn rôl arbennig, mwyaf i gyd y byddwn yn ei mewnoli (*internalize*). Efallai y bydd gennych ddiddordeb mewn chwaraeon neu ddawns neu fathau eraill o weithgareddau corfforol. Bydd pobl eraill, felly, yn dechrau meddwl amdanoch fel mabolgampwr neu ddawnsiwr neu ddringwr. Efallai y byddwch yn hoffi'r syniad o gael eich ystyried yn y rôl hon ac yn ei hatgyfnerthu drwy, er enghraifft, wisgo dillad ac ymddwyn mewn ffordd sy'n eich uniaethu â'r rôl arbennig honno.

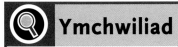

Ymchwiliad

Ymchwiliad
12.3: Nodi agweddau ar rôl
Dull: Dylai pob aelod o'r grŵp restru'r rolau maen nhw'n eu chwarae, e.e. chwaer, capten y tîm, myfyrwraig. Dewiswch tua chwech sy'n gyffredin i bob aelod o'r grŵp. Yn unigol, ysgrifennwch yr ymddygiadau sy'n hanfodol yn y rôl honno. Mewn grwpiau o ddau neu dri dyfeisiwch sefyllfa 'chwarae rôl' i ddangos un o'r rolau, ond heb ei henwi. Rhaid i aelodau eraill y grŵp enwi'r rôl sy'n cael ei dangos.
Trafodaeth: Pa fath o ymddygiad ac agweddau a nodai pob rôl yn bennaf?

Rhan o ddysgu chwarae rôl benodol yw'r ffordd yr uniaethwn ein hunain ag eraill sydd. yn ein barn ni, yn chwarae'r rôl hon yn llwyddiannus (a thybio ein bod ni am wneud hynny). Mae arwyr ym myd chwaraeon yn gweithredu fel modelau yn y cyswllt hwn. Dyma yn rhannol pam mae awdurdodau chwaraeon yn credu ei bod hi'n bwysig i chwaraewyr sydd ar frig eu camp ymddwyn mewn ffordd sy'n 'dangos esiampl dda' i bobl ifanc.

Sefydlu hunan-barch
Mae'r broses a ddisgrifiwyd uchod yn ein galluogi i ddatblygu barn arbennig amdanom ein hunain a hefyd i osod gwerth ar y farn honno. Os yw'r mwyafrif o'n profiadau sy'n gysylltiedig â phobl a digwyddiadau yn bleserus ac yn foddhaol, datblygwn hunansyniad cadarnhaol a hunan-barch uchel. Os teimlwn yn aml yn ddiffygiol ac os cawn ein bychanu, efallai y bydd gennym hunansyniad negyddol a/neu hunan-barch isel. Ond dydy hi ddim, mewn gwirionedd, mor syml â hyn am ddau reswm:
- Mae hunan-barch yn adlewyrchiad o faint o feddwl sydd gan 'eraill o bwys' (*significant others*) ohonom. Nid oes gennym gymaint o ddiddordeb ym marn pobl nad ydynt yn bwysig i ni. Felly, os cawn ein parchu a'n cefnogi gan rieni, athrawon neu hyfforddwyr am ein hymdrechion, bydd ein hunan-barch yn cynyddu yn annibynnol ar ein gallu na'n barn am ein gallu. Bydd pobl sydd o bwys i ni yn amrywio ar wahanol adegau o'n hoes – yn y cyfnod cynnar rhieni sydd o bwys, ond yn ddiweddarach daw barn ein cyfoedion yn bwysicach o lawer i ni.
- Mae hunan-barch mewn perthynas â gweithgaredd neu briodoledd penodol yn adlewyrchiad o ba mor bwysig yw hyn yn ein barn ni. Felly, os bydd ffrindiau yn chwerthin am eich pen am fod yn 'anobeithiol' mewn pêl-droed a chithau heb fod â llawer o ddiddordeb yn y gamp, ni chaiff hynny gymaint o effaith ar eich hunan-barch ag a wnâi pe byddech am gael eich ystyried yn chwaraewr da. Dangosir hyn yn Ffigur 12.12.

Effeithiau lefelau hunan-barch ar ddysgu
Mae ymchwil wedi dangos bod lefelau gwahanol o hunan-barch yn creu proffiliau personoliaeth gwahanol. Mae pobl sydd â hunan-barch uchel yn dueddol o fod yn optimistaidd, yn wydn, yn anturus ac yn mwynhau her. Mae pobl sydd â hunan-barch isel yn dueddol o fod yn brin o hyder, yn hunanamddiffynnol ac yn feirniadol o eraill. Rhaid cofio y gall hunan-barch fod yn benodol i un gweithgaredd penodol neu i un rhan o fywyd, neu gall fod yn hollgynhwysol, ond mae hunan-barch hollgynhwysol uchel neu isel yn lliwio'n holl syniadau am ein hunain. Wedi i hunan-barch gael ei sefydlu, mae'n ein rhagdueddu i ystyried

profiadau newydd mewn ffyrdd penodol. Defnyddir y term **priodoli** *(attribution)* am hyn ac fe'i hystyriwn yn fwy manwl yn Adran 12.5, ond dylid nodi cyfraniad yr hunansyniad i'r broses hon. Dangosir hyn yn Ffigur 12.13.

Mae'r berthynas hon, ynghyd â'r ffactorau personoliaeth y gwyddwn eu bod yn gysylltiedig â hunan-barch uchel ac isel, yn awgrymu bod hunan-barch yn newidyn pwysig mewn dysgu a bod hunansyniad yn bwysig wrth osgoi neu ymlynu wrth weithgareddau corfforol. Mae'n ymddangos yn berthynas gylchol (Ffigur 12.14).

	Canfyddiad o ddeheurwydd	Canfyddiad o bwysigrwydd	Hunan-barch
Pêl-fasged	I	I	O
Ffitrwydd	I	U	I
Gymnasteg	U	I	O
Dawns	U	U	U
Allwedd: I = Mesur isel U = Mesur uchel O = Fawr ddim o effaith			

Ffigur 12.12 Effeithiau canfyddiad o ddeheurwydd a phwysigrwydd ar hunan-barch

Os yw hyn yn wir ac os credwn y dylai pawb gael cyfle i fwynhau gweithgareddau corfforol a llwyddo ynddynt, beth yw'r goblygiadau o ran y ffordd y byddwn yn cyflwyno, yn addysgu ac yn hyfforddi gweithgareddau corfforol?

Trafodwch y cwestiwn hwn yn nhermau:

* yr amrywiaeth a'r mathau o weithgareddau a gynigir i bobl ifanc;
* yr arddulliau addysgu a hyfforddi a ddefnyddir;
* lle cystadleuaeth mewn addysg gorfforol;
* lle ymarfer ffitrwydd mewn addysg gorfforol;
* rôl dawns a gweithgareddau antur mewn addysg gorfforol;
* defnyddio cynlluniau gwobrwyo, e.e. Cymdeithas Frenhinol Achub Bywydau.

	Hunansyniad cadarnhaol presennol	Hunansyniad negyddol presennol
Profiad cadarnhaol o addysg gorfforol	Gwella'r hunansyniad	Gall yr hunansyniad droi'n gadarnhaol
Profiad negyddol o addysg gorfforol	Gall yr hunansyniad droi'n negyddol	Atgyfnerthu'r hunansyniad

Ffigur 12.13 Y berthynas rhwng profiadau a'r hunansyniad

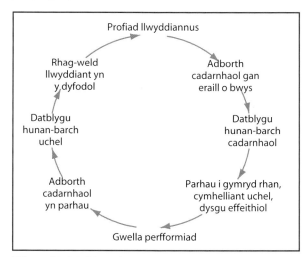

Ffigur 12.14 Olwyn hunansyniad

Pwyntiau Allweddol

* Mae unigolion yn wahanol yn eu ffordd o ddysgu a pherfformio, yn rhannol oherwydd eu personoliaeth a'u barn amdanyn nhw eu hunain.
* Yn y gorffennol mae ymchwil i bersonoliaeth a chwaraeon wedi tueddu i ganolbwyntio ar gael hyd i 'fath athletaidd', ond yn fwy diweddar mae seicolegwyr chwaraeon wedi ceisio darganfod ffyrdd o ddefnyddio hunanwybodaeth mabolgampwyr i'w helpu i gael y gorau allan ohonynt eu hunain.
* Mae'n ymddangos bod ein graddau o hunan-barch yn chwarae rhan fawr mewn dysgu effeithiol a pherfformiad boddhaol.

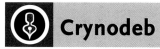

Crynodeb

1. Diffinnir personoliaeth fel y patrwm unigryw o nodweddion sydd gan unigolyn. Mae rhai seicolegwyr yn ystyried personoliaeth yn sefydlog a pharhaol, mae eraill yn ei hystyried yn ddynamig.

2. Mae llawer o ddamcaniaethau ynglŷn â datblygiad ac adeiledd personoliaeth. Ystyriwyd gennym ddamcaniaeth gyfansoddiadol, damcaniaeth nodweddion, damcaniaeth dysgu cymdeithasol a thriniaethau rhyngweithiol.

Crynodeb

parhad

3. Ffwythiant rhwng personoliaeth a'r amgylchedd yw ymddygiad.

4. Asesir personoliaeth drwy arsylwi a mesurau seicometrig, yn enwedig holiaduron nodweddion. Defnyddiwyd y rhain yn helaeth mewn ymchwil i chwaraeon; bu'r canlyniadau'n amwys o ran diffinio personoliaeth benodol ar gyfer chwaraeon, ond maen nhw wedi llwyddo i nodi nodweddion mabolgampwyr llwyddiannus a'r berthynas rhwng ymarfer ac iechyd meddyliol.

5. Agwedd bwysig ar bersonoliaeth yw'r hunansyniad. Mae'n ymddangos bod ganddo ran fawr i'w chwarae wrth ddysgu a pherfformio.

 # Cwestiynau Adolygu

1. Diffiniwch y term 'personoliaeth' ac amlinellwch y dull 'nodweddion' a'r dull 'dysgu cymdeithasol' o drin damcaniaeth personoliaeth.

2. Pam y bu hi'n anodd cael gwybodaeth gyson gan ymchwil am y berthynas rhwng personoliaeth a chymryd rhan mewn chwaraeon?

3. Enwch un holiadur personoliaeth sy'n benodol i chwaraeon ac un holiadur personoliaeth cyffredinol. Pa un fyddai fwyaf defnyddiol i hyfforddwr a pham?

4. Rhestrwch chwe ffordd y gallai hyfforddwr ddefnyddio damcaniaeth personoliaeth i helpu mabolgampwr wrth ymarfer a chystadlu.

 # Cwestiynau Arholiad

1. Mae Ffigur 12.15 yn dangos sgorau agwedd ar gyfer bechgyn a merched 11 ac 15 oed. Mesurwyd y sgorau agwedd gan ddefnyddio Graddfa Agwedd Plant Tuag At Weithgareddau Corfforol a dangosir canlyniadau'r sgorau ar gyfer iechyd da a ffitrwydd, fertigo ac esthetig. (Mae fertigo'n cyfeirio at agweddau tuag at gampau peryglus neu gampau antur fel canŵio dŵr gwyn neu farcuta *[hang-gliding]*.)
Noder: y sgôr uchaf posibl = 25; y sgôr isaf posibl = 5.

a. i. Rhowch sylwadau ar agweddau'r plant drwy gyfeirio'n benodol at unrhyw wahaniaethau o ran oed a rhyw. (4 marc)

ii. Trafodwch y ffigurau yng nghyd-destun cymdeithasoli *(socialization)*. (4 marc)

b. Beth yw agweddau? Rhestrwch dair cydran agwedd. (4 marc)

c. i. Sut y gellir ffurfio neu newid agweddau (defnyddiwch enghreifftiau mewn addysg gorfforol i egluro'ch ateb)? (8 marc)

ii. Yn gryno, rhowch sylwadau ar y gosodiad bod 'agweddau'n rhagfynegi ymddygiadau'. (5 marc)

2. a. Er mwyn i hyfforddwr tîm fod yn effeithiol, mae'n bwysig adnabod pob aelod o'r tîm fel personoliaeth ar wahân. Diffiniwch y term personoliaeth. (1 marc)

Maes agwedd	11 oed		15 oed	
	Bechgyn	Merched	Bechgyn	Merched
Iechyd da a ffitrwydd	21.7	22.3	20.4	21.0
Fertigo	18.9	17.6	20.1	16.6
Esthetig	18.0	20.8	16.4	20.1

Ffigur 12.15 *(Addaswyd o Schultz ac eraill, 1985)*

Cwestiynau Arholiad

parhad

b. Nododd Eysenck ddau ddimensiwn o bersonoliaeth fel y dangosir yn Ffigur 12.16.
i. Disgrifiwch nodweddion y chwaraewyr A a B. (4 marc)
ii. Beth yw anfanteision damcaniaeth nodweddion? (2 farc)
c. Amlinellwch ddamcaniaeth dysgu cymdeithasol mewn perthynas â phersonoliaeth drwy ddefnyddio enghraifft ym myd chwaraeon. (3 marc)
ch. Sut y gellir cysylltu personoliaeth â dewis personol a pherfformiad mewn chwaraeon? (4 marc)

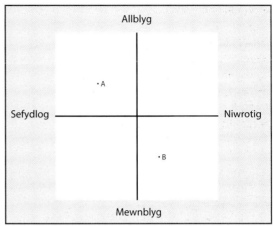

Ffigur 12.16 (Addaswyd o 'Trait Theory' gan Eysenck, 1975)

12.3 Agweddau mewn Chwaraeon

 Geiriau allweddol a chysyniadau

agwedd	cydran wybyddol	graddfa
anghysondeb gwybyddol	cydran ymddygiadol	gwrthrych agwedd
cydran affeithiol	cyfathrebu er perswâd	stereoteip

Ar ôl gorffen yr adran hon byddwch yn medru:
- diffinio'r term **agwedd** a disgrifio sut y mesurir agweddau;
- enwi tair cydran agwedd a dangos sut y datblygir agweddau;
- cysylltu agweddau ag ymddygiad yng nghyd-destun chwaraeon;
- dangos sut y gellid newid agweddau mewn chwaraeon drwy ddefnyddio technegau perswâd ac anghysondeb gwybyddol (cognitive dissonance).

Gwelwyd yn Adran 12.2 sut mae ein personoliaeth 'graidd' yn cynnwys cyfuniad o agweddau, credoau, gwerthoedd a chymhellion. Mae astudio agweddau mewn chwaraeon ac addysg gorfforol ac agweddau tuag atynt yn bwysig oherwydd y ffordd y mae agweddau'n dylanwadu ar ein hymddygiad. Felly, pe bai chwaraewraig yn teimlo'n ddig am fod gwrthwynebydd yn ei ffowlio'n gyson, gallai hynny beri iddi ymddwyn yn ymosodol tuag at ei gwrthwynebydd; yn fwy cadarnhaol, os teimlwch ei bod yn bwysig cadw'n heini a mwynhau ymarfer, mae'n debyg yr ewch ati i gymryd rhan mewn camp neu ddilyn rhaglen ymarfer yn rheolaidd.

Pwyntiau Allweddol
- Mae agweddau'n gyfuniad o gredoau a theimladau ynglŷn â gwrthrychau, pobl neu sefyllfaoedd – a elwir yn **gwrthrychau agwedd** – sy'n peri i ni dueddu i ymddwyn mewn ffordd benodol tuag atynt.
- Caiff agweddau eu dysgu neu eu trefnu drwy brofiad (Allport, 1935).
- Mae agweddau'n werthusol (evaluative), h.y. yn peri i ni feddwl ac ymddwyn yn gadarnhaol neu'n negyddol ynglŷn â'r gwrthrych agwedd.
- Tuedda agweddau i fod yn barhaol ac wedi'u gwreiddio'n ddwfn, ond gallan nhw newid neu gael eu newid.

Tair cydran agwedd

Mae rhai damcaniaethwyr yn awgrymu bod agweddau'n cynnwys tair elfen (Ffigur 12.17):

- **cydran wybyddol** – y wybodaeth a'r credoau ynglŷn â'r gwrthrych agwedd, h.y. ymarfer ffitrwydd;
- **cydran affeithiol** (affective) – y teimladau a'r emosiynau cadarnhaol neu negyddol tuag at y gwrthrych agwedd, h.y. mwynhau ymarfer;
- **cydran ymddygiadol** – yr ymddygiad a fwriedir tuag at y gwrthrych agwedd, h.y. ymarfer yn rheolaidd.

Sylwch fod yr ymddygiad yn un **a fwriedir**. Fel rheol mae'r rhyngberthynas rhwng credoau, emosiynau ac ymddygiad a fwriedir yn go gryf. Felly, os byddwch yn parchu ffitrwydd corfforol, eich nod fydd cadw'n heini. Nid yw'r berthynas rhwng agweddau ac ymddygiad **gwirioneddol** mor gryf, ond os bwriadwch wneud rhywbeth yna byddwch yn debygol o'i wneud.

Agweddau tuag at chwaraeon a chymryd rhan

Yn draddodiadol mae ymchwil yn y maes hwn wedi canolbwyntio ar farn grwpiau penodol am faterion neu sefyllfaoedd, e.e.:

- agweddau plant tuag at raglenni addysg gorfforol;
- barn merched am y cyfle i wneud chwaraeon yn eu hardal nhw;
- agweddau mabolgampwyr tuag at ymarfer;
- agweddau athrawon tuag at alluoedd corfforol a deallusol plant croendywyll;
- agweddau tuag at ferched mewn chwaraeon.

Nid yw'r ymchwil yn dangos patrymau cyffredinol o agwedd tuag at chwaraeon, h.y. nid yw'n rhwydd rhagfynegi agweddau tuag at chwaraeon ar sail newidynnau fel rhyw neu oed. Yn ôl ymchwil i werth addysg gorfforol mewn ysgolion mae agweddau athrawon, rhieni a disgyblion yn gadarnhaol yn

gyffredinol, ond mae disgyblion yn fwy beirniadol o'r cynnwys. Mae cymdeithas yn mynd yn fwy egalitaraidd ei barn am ferched mewn chwaraeon, ond fe geir tystiolaeth o hyd o stereoteipio ar sail rhyw a hil.

Mae pobl sydd ag agweddau cadarnhaol tuag at chwaraeon a gweithgareddau corfforol:

- wedi cael llwyddiant/boddhad wrth gymryd rhan;
- yn credu y gall y gweithgareddau hybu iechyd a lles;
- wedi cael eu hannog gan 'eraill o bwys';
- â chyfleoedd i barhau i gymryd rhan;
- yn debygol o gymryd rhan mewn gweithgaredd corfforol yn rheolaidd;
- yn debygol o fod yn fodlon rhoi cynnig ar weithgareddau newydd;
- â hunansyniad corfforol cadarnhaol.

Yn achos pobl sydd ag agweddau negyddol tuag at chwaraeon a gweithgareddau corfforol:

- efallai y cawson nhw brofiadau negyddol mewn chwaraeon neu addysg gorfforol;
- mae chwaraeon, yn eu barn nhw, yn ddiflas neu'n achosi rhwystredigaeth;
- dydyn nhw ddim yn credu yng ngwerth y gweithgareddau ar gyfer iechyd a lles;
- chawson nhw ddim anogaeth neu cawson nhw eu hannog i beidio â chymryd rhan;
- maen nhw'n annhebygol o gymryd rhan yn rheolaidd, os o gwbl;
- oherwydd eu ffordd o fyw mae'n anodd ymgymryd â gweithgareddau corfforol rheolaidd;
- efallai bod ganddyn nhw hunansyniad corfforol negyddol.

Stereoteipiau mewn chwaraeon

Mae agwedd ystrydebol (stereotypical) yn achosi i'r unigolyn ddisgwyl i bobl ymddwyn mewn ffordd benodol os ydynt yn perthyn i grŵp penodol. Mewn chwaraeon mae hyn fel rheol yn arwain at ddisgwyliadau ynglŷn â'r hyn y gall pobl ei gyflawni neu'r hyn na allant ei gyflawni. Gall stereoteipiau fod yn gadarnhaol, ond mae stereoteipio negyddol wedi cyfrannu at ddal grwpiau penodol yn ôl drwy gyfyngu ar gyfle neu fynediad – naill ai am na ddarperir ar eu cyfer neu am fod agweddau ystrydebol yn hybu disgwyliadau isel. Dyma enghreifftiau:

- merched mewn campau cyffwrdd, cryfder a dygnwch;
- pobl anabl mewn gweithgareddau corfforol;
- diddordeb a gallu pobl hŷn mewn chwaraeon;
- grwpiau ethnig penodol mewn campau penodol neu safleoedd penodol mewn timau.

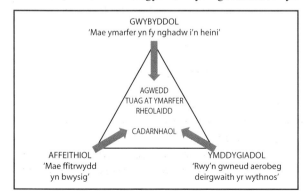

Ffigur 12.17 Tair cydran agwedd

Mesur agweddau

Seilir ymchwil i agweddau ar fesur agweddau. Gellir gwneud hyn mewn sawl ffordd. Gan fod agwedd yn dueddol o fod yn gysylltiedig ag ymddygiad, gellir arsylwi, cofnodi a dadansoddi ymddygiad pobl mewn sefyllfaoedd sy'n debygol o adlewyrchu eu hagweddau a chasglu eu hagweddau ar sail yr ymddygiad.

Rhowch enghreifftiau ym myd chwaraeon ac enghreifftiau eraill i ddangos sut y gallech wneud hyn – e.e. sut y gallech gasglu gwybodaeth am agweddau myfyrwyr tuag at y bwyd yn eich ffreutur?

Mae problemau dilysrwydd gyda dulliau o'r fath, felly y dull arferol o fesur agwedd yw graddfa, h.y. holiadur a luniwyd yn ofalus i fod yn ddilys ac yn ddibynadwy ac i roi sgôr i unigolyn mewn perthynas ag agwedd benodol. Mae tri phrif fath o raddfa: **graddfeydd Thurstone, graddfeydd Likert** a

graddfeydd differynnau semantig Osgood (*semantic differential scales*). Mae ychydig o wahaniaeth yn eu ffurf, ond gofynnan nhw i gyd i'r atebwyr ddangos i ba raddau maen nhw'n cytuno neu'n anghytuno â gosodiad penodol.

Gyda graddfa differynnau semantig Osgood bydd atebwyr yn dosbarthu'r gwrthrych agwedd ar gyfres o gontinwa rhwng dau begwn e.e.

Mae gwersi gymnasteg:

yn dda	1	2	3	4	5	6	7	*yn wael*
yn ddiflas	7	6	5	4	3	2	1	*yn hwyl*
yn hawdd	1	2	3	4	5	6	7	*yn anodd*

(ni chynhwysir y sgorio yn yr holiadur)

Ceir cymhariaeth ddefnyddiol o'r gwahanol fathau yn Gill (1986, tud. 98). Mae Ymchwiliad 12.4 yn cynnwys enghraifft anffurfiol o raddfa Likert.

 # Ymchwiliad

12.4: Mesur agweddau plant ysgol tuag at addysg gorfforol

Dull: Bydd angen casglu data oddi wrth ddosbarth cymysg (bechgyn a merched) mewn ysgol. Defnyddiwch y **raddfa Likert** isod neu lluniwch un eich hun. Os lluniwch un eich hun gwnewch astudiaeth beilot gyntaf i ddewis yr eitemau sy'n gwahaniaethu'r sampl orau, h.y. yn cynhyrchu sgorau uchel ac isel. Peidiwch â chynnwys y sgorau ar yr holiadur.

Gwnewch yn siŵr eich bod yn deall y sgorio; rhaid cymryd yr arwyddion minws i ystyriaeth. Po uchaf yw sgôr gadarnhaol, mwyaf cadarnhaol yw agwedd y disgybl tuag at addysg gorfforol.

Cyfrifwch gyfanswm sgôr agwedd pob disgybl, yna cyfrifwch sgôr gymedrig: (i) y grŵp cyfan; (ii) y bechgyn a (iii) y merched.
1. Beth sylwch chi ynglŷn â'r gwahaniaethau rhwng y tri chymedr (os oes rhai)?
2. Sut y gallech eu hegluro?
3. Sut y gallech wella'r raddfa?

Agweddau tuag at Addysg Gorfforol
Ar gyfer pob gosodiad ticiwch i ba raddau yr ydych yn cytuno.

1. Mae gwersi addysg gorfforol yn bleserus
❑ cytuno'n gryf (+2)
❑ cytuno (+1)
❑ ddim yn gwybod/niwtral (0)
❑ anghytuno (-1)
❑ anghytuno'n gryf (-2)
2. Collaf wersi addysg gorfforol pryd bynnag y medraf
❑ cytuno'n gryf (-2)
❑ cytuno (-1)
❑ niwtral (0)
❑ anghytuno (+1)
❑ anghytuno'n gryf (+2)
3. Rwyf am gael adroddiad da mewn addysg gorfforol
❑ cytuno'n gryf (+2)
❑ cytuno (+1)
❑ ddim yn gwybod/niwtral (0)
❑ cytuno (-1)
❑ cytuno'n gryf (-2)
4. Nid yw addysg gorfforol yn dysgu dim o bwys
❑ cytuno'n gryf (-2)
❑ cytuno (-1)
❑ ddim yn gwybod/niwtral (0)
❑ anghytuno (+1)
❑ anghytuno'n gryf (+2)

Yn debyg i raddfeydd personoliaeth, y graddfeydd mwyaf defnyddiol a gyhoeddwyd ar gyfer ymchwilwyr sydd â diddordeb mewn agweddau tuag at chwaraeon yw'r rhai a luniwyd â gwrthrych agwedd sy'n benodol i chwaraeon. Dyma enghreifftiau:
• 'Agweddau tuag at Weithgareddau Corfforol'

(Kenyon, 1968)
• 'Graddfa Barn ac Atyniad Corfforol' (*Physical Estimation and Attraction Scale* – Sonstroem, 1978)
• 'Agweddau Plant tuag at Weithgareddau Corfforol' (Smoll a Schultz, 1980).

Mae dau bwynt pwysig i'w cofio ynglŷn â graddfeydd agwedd:

- Maen nhw'n ymddangos yn syml i'w llunio, ond mewn gwirionedd mae'n anodd iawn sicrhau eich bod wedi llunio mesur dilys a dibynadwy. Os ydych am ddefnyddio graddfa agwedd mewn ymchwiliad mae'n synhwyrol defnyddio un sydd cisocs wedi'i lunio a'i ddilysu ar gyfer yr agwedd sydd o ddiddordeb i chi.
- Er bod graddfeydd yn cynnwys nifer o gwestiynau, mae pob graddfa'n cynrychioli'r un agwedd – ond gellir cael mwy nag un raddfa mewn holiadur. Un o'r problemau sy'n effeithio ar ddilysrwydd yw sicrhau eich bod yn delio ag un agwedd yn unig gyda'r cwestiynau a luniwyd gennych.

Newid agweddau

Mae athrawon addysg gorfforol yn gyfarwydd â'r angen i newid agweddau negyddol tuag at weithgareddau corfforol yn agweddau cadarnhaol. Mae hyn yn llai o broblem i hyfforddwyr ac arweinwyr gweithgareddau, ond mae'n bosibl y bydd angen iddyn nhw weithio ar newid agweddau, e.e. tuag at ennill a cholli neu tuag at ymddygiad ymosodol.

Cyfathrebu er perswâd

Yn ôl damcaniaeth **cyfathrebu er perswâd** *(persuasive communication)*, os yw agwedd i newid rhaid i'r unigolyn roi sylw i'r neges, ei deall, ei derbyn a'i chadw (Hovland ac eraill, 1953). Mae perswadio i newid agwedd mewn chwaraeon yn gweithio orau:

- pan ystyrir yr hyfforddwr/athro yn:
  - arbenigwr,
  - un y gellir dibynnu arno;
- a phan fo'r neges:
  - yn eglur,
  - yn ddiamwys,
  - â chydbwysedd priodol rhwng:
    emosiwn a rhesymeg,
    y manteision a'r anfanteision.

Damcaniaeth anghysondeb gwybyddol

Mae damcaniaeth anghysondeb gwybyddol (Festinger, 1957) yn honni ei bod yn ymddangos bod angen i bobl fod yn gyson nid yn unig yn nhair cydran agwedd (gwybodaeth, teimladau ac ymddygiad), ond hefyd o fewn yr elfen wybyddol. Os bydd unrhyw elfennau'n gwrthdaro, ceir **anghysondeb** *(dissonance)*. Er enghraifft, gallech wrthod yr angen am ymosodedd cyfrannol *(instrumental)* yn eich camp (cred 1), ond gallech gredu hefyd bod yn rhaid i chi, er mwyn ennill yn erbyn tîm penodol, fod yn fygythiad corfforol i'ch gwrthwynebydd (cred 2). Mae'r ddwy gred yn gwrthdaro. Caiff yr anghysondeb hwn ei ddatrys drwy ddweud wrthych chi eich hun ei bod yn iawn chwarae'n galed yn erbyn y gwrthwynebwyr hyn am mai felly maen nhw'n chwarae – a dyna a wnewch (addasu cred 1).

Yn y sefyllfa hon gallai hyfforddwr ddefnyddio damcaniaeth anghysondeb gwybyddol drwy ail-greu'r gwrthdaro: 'Does dim angen i chwaraewyr medrus ddefnyddio'r math hwnnw o ymddygiad – gallan nhw ennill y bêl heb hynny. Rwyt ti'n chwaraewr medrus, felly pam wyt ti'n chwarae fel llabwst?' Mae'r hyfforddwr yn ceisio perswadio'r chwaraewr i ddatrys yr anghysondeb drwy newid cred 2 a thrwy hynny y canlyniad ymddygiadol.

Pwyntiau Allweddol
Mae Gill (1986) yn nodi dau fath o newid agwedd:
- cyfathrebu er perswâd;
- damcaniaeth anghysondeb gwybyddol.

Gweithgaredd
12.3: Newid agweddau tuag at ymarfer
Rydych yn hyfforddwr nofio. Mae eich carfan yn credu mai'r unig ffordd o lwyddo yw treulio cyfnodau hir yn ymarfer yn y pwll. Yn eich barn chi, ansawdd yr ymarfer sy'n bwysig ac rydych am iddyn nhw dreulio llai o amser yn y pwll a gwneud mwy o waith strategaeth wybyddol a chyflyru cyffredinol. Trafodwch sut y byddech yn defnyddio damcaniaeth perswâd a damcaniaeth anghysondeb gwybyddol i newid eu hagwedd tuag at ymarfer.

 # Crynodeb

1. Mae agweddau'n gyfuniad o gredoau a theimladau ynglŷn â gwrthrychau agwedd sy'n peri i ni dueddu i ymddwyn mewn ffordd benodol. Maent wedi'u dysgu, yn werthusol, wedi'u gwreiddio'n ddwfn ac yn barhaol.

2. Mae tair cydran yn perthyn i agwedd – gwybyddol, affeithiol ac ymddygiadol.
3. Gellir mesur agweddau gan raddfeydd agwedd, ond hefyd gellir eu harsylwi drwy wrando ar bobl a gwylio'u hymddygiad.

Crynodeb

parhad

4. Tuedda ymchwil i agweddau mewn chwaraeon ganolbwyntio ar agweddau mabolgampwyr a phlant tuag at eu camp a'u rhaglen addysg gorfforol. Mae agweddau gwylwyr a'r cyhoedd tuag at chwaraeon a mabolgampwyr o ddiddordeb hefyd.

5. Mae agweddau'n effeithio ar berfformiad mewn chwaraeon, mae'n bosibl felly y bydd athrawon a hyfforddwyr am newid agweddau. Gellir defnyddio technegau fel cyfathrebu er perswâd ac anghysondeb gwybyddol.

6. Mae stereoteipio'n ganlyniad i ddatblygiad agweddau a gall fod o anfantais i rai grwpiau wrth iddyn nhw gymryd rhan mewn chwaraeon.

 Cwestiynau Adolygu

1. Diffiniwch y term 'agwedd'. Sut y mesurir agweddau?

2. Disgrifiwch dair cydran agweddau.

3. Beth yw ystyr y termau 'stereoteip' a 'rhagfarn' o safbwynt agweddau? Rhowch enghreifftiau ym myd chwaraeon.

4. Disgrifiwch y dulliau 'perswadio' ac 'anghysondeb gwybyddol' o newid agweddau.

 Cwestiynau Arholiad

1. a. Os ydy pobl ifanc i gymryd rhan yn llawn mewn addysg gorfforol a chwaraeon, mae'n hanfodol bod ganddynt agweddau cadarnhaol tuag at weithgareddau corfforol.

i. Pa nodweddion fyddai'n adlewyrchu agwedd gadarnhaol tuag at addysg gorfforol? (3 marc)

ii. Eglurwch y ffactorau a allai ddylanwadu ar ffurfio'r agwedd gadarnhaol hon. (4 marc)

iii. Defnyddiwch enghreifftiau ymarferol i egluro sut y gallech newid agwedd negyddol person ifanc tuag at addysg gorfforol.
(4 marc)

b. Un ffordd o helpu i gymell perfformiwr chwaraeon yw gosod nodau.

i. Defnyddiwch enghraifft o gamp o'ch dewis chi a rhestrwch ddau nod tymor byr a dau nod tymor hir. (2 farc)

ii. Trafodwch y ffactorau y dylid eu hystyried wrth osod y nodau hyn. (4 marc)

12.4 Ymosodedd mewn Chwaraeon

 Geiriau allweddol a chysyniadau

catharsis	damcaniaeth ryngweithiol	rhesymu moesol
damcaniaeth cymhelliad	damcaniaeth	ymosodedd
damcaniaeth dysgu cymdeithasol	rhwystredigaeth-ymosodedd	ymosodedd cyfrannol
damcaniaeth greddf	moesoldeb wedi'i fracedu	ymosodedd gelyniaethus ymwthgarwch

Mae ymddygiad ymosodol chwaraewyr a gwylwyr yn agwedd ar ryngweithio grwpiau mewn chwaraeon sy'n dwyn sylw arbennig ar hyn o bryd. Wrth i wobrwyon ennill gynyddu yn eu gwerth ar y lefelau proffesiynol ac amatur, mae emosiynau'n dueddol o gynhyrfu a rhai chwaraewyr (a hyfforddwyr) yn credu y gellir

defnyddio bron unrhyw ddull i wireddu'r nod, sef ennill. Nid yw'r ffenomen hon yn un fodern – gweler ffotograffau gêmau torfol *(mob games)* yng Nghyfrol 3 – ond trwy drefnu a chodeiddio gêmau yn y 19eg ganrif y bwriad oedd rheoli a chyflwyno 'chwarae teg' i weithgareddau a allai fod yn dreisgar.

Ar ôl gorffen yr adran hon byddwch yn medru:
- diffinio ymosodedd a gwahaniaethu rhyngddo ac ymwthio *(assertion)*;
- trafod damcaniaethau ymosodedd – damcaniaethau greddf, rhwystredigaeth-ymosodedd a dysgu cymdeithasol;
- disgrifio hanes ymosodedd yng nghyswllt chwaraeon a thrafod ffyrdd y gellir dileu ymosodedd o chwaraeon.

Diffinio ymosodedd

Un o'r prif anawsterau wrth astudio ymosodedd o safbwynt seicolegol yw'r dryswch a gwyd wrth ddiffinio'r term, gan y defnyddir y gair yn helaeth bellach. Man cychwyn da i astudio ymosodedd fyddai ffilmio gêm ar fideo ac yna nodi, a thrafod fel grŵp, yr holl enghreifftau o ymddygiad ymosodol a welir. Bydd hyn yn codi cwestiynau diddorol:
- Ydy taclo cryf ond teg yn ymosodol?
- Ydy gweiddi ar y dyfarnwr yn ymosodol?
- Beth am daflu'ch raced i'r llawr ar ôl galwad wael fod y bêl dros y llinell?
- Ydy rhai o siantiau cefnogwyr pêl-droed yn ymosodol?

Bydd eich atebion yn dibynnu ar sut y diffiniwch 'ymosodedd'.

Gwahaniaethwn rhwng ymosodedd (yn ôl y diffiniad isod) ac ymwthio, sef chwarae penderfynol, grymus. Mae seicolegwyr chwaraeon yn gyffredinol yn cytuno mai **ystyr ymosodedd yw ymddygiad lle mae bwriad pendant i niweidio neu anafu eraill yn amlwg** (Gill, 1986, tud.196). Mae Gill yn nodi sawl mater sy'n deillio o'r diffiniad hwn. Fe'u rhestrir yn y Pwyntiau Allweddol. Rhoddodd Baron (1977) eglurhad pellach a grynhoir yn Ffigur 12.18.

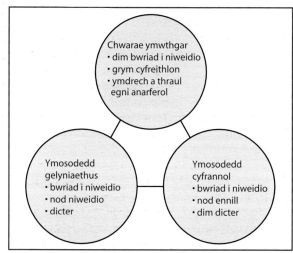

Ffigur 12.18 Ymosodedd ac ymwthio o safbwynt y chwaraewr *(Addaswyd o Cox, 1994)*

Pwyntiau Allweddol
- Mae ymosodedd yn ymddygiadol, felly nid yw dicter na pharodrwydd na dymuniad i niweidio yn ymosodedd, oni chaiff ei fynegi fel bwriad i niweidio.
- Rhaid i ymosodedd fod yn fwriadol, felly nid yw'r diffiniad yn cynnwys achosi anaf neu niwed yn ddamweiniol.
- Mae cynnwys y syniad o 'niwed' yn y diffiniad yn golygu y gall ymosodedd fod ar lafar os bwriedir i'r geiriau greu embaras neu frifo, ond mae'n debyg nad yw edrych ym myw llygad *(eyeball)* gwrthwynebydd yn ymosodedd.
- Mae'r diffiniad hwn yn cyfeirio at bobl eraill, felly nid yw'n cynnwys taflu'ch raced i'r llawr.

Mae **ymosodedd gelyniaethus** *(hostile – adweithiol/dig)* yn weithred sydd â'r prif ddiben o anafu neu niweidio'r person arall, a hynny er mwyn y boddhad a ddaw o achosi anaf. Mae **ymosodedd cyfrannol** *(instrumental)* hefyd yn weithred lle bwriedir achosi niwed ond y prif amcan yma yw cael goruchafiaeth neu bwynt/gôl yn hytrach nag achosi dioddef. Ystyr **ymwthgarwch** *(assertiveness)* yw defnyddio grym cyfreithlon i gyflawni'r nod, heb unrhyw fwriad i achosi niwed. Mae'n anffodus os achosir anaf o ganlyniad i hynny, ond nid yw'r weithred yn ymosodol am nad oedd yna fwriad i anafu.

O ystyried ymosodedd fel hyn gwelwn fod nifer y gweithredoedd **gelyniaethus** ymosodol mewn chwaraeon yn llai nag y tybiwyd gennym ar y cychwyn efallai. Mae'n wir y gall fod chwaraewyr sy'n chwarae â'r bwriad i anafu am fod eu hyfforddwr wedi dweud wrthynt am wneud hynny, neu er mwyn talu'r pwyth yn ôl, neu efallai am eu bod yn mwynhau niweidio eraill. Ond mae'n debyg mai lleiafrif bach ydynt.

Yr hyn sy'n poeni cyrff rheoli chwaraeon a phobl sy'n rhoi gwerth mawr ar botensial chwaraeon ar gyfer cymdeithasoli yw'r cynnydd ymddangosiadol mewn ymosodedd **cyfrannol**. Mae gêmau goresgyn a chwaraeon cyffwrdd yn rhoi digon o gyfle i'r math hwn o ymddygiad. Y drafferth yw nad yw hi'n hawdd gweld y ffiniau rhwng ymosodedd gelyniaethus (sydd bob amser yn anghyfreithlon), ymosodedd cyfrannol (sydd fel rheol yn anghyfreithlon ym mhob camp ond bocsio) ac ymwthgarwch (sydd fel rheol yn gyfreithlon). Dyma un o dasgau dyfarnwyr a swyddogion yn ystod chwarae; daw'n fwy anodd wrth i hyfforddwyr sinigaidd (yn enwedig mewn chwaraeon proffesiynol) hyfforddi chwaraewyr i fod yn ymosodol heb i hynny gael ei sylwi ac i ffugio bod yn ddioddefwr *(victim)* ymosodedd, e.e. 'deifio' mewn pêl-droed. Rhaid i hyfforddwyr ac athrawon roi'r sylw pennaf i hybu agweddau ac ymddygiad anymosodol mewn chwaraewyr. Dylai sylwebwyr chwaraeon a'r rhai sy'n cyfweld ddefnyddio iaith ddiamwys wrth gymeradwyo chwarae ymwthgar, oherwydd ni ellir osgoi'r ffaith fod ymddygiad ymosodol, ar sail y diffiniadau a ddisgrifiwyd gennym, yn ddrwg ac ni ddylid ei esgusodi dan unrhyw amgylchiadau.

Damcaniaethau ymosodedd

> **Pwyntiau allweddol**
> Mae pedwar prif grŵp o ddamcaniaethau ynglŷn ag ymosodedd a bydd angen i chi ddarllen mwy am bob un i ddeall yn iawn yr hyn sydd ganddynt i'w ddweud:
> * Damcaniaethau greddf.
> * Damcaniaethau rhwystredigaeth-ymosodedd (cymhelliad).
> * Damcaniaeth dysgu cymdeithasol.
> * Damcaniaethau rhwystredigaeth-ymosodedd diwygiedig.
> (Noder: Mewn rhai llyfrau cyfunir damcaniaeth dysgu cymdeithasol a damcaniaeth rhwystredigaeth-ymosodedd ddiwygiedig.)

Damcaniaethau greddf
Seilir damcaniaethau greddf ar y gred bod ymosodedd yn gynhenid ac yn reddfol, wedi'i ddatblygu drwy esblygiad i'n helpu i oroesi fel rhywogaeth. Yn ôl y dybiaeth hon, bydd yr ymosodedd sydd ynom yn crynhoi o bryd i'w gilydd a rhaid ei ryddhau rywfodd. Ystyrir chwaraeon yn fforddaddas o wneud hyn; mae'n gweithredu fel **catharsis**. Mae'n syniad diddorol, ond heb ei gydnabod yn gyffredinol. Pa wendidau a welwch ynddo?

Damcaniaethau cymhelliad
Y mwyaf adnabyddus yw'r rhagdybiaeth rhwystredigaeth-ymosodedd, sy'n awgrymu bod rhwystredigaeth – cael eich rhwystro rhag cyflawni nod – yn achosi cymhelliad i fod yn ymosodol tuag at achos y rhwystredigaeth. Wrth i'r rhwystredigaeth gynyddu, cynyddu hefyd a wna'r cymhelliad i symud yr hyn sy'n eich rhwystro rhag llwyddo. Os mai gwrthwynebydd yw'r rhwystr a'i fod yn eich curo'n gyson, bydd ymosodedd yn dilyn yn awtomatig. Gwna hyn synnwyr mewn rhai enghreifftiau, ond mae problemau iddo fel damcaniaeth gyffredinol. Fedrwch chi awgrymu rhai?

Damcaniaeth dysgu cymdeithasol
Yn ôl y ddamcaniaeth hon caiff ymosodedd ei ddysgu, yn yr un modd â mathau eraill o ymddygiad. Awgryma Bandura y dysgir ymosodedd drwy arsylwi ac atgyfnerthu cymdeithasol. Felly, os bydd chwaraewyr (a gwylwyr) yn gweld ymddygiad ymosodol pobl eraill yn aml, ac yn enwedig os cân nhw eu canmol neu eu gwobrwyo (yn uniongyrchol neu'n anuniongyrchol) am eu hymosodedd eu hunain, maen nhw'n debygol o ymateb yn ymosodol i rai sefyllfaoedd mewn chwaraeon. Ond mae'r ddamcaniaeth hon hefyd yn dangos ffactor cadarnhaol; gall unigolyn ddysgu ffyrdd anymosodol o ddelio â'r un sefyllfaoedd. Felly, mae'n bwysig i hyfforddwyr sefydlu cod ymddygiad eglur a diamwys ar eu cyfer nhw eu hunain a'u chwaraewyr, a thrwy hynny helpu chwaraewyr i ddelio'n gadarnhaol ag achosion rhwystredigaeth.

Damcaniaeth rhwystredigaeth-ymosodedd ddiwygiedig (damcaniaeth ryngweithiol)
Cyfunodd Berkowitz (1969) y ddamcaniaeth rhwystredigaeth-ymosodedd wreiddiol â damcaniaeth dysgu cymdeithasol i awgrymu bod rhwystredigaeth yn cynyddu tebygolrwydd dicter, sydd yn ei dro yn creu 'parodrwydd' i fod yn ymosodol. Ond lleddfir y parodrwydd hwn gan ddysgu cymdeithasol. Y pwynt pwysig yw nad yw dicter yn gymhelliad (sy'n rhaid ei ddatrys), ond yn hytrach mae'n emosiwn y gall pobl ddysgu delio ag ef. Felly, ni ddigwydd ymosodedd fel ymateb i rwystredigaeth oni bai fod yr ymateb wedi'i arsylwi, ei atgyfnerthu ac felly ei ddysgu'n gymdeithasol. Os dysgwyd ymatebion eraill, e.e. newid tactegau neu ddefnyddio strategaethau rheoli straen, ni fydd ymosodedd yn ganlyniad awtomatig.

> **Gweithgaredd**
> **12.4: Ymosodedd**
> Gwyliwch fideo o ymddygiad ymosodol a/neu ymwthgar yng nghyswllt chwaraeon. Yn anffodus, ceir llawer o enghreifftiau o ymosodedd ymhlith y chwaraeon proffesiynol a ddarlledir, rhai ohonyn nhw wedi aros yn y cof. Defnyddiwch y pedair damcaniaeth a ddisgrifir yn y testun i ddyfalu ynghylch achosion yr ymddygiad a welwyd. Yn eich barn chi, ai ymwthgarwch neu ymosodedd gelyniaethus neu ymosodedd cyfrannol oedd yr ymddygiad?

Ffactorau sy'n achosi ymosodedd
Yn ôl Cox dau brif ffactor sy'n achosi ymosodedd:
* Sbarduno *(arousal)* ffisiolegol. Os yw unigolyn i deimlo'n ddig tuag at unigolyn arall, rhaid iddo fod

yn gryf ei gymhelliant ac felly wedi'i sbarduno'n ffisiolegol ac yn barod i weithredu. Felly, mae mwy o berygl o ymosodedd lle hybir sbarduno ar raddfa fawr cyn gêm, e.e. gêmau goresgyn rhwng timau.

- Rhesymu moesol sydd heb ddatblygu digon (Bredemeier, 1985). Awgrymir bod chwaraewyr sydd â lefelau isel o resymu moesol yn fwy tebygol o fod yn ymosodol na chwaraewyr sydd â'u moesoldeb wedi'i ddatblygu'n dda. Gall cymryd rhan mewn camp lle caiff ymddygiad ymosodol ei oddef yn dawel arafu datblygiad moesol chwaraewyr am ei fod yn dysgu 'safonau dwbl' – 'mae ymosodedd mewn bywyd go iawn yn annerbyniol, ond mae'n dderbyniol ym myd chwaraeon'. Gelwir hyn yn **foesoldeb wedi'i fracedu** (*bracketed morality*).

Mae Cox (1994) a Weinberg a Gould (1995) wedi rhestru ffactorau sy'n achosi ymddygiad ymosodol:
- tymheredd amgylcheddol uchel,
- gartref neu oddi cartref,
- embaras,
- colli,
- poen,
- dyfarnu annheg,
- chwarae ar lefel is na'r gallu,
- gwahaniaeth mawr yn y sgôr,
- safle isel yn y gynghrair,
- yn hwyrach yn y gêm,
- enw drwg y gwrthwynebwyr.

Dileu ymddygiad ymosodol

Mae gan hyfforddwyr, athrawon, swyddogion, rhieni a chwaraewyr gyfrifoldeb i rwystro a dileu ymosodedd tra'n cadw'r 'penderfyniad i ennill' sy'n iachus. Mae gan chwaraewyr proffesiynol sy'n ymddangos yn aml ar y cyfryngau gyfrifoldeb arbennig, am mai nhw yw'r modelau y mae chwaraewyr ifanc yn ceisio'u hefelychu; nhw sy'n gosod y safon.

Bu llawer o drafod ar ymosodedd ymhlith gwylwyr, yn enwedig mewn torfeydd mawr. Gwelir mai materion cymdeithasol, sydd efallai â chyswllt anuniongyrchol yn unig â'r gêm ei hun, sydd wrth wraidd hyn. Ond yn ôl y dystiolaeth bydd gwylwyr yn fwy tebygol o arddangos ymosodedd corfforol a geiriol os bydd:
- chwaraewyr yn ymosodol tuag at ei gilydd;
- y dyfarnu'n cael ei ystyried yn wael neu'n unochrog;
- alcohol ar gael cyn ac yn ystod y gêm;
- cyfle i sarhau rhywun ar sail hil neu genedl;
- y dorf yn cynnwys oedolion gwryw yn bennaf.

Rhaid delio ag ymddygiad ymosodol ar y maes ar amrywiaeth o lefelau a gellir ei rwystro pan fydd:
- cyrff rheoli yn sefydlu ac yn gorfodi cod ymddygiad anymosodol ymhlith swyddogion, hyfforddwyr a chwaraewyr;
- cyrff rheoli yn gweithio gyda'r cyfryngau i roi gwybod i sylwebwyr am y cod hwn a phwysleisio pwysigrwydd defnyddio termau addas i ddisgrifio chwarae ymwthgar;
- rhaglenni addysgu hyfforddwyr yn pwysleisio'r angen i ddileu ymddygiad ymosodol ac addysgu strategaethau i'w reoli;
- hyfforddwyr yn helpu chwaraewyr i ddatblygu strategaethau rheoli straen ac ymddygiad moesol mewn sefyllfaoedd sy'n creu dicter;
- hyfforddwyr a chwaraewyr yn parchu gwrthwynebwyr a hybir rhyngweithio cyn ac ar ôl y gêm;
- y cysyniad 'ymddygiad teg' yn cynnwys y posibilrwydd o aberthu llwyddiant;
- rhieni a chefnogwyr yn osgoi dangos/argymell ymosodedd ac yn osgoi ymateb i ymosodedd ar y maes chwarae;
- chwaraewyr yn cymryd cyfrifoldeb am eu gweithredoedd eu hunain ac yn datblygu strategaethau i'w rheoli eu hunain.

 # Crynodeb

1. Mae ymosodedd mewn chwaraeon yn fater pwysig ar hyn o bryd. Defnyddir y term ymosodedd yn helaeth bellach, felly mae dryswch ynglŷn â'i wir ystyr.

2. Mewn seicoleg chwaraeon ystyr ymosodedd yw'r bwriad i niweidio, boed er mwyn anafu gwrthwynebydd neu er mwyn ei rwystro, ennill y bêl neu gyflawni nod arall.

3. Gwahaniaethwn felly rhwng ymosodedd gelyniaethus, ymosodedd cyfrannol ac ymwthgarwch. Mae ymwthgarwch yn gadarnhaol ac yn rhywbeth i'w hybu.

4. Nid yw'n hawdd gweld y ffiniau rhwng y tri math o ymddygiad, boed mewn trafodaeth neu yn ymarferol.

5. Mae nifer o ddamcaniaethau ymosodedd; ymdriniwyd â damcaniaethau greddf, damcaniaethau cymhelliad neu rwystredigaeth-ymosodedd a damcaniaethau dysgu cymdeithasol.

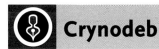 Crynodeb

parhad

6. Mae dau brif ragflaenydd i ymosodedd mewn chwaraeon – sbarduno ffisiolegol a lefel isel o resymu moesol. Gellir nodi ffactorau mwy penodol sy'n achosi ymosodedd – gall hyfforddwyr ac athrawon eu dadansoddi er mwyn rhwystro mabolgampwyr rhag ymddwyn yn ymosodol.

7. Mae gan gyrff rheoli, swyddogion, addysgwyr athrawon neu hyfforddwyr, hyfforddwyr, gwylwyr a mabolgampwyr ran i'w chwarae i geisio dileu ymosodedd ym maes chwaraeon.

Cwestiynau Adolygu

1. Rhowch ddiffiniad o 'ymosodedd'.
2. Gwahaniaethwch rhwng 'ymosodedd gelyniaethus', 'ymosodedd cyfrannol' ac 'ymwthgarwch', gan ddefnyddio enghreifftiau ym myd chwaraeon.
3. Amlinellwch yn gryno ddamcaniaeth 'rhwystredigaeth-ymosodedd (cymhelliad)' ynglŷn ag ymosodedd a dangoswch sut y cafodd ei haddasu gan ddamcaniaeth dysgu cymdeithasol.
4. Sut y gall hyfforddwyr leihau tebygolrwydd ymosodedd gan eu mabolgampwyr?

Cwestiynau Arholiad

1. Efallai y byddwch wedi chwarae mewn gêm dîm lle bu rhai chwaraewyr yn eich tîm yn ymosodol. Mae'n bosibl iddyn nhw ymddwyn yn ymosodol yn aml a hynny, fwy na thebyg, ar draul perfformiad eich tîm.
a. Beth yw ystyr y term ymosodedd mewn perthynas â seicoleg chwaraeon? Eglurwch y ffactorau posibl sy'n achosi i'r chwaraewyr tîm hyn ymddwyn yn ymosodol. (4 marc)
b. Trafodwch yn gryno y farn fod ymosodedd wedi'i ddysgu yn hytrach nag yn ymateb greddfol. (4 marc)
c. Pa strategaethau y gallai'r chwaraewyr hyn eu defnyddio i reoli eu tueddiadau ymosodol? (3 marc)
2. a. Diffiniwch y termau ymosodedd ac ymwthio mewn perthynas â pherfformiad mewn chwaraeon. (4 marc)
b. Eglurwch sut y gall sefyllfaoedd mewn gêmau cystadleuol feithrin ymosodedd, gan gyfeirio at y ddamcaniaeth addas mewn seicoleg chwaraeon. (4 marc)
c. Defnyddiwch enghreifftiau ym myd chwaraeon i ddisgrifio damcaniaeth dysgu cymdeithasol ynglŷn ag ymosodedd. (8 marc)
ch. Beth all dyfarnwr ei wneud i reoli ymosodedd mewn cystadlaethau chwaraeon? (4 marc)

3. Awgrymwyd bod ymosodedd mewn chwaraeon yn ganlyniad i rwystredigaeth, fel y dangosir gan y model syml yn Ffigur 12.19.
a. Enwch y ddamcaniaeth a gynrychiolir gan y model hwn. (1 marc)
b. Beth sy'n debyg a beth sy'n wahanol rhwng ymddygiad ymwthgar ac ymddygiad ymosodol mewn chwaraeon? (5 marc)
c. Trafodwch ddamcaniaeth dysgu cymdeithasol ynglŷn ag ymosodedd. (10 marc)
ch. Nodwch ddau ddull y gallai hyfforddwr eu defnyddio i reoli ymosodedd mewn chwaraewyr, gan roi enghraifft berthnasol o bob un. (4 marc)
4. Gan gyfeirio'n arbennig at dorfeydd pêl-droed, eglurwch sut a pham y gall ymddygiad treisgar ddigwydd. (20 marc)

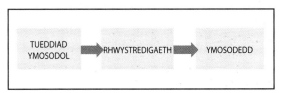

Ffigur 12.19 Ffactorau sy'n achosi ymosodedd

12.5 Cymhelliant

 Geiriau allweddol a chysyniadau

angen i gyflawni	disgwyliadau	osgoi
angen i osgoi methiant	diymadferthedd wedi'i	perfformiad
anhawster y dasg	ddysgu	personoliaeth
cyfeiriad	dwysedd	perswâd geiriol
cyflawniadau'r perfformiad	ffactorau sefyllfa	priodoli
cymhelliant allanol	gallu	profiad dirprwyol
cymhelliant cyflawni	hunaneffeithiolrwydd	proffwydoliaeth
cymhelliant cynhenid	hunanhyder	hunangyflawnol
cymhellion	locws achosiaeth	sbarduno emosiynol
damcaniaeth cymhelliad	lwc	sefydlogrwydd
damcaniaeth yr 'U'	mentro	ymdrech
wrthdro	modelu	

Cymhellion a chymhelliant

Mae cymhelliant yn ffactor yn y broses dysgu, ond yma fe'i hastudiwn fel ffactor mewn perfformiad, yn arbennig yn nhermau ei rôl wrth i bobl barhau i gymryd rhan mewn gweithgareddau corfforol.

Ar ôl gorffen yr adran hon byddwch yn medru:

- diffinio cymhellion a chymhelliant;
- rhoi enghreifftiau o wobrwyon allanol a chynhenid;
- dehongli cymhelliant yn nhermau lefelau sbarduno *(arousal)* a chysylltu'r rhain â phersonoliaeth, lefel gallu a gwahaniaethau rhwng tasgau;
- disgrifio damcaniaeth cymhelliad a damcaniaeth yr 'U' wrthdro a defnyddio'r rhain i ragfynegi effaith cymhelliant ar berfformiad mewn chwaraeon;
- trafod rôl cymhelliant cyflawni mewn chwaraeon;
- defnyddio damcaniaeth priodoli i ddehongli sut mae mabolgampwyr yn ystyried llwyddiant a methiant a disgrifio sut y gall priodoli anaddas arwain at ddiymadferthedd wedi'i ddysgu;
- dangos sut mae hunanhyder a hunaneffeithiolrwydd yn effeithio ar berfformiad a sut y gellir eu datblygu.

Pwyntiau Allweddol

- Cymhellwyr: rhesymau pam mae mabolgampwyr yn meddwl ac yn ymddwyn fel y gwnânt.
- 5 cydran cymhelliant: cyfeiriad, dwysedd, dyfalbarhad, parhad, perfformiad.
- Canolbwyntiodd y damcaniaethau cynharaf ar 'gymhelliad' *(drive)*.
- Seilir damcaniaethau cyfredol ar ganfyddiad cymdeithasol a chyfeiriadedd at nodau *(goal orientation)*.

Gweithgaredd
12.5: Cymhellion cymryd rhan

Yn unigol, ysgrifennwch y rhesymau pam y mwynhewch gymryd rhan mewn chwaraeon neu weithgaredd corfforol arall. Fel grŵp, casglwch y rhesymau ynghyd a'u rhoi mewn categorïau, e.e. rhai sy'n ymwneud â ffitrwydd. Rhestrwch y categorïau (nid y rhesymau unigol) a gofynnwch i bob aelod o'r grŵp eu rhestru yn nhrefn pwysigrwydd personol: e.e. os cadw'n heini yw'r prif reswm dros gymryd rhan mewn chwaraeon, rhowch y rhif '1' gyferbyn â hyn. Cyfunwch y rhestrau hyn i weld pa gymhellion sydd bwysicaf ar gyfer eich grŵp chi.

Yn y Pwyntiau Allweddol, mae 'cyfeiriad' yn ymwneud â chwilio am sefyllfaoedd neu eu hosgoi, e.e. efallai y byddai mabolgampwr uchelgeisiol yn mynychu sesiynau ymarfer ychwanegol, ond y byddai chwaraewr sydd wedi chwythu'i blwc ac sydd heb gymhelliant yn colli sesiynau ymarfer. Ystyr 'dwysedd' yw faint o ymdrech a roddir. Bydd pobl sy'n gryf eu cymhelliant yn rhoi llawer o ymdrech.

Mae ymchwil wedi dangos y patrymau cymhellion a amlinellir yn Nhabl 12.1.

Cymhelliant cynhenid ac allanol

Yn Ffigur 12.20 dangosir continwwm rhwng dau fath o gymhelliant, **cynhenid** ac **allanol** *(extrinsic)*. Mae pobl sydd â chymhelliant cynhenid yn gwneud gweithgaredd er mwyn ei wneud, am y balchder a'r boddhad a gân nhw, ni waeth beth mae pobl eraill yn ei feddwl am eu hymdrechion. Mae cymhelliant allanol yn deillio o bobl eraill, drwy atgyfnerthiad cadarnhaol a negyddol, ac o wobrwyon cyffyrddadwy *(tangible)* fel tlysau, bathodynnau a thâl (yn achos chwaraewyr proffesiynol).

Ers sawl blwyddyn mae seicolegwyr ymddygiadol wedi cydnabod gallu gwobrwyon allanol i ddatblygu ac addasu ymddygiad. Egwyddor sylfaenol ymddygiad dynol yw **deddf effaith**, sy'n datgan bod gwobrwyo ymddygiad penodol yn cynyddu'r tebygolrwydd y caiff yr ymddygiad hwnnw ei ailadrodd. Mae hyfforddwyr yn sylweddoli hyn ac mae gan lawer o gyrff rheoli gynlluniau gwobrwyo sy'n annog pobl ifanc i weithio ar sgiliau er mwyn cynyddu eu hyfedredd a chael bathodyn/tystysgrif (Ffigur 12.21).

Ymchwiliad

12.5: Nodi amrywiaeth o gynlluniau gwobrwyo cyrff rheoli

Dull: Ewch i lyfrgell eich ysgol/coleg a chwiliwch am gylchgronau a chyfnodolion a gynhyrchir gan gyrff rheoli chwaraeon, e.e. *The Swimming Times.* Nodwch fanylion unrhyw gynlluniau gwobrwyo a ddisgrifir. Fel dosbarth ysgrifennwch at sawl corff rheoli yn gofyn am fanylion am eu cynlluniau gwobrwyo.

Dadansoddwch y cynlluniau hyn yn nhermau:

1. Yr ystod oed y cynlluniwyd y wobr ar ei chyfer.
2. Lefel anhawster pob cam o'r gwobrwyo.
3. Natur y wobr (tystysgrif, bathodyn, etc.).
4. Atyniad cyffredinol y cyflwyniad.
5. Y diddordeb y gallai'r wobr ei greu yn y boblogaeth a dargedir.

Tan yn ddiweddar, ychydig fyddai wedi amau addasrwydd neu effeithiolrwydd cynlluniau o'r fath. Tybiwyd y byddai gwobrwyon allanol yn hybu pobl i ddechrau cymryd rhan, a phe bai gwobr allanol yn cael ei chynnig mewn sefyllfa lle roedd pobl ifanc eisoes â chymhelliant cynhenid fe allai ar y gorau gynyddu'r cymhelliant. Mae'n sicr na wnâi unrhyw ddrwg.

Mae ymchwil diweddar, fodd bynnag, wedi peri i ni amau hyn:

cymhelliant cynhenid + gwobr allanol = ?

Dangosodd Deci (1971) a Lepper ac eraill (1973) fod cynnig gwobr allanol mewn sefyllfa lle mae cymhelliant cynhenid eisoes yn bod, mewn rhai amgylchiadau, yn gostwng y cymhelliant cynhenid. Gall hyd yn oed, yn y pen draw, ei ddisodli, gyda'r canlyniad y bydd y diddordeb yn y gweithgaredd yn lleihau pan na chynigir y wobr bellach.

Fedrwch chi awgrymu rhai rhesymau sy'n egluro'r casgliadau hyn? Fedrwch chi feddwl am achlysuron lle y cawsoch fod derbyn gwobr allanol yn amherthnasol neu hyd yn oed yn gostwng lefel y cymhelliant?

Tabl 12.1: Prif gymhellion (Weinberg a Gould, 1995)

Cymhellion pobl ifanc i wneud chwaraeon	Cymhellion oedolion i wneud ymarfer
gwella sgiliau	ffactorau iechyd
cael hwyl	colli pwysau
bod gyda ffrindiau	ffitrwydd
profi gwefr a chyffro	hunan-her
llwyddo	teimlo'n well
datblygu ffitrwydd	

	Gwobrwyon allanol		Ffynonellau cynhenid
Cyffyrddadwy	**Anghyffyrddadwy**		
Bathodynnau	**negyddol**	**cadarnhaol**	Boddhad
Tlysau	beirniadaeth	canmoliaeth	Cyflawniad
Tystysgrifau	colli	enwogrwydd	Teimlo'n dda
Arian		ennill	

Ffigur 12.21 Gwobrwyon allanol a ffynonellau cynhenid

Ffigur 12.20 Cymhelliant cynhenid ac allanol

Dyma esboniadau sydd wedi'u hawgrymu:

- Mae'r wobr yn ymyrryd â dymuniad cynhenid y mabolgampwr i weithio ar ei gyflymder ei hun.
- Gall pobl deimlo bod cael gwobr yn troi'r hyn a gâi ei ystyried yn chwarae yn waith gan newid natur:
  (i) y berthynas rhyngddyn nhw â'r person sy'n rhoi'r wobr;
  (ii) y gweithgaredd ei lun.
- Mae pobl yn hoffi penderfynu eu hymddygiad eu hunain; mae cymryd rhan er mwyn cael gwobr yn gwneud iddyn nhw deimlo mai rhywun neu rywbeth arall sy'n rheoli.

A ddylid cael gwared â'r holl wobrwyon? Na, yn bendant – nid yw gwobrwyon yn tanseilio cymhelliant cynhenid yn awtomatig. Gellir eu defnyddio i ddenu pobl ifanc at weithgaredd na fydden nhw am roi cynnig arno fel arall, neu i adfywio cymhelliant sy'n gwanhau, neu i helpu mabolgampwr drwy gyfnod gwael yn ei ymarfer. Nid yw'r ffin seicolegol rhwng gwobrwyon allanol anghyffyrddadwy, fel canmoliaeth ac enwogrwydd, a gwobrwyon cynhenid, fel boddhad ac ymdeimlad o gyflawni, yn amlwg o bell ffordd. Felly, os bydd gwobrwyon allanol yn rhoi gwybodaeth am lefelau cyflawniad a deheurwydd, byddan nhw'n gwella cymhelliant. Y farn ar hyn o bryd, fodd bynnag, yw y bydd gwobrwyon cyffyrddadwy yn ddiangen ac y dylid eu hepgor neu eu defnyddio'n anaml iawn wrth i gymhelliant cynhenid a'r awydd i gymryd rhan er mwyn cymryd rhan ddatblygu.

Datblygu a gwella cymhelliant mewn chwaraeon a gweithgareddau corfforol

Un o'r agweddau pwysicaf ar rôl athro/hyfforddwr yw helpu'r mabolgampwr i ddatblygu cymhelliant cynhenid. Mae Weinberg a Gould (1995) yn awgrymu rhai egwyddorion i lywio sut mae hyfforddwr yn meddwl a chynllunio, fel y crynhoir isod:

- Cyfuniad o nodweddion personol ac agweddau ar sefyllfa yw cymhelliant. Bydd cymhelliant ar ei uchaf pan fydd y perfformiwr yn awyddus i gymryd rhan a dysgu neu berfformio yn effeithiol, a phan fydd yr hinsawdd cymelliannol yn iawn, e.e. pan fydd y rhaglen ymarfer yn ddiddorol ac yn amrywiol.
- Mae gan bobl lawer o gymhellion dros gymryd rhan. Mae gan rai pobl yr un cymhellion, fel y gwelwyd yng Ngweithgaredd 12.5, ond hefyd mae gan bob unigolyn broffil cymelliannol unigryw a bydd yn cymryd rhan am fwy nag un rheswm. Weithiau gall y cymhellion hyn gystadlu â'i gilydd a bydd yr unigolyn fel pe bai'n colli diddordeb, e.e. gallai nofiwr yng ngharfan yr ysgol gymryd diddordeb mewn badminton a'i chael hi'n anodd

dal ati i ymarfer y ddau ar y lefel y dymuna.
- Mae cymhellion yn newid gydag amser – mae proffil cymhellion pobl ifanc dros gymryd rhan mewn chwaraeon yn wahanol i'r un ar gyfer oedolion.
- Rhaid strwythuro'r addysgu a'r hyfforddi i gwrdd ag anghenion cymelliannol pawb sy'n cymryd rhan. Felly, rhaid i'r athro/hyfforddwr drin pawb fel unigolyn a cheisio deall proffil cymelliannol pob un.
- Rhaid amrywio'r ymarferion a'r cystadlaethau o ran eu dwysedd a'u helfen gystadleuol – gall cadw'r un patrwm yn rheolaidd leihau cymhelliant.
- Mae athrawon/hyfforddwyr eu hunain yn gymhellwyr pwysig.

Cymhelliant cyflawni

Hyd yma ystyriwyd cymhelliant o safbwynt diddordeb y mabolgampwr mewn cymryd rhan mewn gweithgaredd corfforol. O wneud hyn, rydym yn cydnabod bod rhan bwysig o gymhelliant cynhenid yn deillio o weld llwyddiant mewn cyflawni deheurwydd a meistrolaeth. Gelwir cymhelliad unigolyn i gyflawni llwyddiant er mwyn cyflawni llwyddiant yn **gymhelliant cyflawni** *(achievement motivation)*. Yn achos mabolgampwyr mae cysylltiad agos rhwng hyn a chystadleuolrwydd; yn achos mathau eraill o weithgareddau corfforol, dyma ddyfalbarhad y dringwr wrth wynebu anawsterau, er enghraifft, neu'r ymdrech am berffeithrwydd ymhlith dawnswyr. Mae cymhelliant cyflawni yn ymwneud â'r hyn sy'n digwydd pan wynebwn ddewis i geisio am sefyllfaoedd lle y gallem lwyddo neu fethu neu i'w hosgoi. Er enghraifft, gallech gael dewis o lwybrau i'w dringo ar glogwyn, neu ddewis o wrthwynebwyr i'w cynnwys ar raglen gêmau eich ysgol/coleg am y tymor. Pa un neu pa rai a ddewiswch? Yn ôl ymchwil mae dau ffactor yn cyfrannu at y penderfyniad – **personoliaeth** a **sefyllfa**.

Ffactorau personoliaeth

Mae Atkinson (1974) yn awgrymu bod dau ffactor personoliaeth sy'n cyfrannu at gymhelliant cyflawni (Ffigur 12.22):
- yr angen i gyflawni;
- yr angen i osgoi methiant.

Mae gennym ni oll y ddwy nodwedd hyn, ond fel rheol bydd y rhai sydd ag angen uchel i gyflawni yn dueddol o fod ag angen isel i osgoi methiant (unigolyn 'A'), a bydd y rhai sydd ag angen uchel i osgoi methiant yn dueddol o fod ag angen isel i gyflawni (unigolyn 'B'). Yn llai eglur yw nodweddion pobl a allai fod yn y ddau bedrant arall yn Ffigur 12.22 (Gill, 1986).

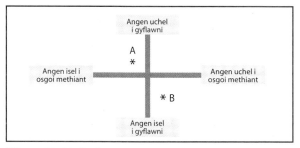

Ffigur 12.22 Cydrannau personoliaeth mewn cymhelliant cyflawni

Mae'r agwedd hon ar bersonoliaeth yn egluro pam y bydd rhai pobl yn ceisio am lwyddiant ac eraill yn osgoi sefyllfaoedd lle y gellid eu gweld yn methu. Ond nid yw'n rhoi'r darlun llawn na rhesymau dros ymddygiad mewn sefyllfaoedd lle mae rhywun yn ymrwymedig i gymryd rhan ond yn gallu dewis lefel anhawster y dasg, e.e. penderfynu ar lwybr hawdd neu anodd i fyny'r graig wedi i ddringwr gyrraedd gwaelod y clogwyn.

Ffactorau sefyllfa

Barnwn sefyllfa yn nhermau:
- tebygolrwydd llwyddiant;
- gwerth cymelliadol y llwyddiant hwnnw.

Yn ôl Atkinson (1974), os bydd tebygolrwydd llwyddiant yn isel (e.e. os chwaraewch sboncen yn erbyn chwaraewr sydd ymhlith y gorau yn y byd), bydd gwerth cymelliadol llwyddiant yn uchel (Ffigur 12.23). Ond os chwaraewch yn erbyn gwrthwynebydd gwan, ni fydd ennill yn golygu cymaint i chi.

Mae ymchwil (e.e. Roberts, 1974) yn dangos bod pobl sydd â chyfeiriadedd isel at gyflawni (angen uchel i osgoi methiant) yn tueddu i ddewis tasgau sydd naill ai'n hawdd iawn neu'n anodd iawn. Mae cyflawnwyr uchel, fodd bynnag, yn tueddu i ddewis tasgau lle mae gobaith cyfartal o lwyddo a methu. Felly, mae cyflawnwyr uchel yn dueddol o fod yn bobl sy'n mentro.

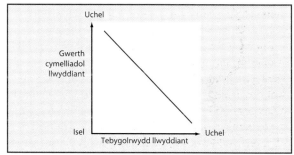

Ffigur 12.23 Ffactorau sefyllfa mewn cymhelliant cyflawni

 Ymchwiliad

12.6: Ymchwilio i'r rhagdybiaeth bod gan gyflawnwyr uchel duedd uchel i fentro
Dull: Dewiswch grŵp o bobl na wyddant natur yr arbrawf.
1. Mesurwch gymhelliant cyflawni y bobl hyn drwy ddefnyddio naill ai Arolwg Lynn o Gymhelliant Cyflawni (Carron, 1981) neu'r raddfa ganlynol (rhowch gylch o gwmpas y sgôr sy'n cynrychioli orau eich teimladau ynglŷn â phob pâr o osodiadau):

a.	Mae llwyddiant mewn chwaraeon yn bwysig iawn i mi Dydy ennill ddim yn bwysig; y gêm sy'n cyfrif.	5 4 3 2 1
b.	Mae'n well gen i chwarae yn erbyn pobl y gwn y gallaf eu curo. Rwy'n hoffi chwarae yn erbyn pobl sydd oddeutu'r un safon â mi.	1 2 3 4 5
c.	Rwy'n mwynhau sialens. Rwy'n mwynhau gwneud pethau y gwn y llwyddaf ynddynt.	5 4 3 2 1
ch.	Dwi ddim yn mwynhau gêmau clòs. Rwy'n mwynhau gêm glòs.	5 4 3 2 1
d.	Dwi ddim yn poeni ynglŷn â chanlyniad gêm. Dwi ddim yn mwynhau gorfod dweud wrth bobl y collais gêm.	1 2 3 4 5
dd.	Rwy'n dueddol o wneud camgymeriadau pan fyddaf dan bwysau. Rwy'n chwarae orau pan fyddaf dan bwysau.	5 4 3 2 1

Ymchwiliad

12.6 parhad

Sgorio: Mae gosodiadau **a-c** yn sgorau cyfeiriadedd at gyflawni, a sgorau **ch-dd** yn sgorau osgoi methiant.
3-6: Cyflawnwr/osgöwr isel
7-10: Cyflawnwr/osgöwr canolig
11-15: Cyflawnwr/osgöwr uchel
(Noder mai graddfa anffurfiol yw hon sydd heb ei phrofi ar gyfer dilysrwydd a dibynadwyedd.)
2. Trefnwch dasg saethu pêl fasged neu bêl rwyd (Ffigur 12.24). Mae pob unigolyn dan sylw yn cael deg cynnig o fan o'i ddewis ef/dewis hi ar linell a dynnir ar radiws o 4m o waelod y postyn. Cofnodir y sgorau.

Gellir cymryd y deg cynnig nesaf o unrhyw fan. Dywedir wrth y bobl dan sylw yr ychwanegir cynigion llwyddiannus at eu sgôr, ond y tynnir pwynt oddi ar eu sgôr am bob cynnig aflwyddiannus. Cofnodwch y sgorau at ddibenion adborth, ond at ddibenion yr ymchwil nodwch a gymerwyd pob un o'r ail

set o ddeg cynnig o fan agosach at y postyn na'r set gyntaf (1 pwynt), o'r un fan (2 bwynt), neu o fan ymhellach i ffwrdd (3 pwynt). Cyfrifwch gyfanswm y pwyntiau (nid y sgorau) ar gyfer y deg cynnig.
10-15: Mentrwr isel
16-24: Mentrwr canolig
25-30: Mentrwr uchel
Canlyniadau: Tynnwch ddau ddiagram gwasgariad sy'n cydberthnasu:
(i) cyflawniad a
(ii) osgoi methiant â mentro.
Awgryma damcaniaeth Atkinson graff cyflawniad sy'n debyg i Ffigur 12.25.

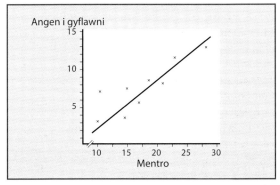

Ffigur 12.25 Y berthynas rhwng angen i gyflawni a mentro

Ffigur 12.24

Trafodaeth
1. Dadansoddwch eich canlyniadau a thrafodwch unrhyw wahaniaethau a welwch rhyngddynt a'r canlyniadau damcaniaethol yn Ffigur 12.25.
2. Trafodwch gyda'r bobl dan sylw ddiben yr arbrawf a'u sgorau nhw. Pam mae'n bwysig gwneud hyn? Cofiwch yr hyn a wyddoch am foeseg ymchwiliad seicolegol.

Mae agweddau traddodiadol tuag at ddamcaniaethau cymhelliant cyflawni wedi cael eu disodli i raddau helaeth gan gyfeiriadedd at nodau cyflawni (Roberts, 1992). Y prif nodau cyflawni yw nodau meistrolaeth (tasg) a nodau yr hunan (ego). Mae mabolgampwyr sy'n defnyddio cyfeiriadedd at feistrolaeth yn ystyried llwyddiant yn nhermau gwella eu perfformiad personol. Mae'r rhai sydd â chyfeiriadedd at yr hunan yn rhoi pwys ar ennill neu arddangos gallu rhagorach (Biddle, 1995).

Cymhelliant a pherfformiad

Yn ôl un farn am y berthynas rhwng cymhelliant a pherfformiad, wrth i gymhelliant gynyddu, bydd perfformiad yn cynyddu hefyd, h.y. po gryfaf yw cymhelliant mabolgampwr, gorau oll y bydd yn perfformio. Y rheswm yn yr achos hwn yw y trosir cymhelliant yn sbarduno seicolegol a ffisiolegol. Cyflwr o barodrwydd meddyliol a chorfforol i weithredu yw **sbarduno**. Efallai y gwyddoch y symptomau corfforol – eich calon yn curo'n gyflymach, anadlu'n gyflymach, chwysu fwy. Yn seicolegol rydych yn canolbwyntio ar y dasg sydd o'ch blaen. Felly, mae gan sbarduno gydrannau ffisiolegol a gwybyddol – mae'r meddwl yn rhyngweithio â'r corff. Diben sbarduno yw paratoi'r corff i weithredu. Wrth i ni ddihuno ar ôl cysgu mae'r lefel sbarduno yn isel iawn. Wrth i'r gofynion ar y corff gynyddu, cynyddir y lefel sbarduno i ymdopi â'r gofynion hynny. Un o swyddogaethau'r system nerfol awtonomig yw sbarduno. Ymateb yw a ymgorfforwyd yn ein prif system nerfol wrth i ni ddatblygu. Pan fyddai perygl yn bygwth ein hynafiaid cyntefig, byddai'n rhaid bod yn barod ar unwaith i ymladd neu redeg.

Mae hyfforddwyr a seicolegwyr yn ymwybodol iawn o sbarduno mewn chwaraeon a'i effaith ar berfformwyr; ceisiant ei ddefnyddio drwy, er enghraifft, 'gynhyrfu' *(psyche up)* tîm ar gyfer gweithgaredd pwysig yn y gobaith y byddant yn perfformio'n dda, neu dawelu mabolgampwr nerfus. Rhaid i ni ein hunain fod yn ymwybodol ohono fel y gallwn reoli ein lefel ni o sbarduno.

Damcaniaeth cymhelliad (Drive theory)

Yn ôl **damcaniaeth cymhelliad** (Ffigur 12.26), wrth i sbarduno gynyddu i gwrdd â gofynion canfyddedig y dasg, bydd y perfformiad yn fwy tebygol o adlewyrchu'r ymddygiad mwyaf arferol (yr arfer trechol – *dominant habit*). Os nad ydych wedi dysgu sgìl yn dda iawn, bydd arfer trechol perfformio yn

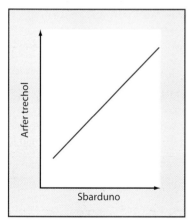

Ffigur 12.26 Damcaniaeth cymhelliad

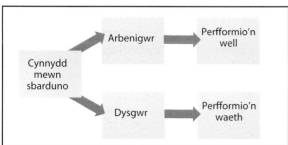

Ffigur 12.27 Effaith sbarduno ar arbenigwyr a dysgwyr yn ôl damcaniaeth cymhelliad

llawn camgymeriadau ac wrth i sbarduno gynyddu, cynyddu hefyd a wna nifer eich camgymeriadau. Os ydych yn arbenigwr, mae'r arfer trechol yn gywir, gyda thechneg a barn effeithiol, felly mae'n go debyg y chwaraewch yn well fyth wrth i'ch lefel sbarduno gynyddu (Ffigur 12.27).

Damcaniaeth yr 'U' wrthdro (Inverted-U theory)

Y broblem gyda damcaniaeth cymhelliad yw nad yw'n egluro'n hawdd amrywiadau mewn perfformiad. Damcaniaeth sy'n fwy cydnabyddedig ar hyn o bryd yw **damcaniaeth yr 'U' wrthdro**. Awgryma hon fod lefelau sbarduno yn rhy isel ar gyfer perfformiadau gorau hyd at ryw bwynt (A yn Ffigur 12.28). Nid yw'r mabolgampwr wedi'i 'gynhyrfu' ddigon. Ond fe ddaw pwynt (B yn Ffigur 12.28) pan fydd sbarduno'n troi'n bryder a bydd y perfformiad yn dirywio; bydd y mabolgampwr wedi'i 'orgynhyrfu' *(psyched out)*. Rhwng y ddau bwynt hyn ceir sbarduno optimaidd, lle gall perfformwyr roi o'u gorau. Ni fu'n hawdd gwirio'r ddamcaniaeth hon am resymau a drafodir isod, ond mae Sonstroem a Bernardo (1982) wedi cael rhai canlyniadau cadarnhaol drwy ddefnyddio chwaraewragedd pêl-fasged mewn prifysgolion yn ystod cystadleuaeth. Mae beirniaid eraill yn awgrymu bod model yr 'U' wrthdro yn rhy syml i egluro cymhlethdod y berthynas rhwng sbarduno a pherfformio, a chynigiwyd sawl damcaniaeth arall (rhai'n deillio o ddamcaniaeth yr 'U' wrthdro a rhai'n hollol wahanol), e.e. model trychineb *(catastrophe)* gan Fazey a Hardy, cylchfa gweithrediad optimaidd *(zone of optimal functioning)* gan Hanin a damcaniaeth cildroi *(reversal)* gan Apter (Cox, 1994).

Cyffredinoliad yw Ffigur 12.28. Mae cromliniau ar gyfer unigolion a thasgau penodol yn wahanol i'w gilydd.

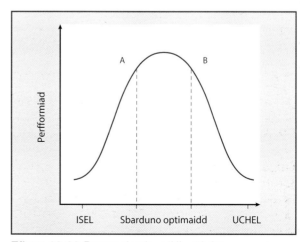

Ffigur 12.28 Damcaniaeth yr 'U' wrthdro

Gwahaniaethau rhwng unigolion

> **Gweithgaredd**
> **12.6: Cromliniau sbarduno**
> Beth mae'r cromliniau sbarduno yn Ffigur 12.29 yn ei ddangos ynglŷn â'r tri mabolgampwr?
> 1. Pwy all roi'r perfformiad gorau?
> 2. Pwy sy'n gorfod cael ei gynhyrfu gryn dipyn cyn perfformio ar ei orau?
> 3. Lefel sbarduno pa un sy'n rhaid ei rheoli'n ofalus iawn er mwyn perfformio'n dda?
> Atebion: 1, Aled; 2, Iwan; 3, Emyr.
> Dylid nodi, fodd bynnag, mai graffiau arddulliedig *(stylized)* yw'r rhain. Mae cromliniau sbarduno-perfformio go iawn yn fwy amrywiol o lawer na'r rhain.

Gwahaniaethau rhwng tasgau

Nid yw'n bosibl rhagfynegi yn union pa lefel o sbarduno sydd orau ar gyfer gweithgaredd penodol mewn chwaraeon – mae cymaint yn dibynnu ar amgylchiadau a phersonoliaeth y cystadleuwyr. Ond mae yna rai rheolau cyffredinol sydd o gymorth i gystadleuwyr a hyfforddwyr:

- **Tasgau syml a chymhleth** – mewn rygbi mae'n haws cymryd cic gosb o flaen y pyst nag o'r ystlys. Wrth ddweud bod tasg yn haws golygwn fod mwy o le i wyro o'r cynllun symud tra'n aros o fewn ffiniau gweithrediad llwyddiannus. Noder ein bod yn sôn yma am dasgau sy'n gynhenid syml a chymhleth. Mae'n amlwg y daw tasg yn haws i'r unigolyn wrth iddo ei hymarfer fwyfwy. Felly, mae gan dasgau syml gylchfa sbarduno optimaidd ehangach nag sydd gan dasgau cymhleth, h.y. gall unigolion oddef lefelau uwch o sbarduno cyn y bydd perfformiad llwyddiannus yn troi'n berfformiad aflwyddiannus.

- **Tasgau mân a mawr** – mae llai o le i wneud camgymeriadau gyda thasgau motor mân *(fine)* na thasgau motor mawr *(gross)*; mae gofyn bod y symudiadau'n drachywir ar eu cyfer. O wylio'r teledu a chymharu pytio mewn golff â chodi pwysau, fe sylwch fod golffwr yn ceisio ymlacio a thawelu cyn pytio, ond bod codwr pwysau'n ceisio'i gynhyrfu ei hun. Gall unigolion sy'n gwneud tasgau motor mawr oddef lefelau uwch o sbarduno cyn gwneud camgymeriadau nag y gall rhai sy'n gwneud tasgau motor mân.

- **Tasgau cryfder neu ddygnwch a phrosesu gwybodaeth** – gwahaniaeth arall rhwng pytio a chodi pwysau yw bod prosesu gwybodaeth yn gydran allweddol mewn pytio. Mae'n debyg bod lefelau uchel o sbarduno yn ymyrryd â phrosesu gwybodaeth; felly mae'n fwy tebygol yr effeithir yn niweidiol ar sgiliau lle mae hyn yn bwysig nag ar sgiliau fel codi pwysau lle bydd y perfformiwr yn galw ar gymaint o'i gryfder a/neu ddygnwch ag sy'n bosibl.

Yn Ffigur 12.30 dangosir lefelau sbarduno optimaidd y chwe math o dasg a drafodwyd, ond noder bod y rhain yn ddamcaniaethol i raddau helaeth ac nad yw'n hawdd cael data ymchwil sy'n cadarnhau'r hyn a ddangosir. Yr hyn sy'n ymddangos yn eglur o brofiad (Gill, 1986), fodd bynnag, yw:

- y gellir nodi lefelau sbarduno optimaidd;
- eu bod yn amrywio rhwng unigolion a gweithgareddau;
- mai'r gallu i reoli'r sbarduno yw'r allwedd i berfformio'n llwyddiannus.

Awgrymodd Martens (1989) ei bod yn fwy defnyddiol meddwl yn nhermau egni seicig cadarnhaol a negyddol. Mae hynny y tu hwnt i faes y llyfr hwn, ond gall myfyrwyr sydd â diddordeb yn ei syniadau ddarllen ymhellach amdanynt.

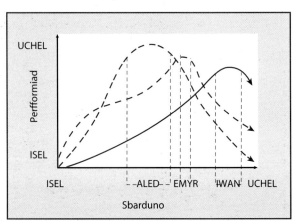

Ffigur 12.29 Gwahaniaethau rhwng unigolion o ran cylchfa sbarduno optimaidd *(Addaswyd o Martens, 1989)*

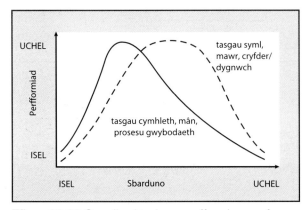

Ffigur 12.30 Cromlin sbarduno-perfformio ar gyfer gwahanol fathau o dasgau

Y broses priodoli *(attribution)*

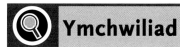

Ymchwiliad

12.7: Cyflwyno'r cysyniad priodoli

Dull: Chwaraewch gêm â nifer bach bob ochr, e.e. pêl-fasged, pêl-droed bum-bob-ochr, gan chwarae i ennill/colli, h.y. osgoi gêm gyfartal. Ar ôl y gêm dylai'r chwaraewyr yn unigol ysgrifennu pedwar rheswm pam yr enillodd neu y collodd eu tîm nhw. Hefyd, dylai pob un nodi a hoffai chwarae yn erbyn yr un tîm eto gyda'r un cydchwaraewyr, yn y dyfodol agos, ai peidio.

Trafodaeth: Casglwch y datganiadau a'u dosbarthu yn grwpiau o resymau tebyg, e.e. 'chwarae'n dda fel tîm' a 'chwaraewyr da'. Defnyddir y term **priodoliadau** *(attributions)* am y rhesymau hyn.

1. Faint o gategorïau a luniwyd gennych?
2. Ystyriwch y berthynas rhwng dymuno/peidio â dymuno chwarae eto ac ennill/colli – a oes patrwm?

Defnyddir y term **priodoli** am y broses o nodi ffactorau sy'n achosi digwyddiadau neu ymddygiadau neu'r rhesymau drostynt. Pan fydd rhywbeth o bwys yn digwydd i ni, fel ennill neu golli gêm bwysig, byddwn fel arfer yn holi 'pam'? Mae seicolegwyr wedi gofyn dau gwestiwn pwysig ynglŷn â hyn:

- Pa fathau o resymau y mae mabolgampwyr yn eu rhoi?
- Sut mae hyn yn effeithio ar eu cyfranogiad *(participation)* yn y dyfodol a'u gobaith o lwyddo?

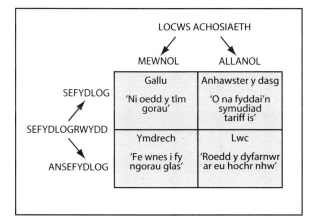

Ffigur 12.31 Model priodoli achos Weiner

Mae damcaniaeth priodoliadol Weiner (1974) ynglŷn ag ymddygiad cyflawni wedi cael ei chymhwyso'n helaeth i chwaraeon. Awgryma Weiner mai un o'r gwahaniaethau rhwng cyflawnwyr uchel ac isel yw'r ffordd maen nhw'n datblygu priodoliadau ynglŷn â llwyddiant a methiant (Weiner, 1974, tud. 307). Mae'n cynnig model sydd â phedwar math o briodoliad, fel y dangosir yn Ffigur 12.31, ond mae'n cydnabod nad y rhain yw'r unig briodoliadau. Y pedwar math o briodoliad a nodwyd gan Weiner yw:

- **Gallu** – graddau gallu'r perfformiwr i ymdopi â'r dasg.
- **Ymdrech** – faint o ymdrech feddyliol a chorfforol y bydd y perfformiwr yn ei rhoi i'r dasg.
- **Anhawster y dasg** – maint y problemau a godir gan y dasg, gan gynnwys cryfder y gwrthwynebwyr.
- **Lwc** – ffactorau y gellir eu priodoli i hap, megis y tywydd neu gyflwr y maes.

I ba raddau y mae'r categorïau a luniwyd gennych yn Ymchwiliad 12.7 yn cyfateb i'r rhain?

Hefyd, trefnodd Weiner ei gategorïau yn ddau ddimensiwn (Ffigur 12.31), sef **locws achosiaeth** *(locus of causality)* a **sefydlogrwydd**. *Locus* yw'r gair Lladin am 'lle'; felly mae 'locws achosiaeth' yn dangos ym mha le mae'r hyn a achosodd y llwyddiant neu'r methiant ym marn yr unigolyn. Yn y dimensiwn hwn, y ddau gategori yw mewnol (gallu ac ymdrech) neu allanol (anhawster y dasg a lwc) o safbwynt yr unigolyn. Mae'r dimensiwn sefydlogrwydd yn awgrymu bod dau o'r ffactorau (gallu ac anhawster y dasg) yn gymharol sefydlog, h.y. heb fod yn agored i newid (yn y tymor byr o leiaf), a bod y ddau arall (ymdrech a lwc) yn gallu amrywio o gystadleuaeth i gystadleuaeth neu hyd yn oed o fewn gweithgaredd.

Ni honnodd Weiner mai dyma'r unig ddimensiynau ac ar ôl ymchwil pellach (Weiner, 1979) nodwyd trydydd dimensiwn, sef **y gallu i reoli**. Ystyr hyn yw i ba raddau y mae canlyniad sefyllfa dan reolaeth (gan yr unigolyn neu gan eraill) neu y tu hwnt i reolaeth (Ffigur 12.32).

Ffigur 12.32 Y dimensiwn rheoli!

Pwynt Allweddol
Mae'r priodoliadau hyn yn effeithio ar farn mabolgampwr am ei gamp mewn tair ffordd bwysig:
- Teimladau o falchder ac anfodlonrwydd.
- Disgwyliadau.
- Diymadferthedd wedi'i ddysgu ac osgoi.

Teimladau o falchder ac anfodlonrwydd (ymatebion affeithiol)

Mae Ffigur 12.33 yn dangos y canlyniadau a gafwyd pan ofynnwyd i ddau dîm o chwaraewyr pêl-fasged i nodi i ba raddau yr oedden nhw'n teimlo'n fodlon â'u perfformiad ar ôl gêm, yn nhermau'r pedwar categori priodoli. Mae'r canlyniadau hyn yn ymddangos yn weddol nodweddiadol (Weiner, 1974) ac yn awgrymu ein bod yn fwy tebygol o deimlo'n fodlon â'n perfformiad os priodolwn ein llwyddiant mewn gweithgaredd i ffactorau mewnol, megis gallu ac ymdrech, nag y byddem pe baem yn priodoli ennill i lwc neu rwyddineb y dasg. Yn yr un modd, byddwn yn teimlo'n fwy anfodlon os credwn ein bod wedi colli o

ganlyniad i ffactorau mewnol yn hytrach na ffactorau allanol.

Disgwyliadau

Yn ogystal â rhagfynegi pa mor debygol y bydd perfformiwr o deimlo'n fodlon neu'n siomedig ynglŷn â chanlyniad gweithgaredd, mae damcaniaeth priodoli yn ceisio egluro'r ffordd y down i ddisgwyl i rai pethau ddigwydd.

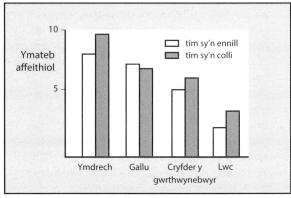

Ffigur 12.33 Ymatebion affeithiol a phriodoliadau

 # Ymchwiliad

12.8: Ymchwilio i effaith priodoli ar ddisgwyl llwyddiant neu fethiant yn ddiweddarach

Dull: Dewiswch grŵp o fyfyrwyr nad ydynt yn gwybod diben y dasg. Rhannwch y grŵp hwn yn bedwar.
1. Dyfeisiwch bedair tasg fotor, un ar gyfer pob grŵp. Dylai'r tasgau fod â nod amlwg i'w gyflawni a pherthyn i'r categorïau canlynol:
a. Mae lwc yn chwarae rhan fawr mewn llwyddiant neu fethiant, e.e. taflu dis i gael rhif penodol (llythyren god A).
b. Mae ymdrech yn chwarae rhan fawr, e.e. gwella ar berfformiad blaenorol tasg cryfder syml (llythyren god A).
c. Mae gallu o bwys – unrhyw dasg fotor newydd (llythyren god S).
ch. Mae anhawster y dasg yn ganolog – gellir efelychu hyn drwy ddewis tasg gymharol syml ond tynnu sylw'r perfformiwr wrth iddo ei gwneud (llythyren god S).
Mae'r llythrennau cod yn dynodi a ydy'r dasg yn debygol o gynhyrchu rhesymau sefydlog neu ansefydlog dros y canlyniad.

2. Mesurwch berfformiad y bobl dan sylw drwy nodi a ydynt yn llwyddo neu'n methu.
3. Awgrymwch eu bod yn mynd i wneud y dasg eto (er na fyddant mewn gwirionedd).
Gofynnwch i bob unigolyn a yw'n credu y bydd yn llwyddo neu'n methu ar y cynnig nesaf.
4. Marciwch bob unigolyn yn un o'r blychau yn Ffigur 12.34: e.e. pe bai unigolyn yn llwyddo yn ei dasg ond na allai ragfynegi canlyniad yr ail gynnig arfaethedig, byddai'n cael ei farcio ym mlwch '3'. Marciwch yr unigolyn â'r llythyren sy'n cyfateb i'r dasg briodol a wnaeth, fel yn Ffigur 12.34.

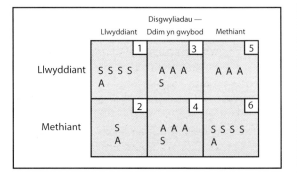

Ffigur 12.34 Canlyniad Ymchwiliad 12.8

Ymchwiliad

12.8 parhad

Trafodaeth: Awgryma damcaniaeth y gallech gael canlyniadau fel y rhai yn Ffigur 12.34. Os na wnaethoch, fedrwch chi egluro pam? Ydy'r rhagdybiaeth yn wallus, neu a oedd rhywbeth gwahanol neu arbennig ynglŷn â'ch sampl neu eich dull? Er enghraifft, ydy hi'n deg tybio y byddai'r bobl dan sylw yn priodoli llwyddiant neu fethiant yn y fford a awgrymwyd gan y tasgau?

Mae Ffigur 12.34 yn awgrymu y bydd pobl sy'n priodoli llwyddiant neu fethiant mewn gweithgaredd i ffactorau sefydlog yn fwy tebygol o ddisgwyl yr un canlyniad y tro nesaf na phobl sy'n gwneud priodoliadau ansefydlog.

Diymadferthedd wedi'i ddysgu ac osgoi

Os oes gennych ffrindiau heb lawer o ddiddordeb mewn chwaraeon, efallai mai'r ymateb cyntaf a gewch os gofynnwch pam na wnân nhw ymaelodi â'r clwb badminton, er enghraifft, fyddai 'Dwi ddim yn hoffi chwaraeon', ond os daliwch ati efallai y cewch atebion fel 'Dwi werth dim yn chwarae badminton' neu 'Dydw i'n dda i ddim mewn unrhyw chwaraeon'. Mae Dweck (1980) yn defnyddio'r term **diymadferthedd wedi'i ddysgu** *(learned helplessness)* am hyn ac yn credu mai'r hyn sy'n ei achosi yw bod yr unigolyn yn priodoli anawsterau cynnar i ffactorau mewnol, sefydlog a hollgynhwysol *(global)*. Mae'r dimensiwn hollgynhwysol-penodol yn ymwneud â ph'un ai yr ystyrir bod methiant yn benodol i'r gweithgaredd arbennig neu a gaiff ei gyffredinoli i chwaraeon eraill. Tuedda pobl sy'n dioddef o ddiymadferthedd wedi'i ddysgu mewn chwaraeon i briodoli methiant i ffactorau sy'n fewnol, yn ddigyfnewid ac yn gymwys i'r rhan fwyaf o sefyllfaoedd.

Cymhwyso damcaniaeth priodoli

Crynhoir y broses priodoli yn Ffigur 12.35. Mae yna oblygiadau ar gyfer hyfforddwyr. Mae perfformwyr yn fwy tebygol o wneud yn dda os credant y gallant wneud yn dda, ac mae hynny yn ei dro yn dibynnu ar sut maen nhw'n priodoli eu llwyddiant neu fethiant yn y gorffennol. Rhan o waith yr hyfforddwr yw helpu'r perfformiwr i lwyddo ar y cychwyn ac i briodoli hyn i ffactorau sefydlog, mewnol a rheoladwy.

Rhaid i hyfforddwyr gofio na fydd mabolgampwyr bob amser yn gwneud priodoliadau rhesymegol ar sail tystiolaeth y gystadleuaeth. Hyd yn oed os bydd priodoliadau'n rhesymegol, bydd angen helpu'r mabolgampwr i briodoli llwyddiant i ffactorau mewnol, sefydlog a methiant i ffactorau ansefydlog.

Tuedda pobl sydd â hunan-barch isel i briodoli methiant i ffactorau mewnol a sefydlog a llwyddiant i ffactorau ansefydlog, ac mae'r gwrthwyneb yn wir am fabolgampwyr hyderus. Er enghraifft:

- 'Collais am nad yw fy ngwrthlaw *(backhand)* yn ddigon da ar y lefel hon' (mewnol-sefydlog: gallu).
- 'Enillais y gêm am iddi hi serfio mor wael' (allanol-sefydlog: anhawster neu rwyddineb y dasg)

Mae'r priodoliadau hyn yn nodweddiadol o chwaraewraig sydd wedi colli hyder – nid ydynt yn gynorthwyol am eu bod yn pwysleisio ffactorau sefydlog, h.y. ffactorau na ellir eu newid yn rhwydd. Efallai nad ydynt yn adlewyrchiad cywir o'r gêmau. Os felly, dylai'r hyfforddwr gynnig asesiad gwahanol, gyda thystiolaeth, gan newid priodoliadau o sefydlog i ansefydlog neu bwysleisio rheolaeth fewnol:

- 'Na, mae dy ergydion gwrthlaw yn iawn fel rheol; doeddet ti ddim yn mynd i'r safle cywir yn ddigon

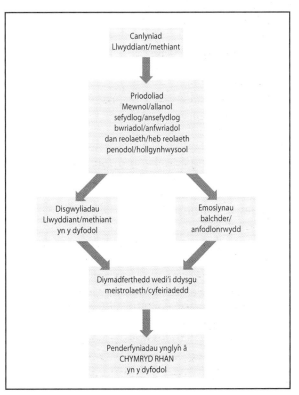

Ffigur 12.35 Y broses priodoli

cyflym. Gwna fwy o ymdrech pan ddaw'r bêl tua'r wrthlaw' (mewnol-ansefydlog: ymdrech)

- 'Na, doedd y serfio ddim yn wael; roeddet ti'n dychwelyd yn dda. Dal ati i ddychwelyd y bêl yn ddwfn, a byddi di'n ennill' (mewnol-sefydlog).

Hyd yn oed os ydy priodoliadau'r chwaraewraig yn adlewyrchiad cywir o'r hyn sy'n digwydd, dylai'r hyfforddwr geisio priodoli methiant i ffactorau ansefydlog a llwyddiant i ffactorau mewnol:

- 'Oes, mae angen i ni weithio ar dy wrthlaw, ond rwy'n gwybod beth yw'r broblem ac mae'n hawdd ei chywiro; defnyddia dy ergydion blaenllaw cryf am y tro' (mewnol-ansefydlog: ymdrech).
- 'Iawn, mae hi wedi serfio nifer o ffawtiau dwbl, ond mae hynny'n dangos dy fod yn peri trafferth iddi. Cadw'r pwysau arni' (mewnol-sefydlog: gallu).

Mae ymarfer priodoliadol yn dod yn fwyfwy pwysig mewn chwaraeon – gallwch glywed canlyniadau cadarnhaol hyn wrth wrando ar fabolgampwyr yn cael eu holi ar ôl cystadlu. Ar y cyfan maen nhw'n gwneud priodoliadau mewnol, sy'n arwydd o aeddfedrwydd cystadleuol. Os bydd mabolgampwr yn gwneud priodoliadau allanol ar gyfer methiant yn gyson, bydd hynny'n debygol o gael effeithiau negyddol ar berfformiad yn y tymor hir, felly bydd angen i'r hyfforddwr ystyried ailhyfforddi priodoliadol. Gellir gwneud hyn drwy raglen sy'n cynnwys y canlynol:

- cofnodi, dosbarthu a thrafod priodoliadau ar gyfer llwyddiant a methiant;
- defnyddio fideo i ddadansoddi perfformiad ac addasu priodoli;
- llunio rhaglen i osod nodau amlwg sy'n cynnwys strategaethau priodoli addas.

Hunanhyder a hunaneffeithiolrwydd

Astudiwn **hunanhyder** a **hunaneffeithiolrwydd** *(self-efficacy)* fel agweddau ar hunan-barch (gweler Adran 12.2).

Mae'n siŵr mai hunanhyder yw un o'r gofynion seicolegol pwysicaf ar gyfer llwyddo mewn chwaraeon. Bydd mabolgampwyr hunanhyderus yn credu yn eu gallu i ddatblygu'r wybodaeth, y sgiliau

---

> **Pwyntiau Allweddol**
> - **Hunanhyder** – ymagweddiad yw, wedi'i seilio ar y gred y gallwch chi lwyddo.
> - **Hunaneffeithiolrwydd** – canfyddiad o'n gallu i berfformio tasg benodol yn llwyddiannus. Mae'n fath o hunanhyder sy'n benodol i sefyllfa.

---

a'r agweddau sydd eu hangen i lwyddo; bydd mabolgampwyr heb hunanhyder yn amau eu gallu neu'n tybio ei bod yn anochel bod gan eu gwrthwynebwyr fantais arnynt. Dyma'r **'broffwydoliaeth hunangyflawnol'** *(self-fulfilling prophesy)*, h.y. bod disgwyl i rywbeth ddigwydd yn tueddu i achosi iddo ddigwydd.

Amlinellodd Weinberg a Gould (1995, tud. 301-302) seicoleg hunanhyder:

- Mae hyder yn sbarduno emosiynau cadarnhaol, gan alluogi i'r mabolgampwr gadw'n dawel dan bwysau a bod yn ymwthgar pan fydd angen.
- Mae hyder yn hwyluso canolbwyntio ar yr agweddau pwysig ar y dasg. Mae diffyg hyder yn achosi straen dan bwysau, gan arwain at ganolbwyntio ar ddirboenwyr *(stressors)* allanol, h.y. camgymeriadau neu wylwyr.
- Mae hyder yn effeithio ar y nodau a osodir. Bydd mabolgampwyr hyderus yn gosod nodau sy'n sialens ond yn realistig. Bydd mabolgampwyr heb hyder yn gosod nodau rhy hawdd neu rhy anodd.
- Mae hyder yn ysgogi mwy o ymdrech.
- Mae hyder yn effeithio ar strategaethau gêm. Bydd chwaraewr hyderus yn chwarae i ennill, hyd yn oed os bydd hynny'n golygu mentro. Bydd chwaraewr heb hyder yn ceisio osgoi camgymeriadau.
- Mae hyder yn effeithio ar fomentwm seicolegol. Bydd mabolgampwyr heb hyder yn ei chael hi'n anodd gwrthdroi momentwm seicolegol negyddol, h.y. wedi i bethau ddechrau fynd o'i le mae'n anodd meddwl yn gadarnhaol. Bydd mabolgampwyr hyderus yn cymryd un pwynt ar y tro heb fyth roi'r gorau iddi, hyd yn oed pan fyddan nhw ar fin colli.

Wrth gwrs, mae gorhyder neu hyder ffug yn beryglus am y gall olygu na fydd yr unigolyn yn paratoi'n ddigonol ac y bydd ganddo lefel isel o gymhelliant a/neu sbarduno. Mae'r ddau hyn yn anodd (ond nid yn amhosibl) eu cywiro wedi i'r gystadleuaeth ddechrau.

Mae nifer o fodelau damcaniaethol o hunanhyder (gweler Cox, 1994). Yr un y sonnir amdano amlaf yw model Bandura (1977) – Ffigur 12.36. Yn ôl damcaniaeth Bandura mae **pedwar ffactor** sy'n effeithio ar ddisgwyliadau mabolgampwr o lwyddiant yn y dyfodol ac felly yn pennu hunaneffeithiolrwydd: **cyflawniadau'r perfformiad, modelu** (a elwir weithiau yn **brofiad dirprwyol** *[vicarious experience]*), **perswâd geiriol** a **sbarduno emosiynol**. Mae pob un yn bwysig. Ym Mhennod 11 trafodwyd rôl yr hyfforddwr o ran helpu'r mabolgampwr i **fodelu** perfformiad ar rywun medrus a llwyddiannus. Mae gweld model llwyddiannus yn cael ei arddangos yn dda nid yn unig yn helpu caffael sgiliau, ond hefyd yn helpu'r mabolgampwr i feddwl 'os gwna i berfformio fel'na, mi fydda i'n chwaraewr da hefyd.'

Rydym hcfyd wedi trafod rôl **perswâd** yn newid agweddau. Ym model Bandura mae'r hyfforddwr yn sefydlu agwedd gadarnhaol drwy argyhoeddi mabolgampwyr eu bod yn gallu perfformio'n dda. Mae **sbarduno emosiynol** yn cyfeirio at y gydran gymhelliannol ym mhob sefyllfa perfformio.

Mae llawer o seicolegwyr yn honni mai'r pwysicaf o'r pedair elfen i ddatblygu hunaneffeithiolrwydd yw **'cyflawniadau'r perfformiad'** – am fod llwyddiant (a methiant) mewn chwaraeon yn amlwg iawn a phendant. Mae'n rhoi adborth uniongyrchol iawn i'r mabolgampwr; mae'n dangos ei statws ar y pryd ac yn arwyddbost ar gyfer y dyfodol. Os llwyddwch mewn un gystadleuaeth, byddwch yn teimlo'n hyderus ynglŷn â'r nesaf; os methwch, efallai y byddwch yn gofidio ynglŷn â'r nesaf.

Pwyntiau Allweddol

Mae gan yr hyfforddwr/athro ran sylfaenol i'w chwarae yn datblygu hunanhyder a hunaneffeithiolrwydd drwy gyflawniad llwyddiannus:

- i sicrhau llwyddiant cynnar a pharhaol yn ystod y broses dysgu drwy ddewis nodau, tasgau a lefelau cystadlu yn ofalus,
- drwy ganolbwyntio ar berfformiad personol llwyddiannus yn hytrach nag ar ennill.

Mae'r ail Bwynt Allweddol yn un sylfaenol mewn pob math o hyfforddi ac addysgu ac ni ellir ei orbwysleisio. Dylid diffinio llwyddiant yn ôl pa mor dda mae mabolgampwyr yn chwarae neu'n perfformio mewn perthynas â'u gallu a'u 'gorau personol' yn hytrach nag yn ôl p'un ai y byddan nhw'n ennill ai peidio. Nodweddwyd agwedd o'r fath gan garfan

Prydain yn y ras gyfnewid 4 x 400m ar gyfer dynion pan gawson nhw gyfweliad ar ôl eu rhediad yng Ngêmau Olympaidd Atlanta. Roedden nhw wedi gobeithio a chredu y gallen nhw ennill y fedal aur, ond ar ôl dod yn ail roedden nhw'n ymfalchïo yn y ffaith eu bod wedi curo'r record genedlaethol a'r record Ewropeaidd ac yn llawn hyder ac optimistiaeth ar gyfer y dyfodol.

Dangosir rysait Weinberg a Gould (1995, tud. 313) i gynyddu hyder yn Ffigur 12.37.

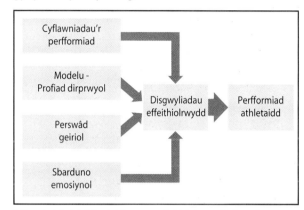

Ffigur 12.36 Model hunaneffeithiolrwydd Bandura

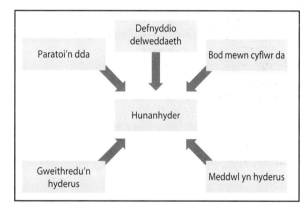

Ffigur 12.37 Datblygu hunanhyder *(Addaswyd o Weinberg a Gould, 1995)*

 # Crynodeb

1. Dau fath o gymhelliant yw cynhenid ac allanol. Gall gwobrwyon allanol ddatblygu ac addasu ymddygiad. Mewn rhai amgylchiadau bydd cynnig gwobr allanol mewn sefyllfa lle mae eisoes cymhelliant cynhenid yn gostwng y cymhelliant hwnnw. Nid yw gwobrwyon yn tanseilio cymhelliant cynhenid yn awtomatig, ond y farn ar hyn o bryd yw y bydd gwobrwyon cyffyrddadwy yn ddiangen ac y dylid eu hepgor neu eu defnyddio'n anaml

iawn wrth i gymhelliant cynhenid a'r awydd i gymryd rhan er mwyn cymryd rhan ddatblygu.

2. Defnyddir y term cymhelliant cyflawni am gymhelliad unigolyn i lwyddo er mwyn llwyddo. Mae pedwar ffactor yn cyfrannu at hyn: dau ffactor personoliaeth – yr angen i gyflawni a'r angen i osgoi methiant – a dau ffactor sefyllfa – tebygolrwydd llwyddiant a gwerth cymelliadol y llwyddiant hwnnw. Mae pobl sydd â chyfeiriadedd isel at gyflawni yn tueddu i ddewis

Crynodeb

parhad

tasgau hawdd iawn neu anodd iawn, ond mae cyflawnwyr uchel yn tueddu i ddewis tasgau lle mae gobaith cyfartal o lwyddo a methu.

3. Ystyr priodoli yw'r broses o nodi ffactorau sy'n achosi digwyddiadau neu resymau drostynt. Yn ôl Weiner un gwahaniaeth rhwng cyflawnwyr uchel ac isel yw'r ffordd maen nhw'n datblygu priodoliadau ynglŷn â llwyddiant a methiant. Datblygodd ddau ddimensiwn priodoli: locws achosiaeth a sefydlogrwydd. Nodwyd dimensiynau eraill yn ddiweddarach. Os priodolir llwyddiant mewn gweithgaredd i ffactorau mewnol, megis gallu ac ymdrech, mae'n fwy tebygol y teimlir bodlonrwydd â pherfformiad na phe defnyddid priodoliadau allanol, e.e. anhawster y dasg neu lwc. Yn ogystal â balchder yn y perfformiad neu anfodlonrwydd â'r perfformiad, ceir disgwyliadau ynglŷn â chanlyniad (llwyddiant neu fethiant yn y dyfodol). Bydd mabolgampwyr sy'n priodoli llwyddiant neu fethiant mewn tasg i ffactorau sefydlog yn fwy tebygol o ddisgwyl yr un canlyniad y tro nesaf nag y bydden nhw yn achos ffactorau ansefydlog. Mae yna

oblygiadau ar gyfer hyfforddwyr.

4. Ystyr sbarduno yw'r cyflwr o effrogarwch a disgwyl a geir cyn, yn ystod ac ar ôl perfformiad mewn chwaraeon – ac yn wir drwy gydol ein hoes. Mae iddo gydrannau ffisiolegol a gwybyddol.

5. Yn ôl damcaniaeth cymhelliad, wrth i sbarduno gynyddu i gwrdd â gofynion tasg, mae'r arfer motor trechol yn fwyfwy tebygol o gael ei adlewyrchu mewn perfformiad.

6. Yn ôl damcaniaeth yr 'U' wrthdro, wrth i sbarduno gynyddu felly hefyd y gwna perfformiad potensial hyd at lefel optimaidd, ac yna bydd y perfformiad yn dirywio. Derbynnir y gellir nodi lefelau sbarduno optimaidd, ond bod y rhain yn amrywio rhwng unigolion a thasgau. Mae'n debyg bod y gallu i reoli sbarduno yn agwedd hanfodol ar berfformiad llwyddiannus.

7. Mae hunanhyder (nodwedd gyffredinol) a hunaneffeithiolrwydd (math o hunanhyder sy'n benodol i sefyllfa) yn hanfodol i lwyddo mewn chwaraeon a gweithgareddau corfforol. Gall hyfforddwyr/athrawon gynyddu hunanhyder drwy gynllunio'u haddysgu'n ofalus a defnyddio arddulliau addysgu/hyfforddi a rhyngweithiadau yn sensitif.

 Cwestiynau Adolygu

1. Diffiniwch 'cymhelliant' a 'chymhellion' a gwahaniaethwch rhwng gwobrwyon cynhenid ac allanol mewn chwaraeon.

2. Lluniwch graff sy'n dangos y berthynas rhwng cymhelliant (sbarduno) a pherfformiad yn achos (a) tasg syml a (b) tasg gymhleth.

3. Lluniwch fodel priodoliadau Weiner (1974)

ac ar gyfer pob cydran rhowch enghreifftiau ym myd chwaraeon. Eglurwch 'locws achosiaeth' a 'sefydlogrwydd'.

4. Beth yw ystyr 'hunaneffeithiolrwydd' mewn chwaraeon? Rhowch bum ffordd y gall hyfforddwr feithrin agwedd gadarnhaol gan fabolgampwr tuag at gystadlu.

 Cwestiynau Arholiad

1. **a.** Tybir bod perthynas rhwng lefelau sbarduno unigolyn a achosir gan gymhelliant ac ansawdd ei berfformiad o sgìl mewn chwaraeon. Lluniwch graffiau wedi'u labelu'n addas i ddarlunio sut mae pob un o'r damcaniaethau canlynol yn dangos y berthynas hon:
i. Damcaniaeth cymhelliad; (2 farc)
ii. Damcaniaeth yr 'U' wrthdro. (2 farc)

b. Disgrifiwch yn gryno sut mae'r naill ddamcaniaeth a'r llall yn egluro'r berthynas rhwng sbarduno ac ansawdd perfformiad. (6 marc)

c. Rhowch sylwadau ar allu'r damcaniaethau hyn i egluro sut y gall newidiadau yn lefel cymhelliant effeithio ar lefel perfformiad yn y sefyllfa gystadleuol. (10 marc)

Cwestiynau Arholiad

parhad

2. a. i. Disgrifiwch yn gryno 'hunanhyder' mewn perfformiwr chwaraeon. (3 marc)
ii. Cyferbynnwch y ffyrdd y gallai lefelau uchel ac isel o hyder effeithio ar berfformiad mabolgampwr. (5 marc)
b. Mae perfformiad unigolyn mewn camp wedi dirywio am iddo/iddi golli hyder.
i. Pa ffactorau (sy'n gysylltiedig â chwaraeon) a allai achosi'r colli hyder. (6 marc)
ii. Sut y gallai'r hyfforddwr geisio gwella hunanhyder y perfformiwr? (6 marc)
3. a. Awgryma damcaniaeth priodoli y gall priodoli effeithio ar gymhelliant chwaraewr neu dîm i lwyddo ac i ddyfalbarhau â champ. Mae Ffigur 12.38 yn darlunio'n rhannol fodel priodoli Weiner.
i. Rhowch ddiffiniad o briodoli yng nghyswllt chwaraeon, ac eglurwch ystyr locws achosiaeth mewnol ac allanol. (3 marc)
ii. Eglurwch y dimensiwn sefydlogrwydd. (2 farc)
iii. Copïwch y model a rhowch un priodoliad addas ym mhob blwch. (4 marc)
iv. Fel hyfforddwr, sut y byddech yn defnyddio'r model i benderfynu beth i'w ddweud wrth eich tîm ar ôl iddynt golli ond chwarae'n dda? (5 marc)
b. Gelwir cymhelliant unigolyn i lwyddo er mwyn llwyddo yn gymhelliant cyflawniad.
i. Beth yw nodweddion person ifanc sydd â chymhelliant i gyflawni mewn chwaraeon?

Rhowch enghraifft, ym myd chwaraeon, o unigolyn sydd â chymhelliant cryf i osgoi methiant (4 marc)
ii. Ceir cymhellion i lwyddo a chymhellion i osgoi methiant mewn chwaraeon. Nodwch y ffactorau a allai effeithio ar fabwysiadu'r ddau fath hyn o gymhellion. (2 farc)
iii. Sut y byddai hyfforddwr yn ceisio sicrhau bod gan ei chwaraewyr gymhellion i lwyddo? (5 marc)
4. a. Gwahaniaethwch rhwng gwobrwyon a nodau, sy'n ddwy o'r technegau y gall hyfforddwr eu defnyddio i godi lefel perfformiad ei fabolgampwyr.(4 marc)
b. Gwahaniaethwch rhwng mathau cynhenid ac allanol o wobr, gan roi enghraifft o'r naill a'r llall ym myd chwaraeon. Rhowch sylwadau ar werth cymharol y ddau fath hyn o wobr. (6 marc)
c. i. Diffiniwch osod nodau a disgrifiwch yn gryno ei ddiben o ran ceisio gwella perfformiad mewn chwaraeon. (3 marc)
ii. Sut y dylai hyfforddwr geisio sicrhau y bydd gosod nodau yn arwain at wella perfformiad mewn chwaraeon? (7 marc)
5. a. Mae Ffigur 12.39 yn dangos dwy berthynas ddamcaniaethol rhwng lefel cymhelliant ac ansawdd perfformiad.
i. Enwch y ddwy ragdybiaeth a ddangosir gan y graffiau. (2 farc)
ii. Eglurwch yn gryno y berthynas rhwng cymhelliant a pherfformiad medrus mewn chwaraeon a gynigir gan y naill ragdybiaeth a'r llall. (5 marc)

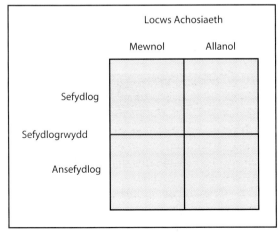

Ffigur 12.38 *(Addaswyd o 'Causal attribution model' gan Weiner, 1980)*

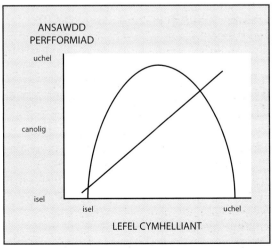

Ffigur 12.39

Cwestiynau Arholiad

parhad

b. i. Ar sail eich atebion i **a. i.** lluniwch ddau graff damcaniaethol i ddangos gwahaniaethau yn y berthynas cymhelliant-perfformiad ar gyfer sgiliau motor mân a mawr. (2 farc)

ii. Rhowch enghraifft o sgiliau motor mân a mawr ym myd chwaraeon. (2 farc)

iii. Trafodwch oblygiadau eich graffiau ar gyfer paratoi perfformwyr yn seicolegol cyn cystadlu. (5 marc)

c. Yn aml rhoddwyd y bai am ymddygiad annheg mewn cystadlaethau ar wobrwyon ariannol mawr. Trafodwch y farn hon yn feirniadol. (4 marc)

6. Yn Ffigur 12.40 dangosir y mathau o briodoliadau sy'n gyffredin mewn chwaraeon.

a. Beth yw priodoliadau? (2 farc)

b. Sut y credir bod adweithiau emosiynol yn gysylltiedig â'r mathau o briodoliadau a wneir mewn chwaraeon? (7 marc)

c. Gan ddefnyddio enghreifftiau ym myd chwaraeon, eglurwch y gogwydd hunangeisiol *(self-serving bias)* yn namcaniaeth priodoli. (5 marc)

ch. Beth yw diymadferthedd wedi'i ddysgu a pha ran y mae priodoliadau'n ei chwarae yn ei ddatblygiad? (6 marc)

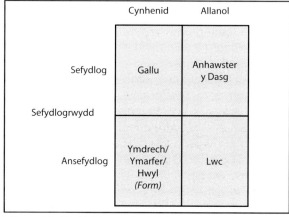

Ffigur 12.40 *(Addaswyd o Weiner, 1972)*

12.6 Natur Straen

 Geiriau allweddol a chysyniadau

bioadborth	nodau rhyngol	rheolaeth wybyddol ar
cylchfa gweithrediad	nodau tymor byr	straen
optimaidd	nodau tymor hir	straen
delweddaeth	pryder	ymarfer meddyliol
dirboenwr	pryder cyflwr	ymarfer ymlacio
electromyograffeg	pryder nodwedd	cynyddol
ewstraen	pryder nodwedd a/neu	ymateb croen galfanig
gosod nodau	gyflwr cystadleuol	

Ar ôl gorffen Adran 12.6 byddwch yn medru:

• diffinio straen *(stress)* a gwahaniaethu rhwng straen a phryder;

• deall yr angen i reoli straen mewn chwaraeon;

• diffinio pryder nodwedd a phryder cyflwr a rhoi enghreifftiau ohonynt ym myd chwaraeon;

• disgrifio sut y gellir monitro straen, gan ddefnyddio amrywiaeth o fesurau ffisiolegol a seicolegol;

• disgrifio sut y gellir rheoli straen yng nghyswllt chwaraeon neu berfformiad, gan gynnwys technegau gwybyddol a somatig a gosod nodau.

Pryder *(Anxiety)*

Ar sail eich gwaith yn Adran 12.5, fe wyddoch erbyn hyn fod angen lefel arbennig o sbarduno i berfformio ar eich gorau mewn chwaraeon. Cynhyrchir ymatebion sbarduno drwy amrywiaeth o ddulliau – mae rhai'n awtomatig a rhai'n gysylltiedig ag emosiwn (byddwch yn gyfarwydd, er enghraifft, â symptomau corfforol dicter). Cynhyrchir y rhai sy'n gysylltiedig â pherfformiad corfforol gan ein canfyddiad o ofynion y sefyllfa. Fe wyddom ei bod yn llai pwysig i beidio â methu wrth chwarae gêm at ddibenion ymarfer neu adloniant. Mewn gêm bencampwriaeth, fodd bynnag, mae'n bwysig iawn i ni ateb gofynion y sefyllfa, ein cydchwaraewyr a'n cefnogwyr; mae hyd yn oed y mwyaf hyderus ohonom yn amau weithiau. Os poenwn ynglŷn â'r amheuon hyn, gallan nhw greu lefel uchel o sbarduno a all o bosib arwain at **bryder**.

Pwyntiau Allweddol

- **Pryder** – cyflwr emosiynol, yn debyg i ofn, sy'n gysylltiedig â sbarduno ffisiolegol (somatig) a seicolegol (gwybyddol) ac â theimladau o nerfusrwydd a gofidio. Mae dwy gydran i bryder – pryder nodwedd a phryder cyflwr.
- **Pryder nodwedd** (trait anxiety) – 'natur ymddygiadol sy'n peri i berson dueddu i ystyried amgylchiadau nad ydynt yn beryglus yn fygythiad ac i ymateb iddynt â lefelau o bryder cyflwr sy'n anghymesur â lefel y bygythiad' (Weinberg a Gould, 1995, tud. 94).
- **Pryder cyflwr** (state anxiety) – ymateb emosiynol i sefyllfaoedd arbennig, fe'i nodweddir gan deimladau o nerfusrwydd a gofidio.

Newidyn personoliaeth yw pryder nodwedd. Os oes gan berson bryder nodwedd uchel tudda i ofni sefyllfaoedd anghyfarwydd ac ymateb â symptomau pryder amlwg.

Mae pryder cyflwr yn ymateb emosiynol, dros dro yn aml, sy'n bodoli mewn perthynas â sefyllfaoedd arbennig. Os ydych yn nerfus cyn cynhyrchiad dawns ond nid cyn gêm dîm, rydych yn dangos pryder cyflwr mewn perthynas â dawns. Fel rheol mae gan bobl sydd â phryder nodwedd uchel lefel uwch o bryder cyflwr mewn sefyllfaoedd cystadlu neu werthuso na phobl sydd â phryder nodwedd isel.

Datblygodd Spielberger ac eraill (1970) restr i fesur lefelau pryder cyflwr a nodwedd mewn sefyllfaoedd cyffredinol, sef Rhestr Pryder Cyflwr Nodwedd (State Trait Anxiety Inventory – STAI). Nid yw'n hawdd cael gafael arni, ond ceir rhan ohoni yn Carron (1981). Datblygodd Martens (1977) fesur o bryder nodwedd cystadleuol sy'n benodol i chwaraeon, Prawf Pryder Cystadleuaeth Chwaraeon (Sport Competition Anxiety Test – SCAT). Bu'n ddefnyddiol iawn wrth ymchwilio i bryder mewn mabolgampwyr am ei fod yn delio'n benodol â chwaraeon. Ond cofiwch mai prawf yw o bryder nodwedd cystadleuol, h.y. y duedd i fod yn bryderus yng nghyswllt chwaraeon yn gyffredinol. Fersiwn pryder cyflwr y prawf hwn yw'r Rhestr Pryder Cyflwr Cystadleuol (Competitive State Anxiety Inventory – CSAI) (Martens ac eraill, 1990).

Ymchwiliad

12.9: Ymchwilio i'r berthynas rhwng pryder nodwedd cystadleuol a phryder cyflwr cyn gweithgaredd pwysig

Dull: Dewiswch grŵp sydd ynghlwm wrth gamp gystadleuol ar lefel uchel, e.e. tîm cyntaf eich ysgol/coleg neu dîm clwb lleol. Gofynnwch am ganiatâd i roi dau holiadur syml i'r chwaraewyr ar adeg gyfleus. Defnyddiwch SCAT (Roberts ac eraill, 1986, tud. 68) i gael sgôr am y pryder nodwedd, a'r cwestiwn canlynol (a addaswyd o Roberts ac eraill) i gael sgôr amrwd am y pryder cyflwr ar gyfer pob chwaraewr:

'Dychmygwch mai ychydig funudau sydd cyn gêm neu weithgaredd pwysig iawn. Unwaith yn unig y cawsoch eich curo y tymor hwn, a hynny gan eich gwrthwynebwyr heddiw. Sut ydych chi'n teimlo?'

Pryderus iawn 9 8 7 6 5 4 3 2 1 Dibryder

Canlyniadau: Dilynwch y system sgorio ar gyfer SCAT yn Roberts ac eraill (1986). Defnyddiwch sgorau pryder cyflwr a SCAT pob atebwr i gyfrifo Cyfernod Cydberthyniad Rhestrol Spearman *(Spearman's Rank Correlation Coefficient).*
Trafodaeth: Beth mae'r cyfernod cydberthyniad yn ei ddangos ynglŷn â'r berthynas rhwng sgorau pryder cyflwr a SCAT? Trafodwch oblygiadau hyn ar gyfer yr hyfforddwr neu'r mabolgampwyr.

Mae ymchwil tebyg i Ymchwiliad 12.9 (Scanlan a Passer, 1979) yn awgrymu bod:

- pryder nodwedd cystadleuol a phryder cyflwr cyn gêm yn gydberthynol;
- lefel uchel o bryder nodwedd yn tueddu i achosi lefel uchel o bryder cyflwr cyn gêm;
- enillwyr yn tueddu i brofi llai o bryder ar ôl gêm nag y gwna collwyr.

Mae SCAT a STAI yn ddulliau seicometrig, hunanadroddiadol o fesur pryder. Yn yr ystyr hon maen nhw'n cyfateb i'r profion personoliaeth (Eysenck a Cattell) a drafodwyd yn Adran 12.2.

Yn Adran 12.5 nodwyd nad yw'n hawdd cyflawni lefelau optimaidd o sbarduno cyn ac yn ystod perfformiad. Y ffactorau allanol sy'n debygol o effeithio ar yr hyn a alwodd Hanin (1980) yn **'gylchfa**

gweithrediad optimaidd' (A-B yn Ffigur 12.28) yw: cymhlethdod y dasg; natur agored-caeëdig (prosesu gwybodaeth) y dasg; pwysigrwydd y canlyniad. Rhaid ychwanegu'r ffactorau cynhenid at y rhain, sef gallu a phrofiad y mabolgampwr a'i lefel o bryder nodwedd.

Felly, os ydy hyfforddwr sglefrwraig ifanc a chymharol dibrofiad yn gweithio gyda hi ar y ffigurau gorfodol (sgìl caeëdig) ar gyfer cystadleuaeth bwysig a bod lefelau pryder nodwedd y sglefrwraig yn uchel, prif dasg yr hyfforddwr yw gweithio ar strategaethau ymlacio a rheoli straen er mwyn gostwng ei lefel sbarduno gymaint ag sy'n bosibl fel na fydd ei phryder cyflwr cyn cystadlu yn cael effaith niweidiol.

I'r gwrthwyneb, mae'n debyg na all codwr pwysau sydd â lefelau isel o bryder nodwedd ei gynhyrfu ei hun yn ormodol cyn codiad pwysig.

Straen

Hyd yma rydym wedi defnyddio'r term 'pryder' i gyfeirio at yr agweddau negyddol ar sbarduno. Term arall a welwch wrth ddarllen ac sy'n gyfarwydd i chi yw 'straen'. Yn aml defnyddir y termau yn gyfnewidiol. Mae'n anodd cael diffiniad o straen y gellir cytuno arno yn gyffredinol oherwydd safbwyntiau damcaniaethol gwahanol yr ymchwilwyr. Er enghraifft, ydy straen yn symbyliad neu'n ymateb neu'n rhyngweithiad rhwng symbyliad ac ymateb? Ai straen sy'n achosi i ni deimlo'n sâl cyn arholiad, neu ai straen yw'r teimlad eich bod yn corddi tu mewn a ddaw wedyn? Mae tuedd bellach, yn unol â gwaith Selye (1976), i ffafrio'r ail syniad.

Pwynt Allweddol
- Diffinnir **straen** gan Selye (1976) fel 'ymateb amhenodol y corff i unrhyw ofynion a wneir arno'. Gelwir ffynonellau straen yn **ddirboenwyr** *(stressors).*

Mae rhai dirboenwyr yn gyffredinol – byddai pawb yn gofidio o glywed sŵn uchel anesboniadwy yn y nos. Ond gall eraill, e.e. perfformio o flaen cynulleidfa, fod yn straen i un person ond nid i rywun sy'n gyfarwydd â'r profiad ac sy'n mwynhau'r sialens.

Mae sawl math o ddirboenwyr. Rhestrodd Pargman (1986) y canlynol:
- cymdeithasol,
- cemegol neu fiocemegol,
- bacterol,
- corfforol,
- hinsoddol,
- seicolegol.

Mae'n siŵr y bydd gan bobl sy'n ymwneud â gweithgareddau corfforol brofiad o'r tri olaf. Bydd y boen gorfforol a ddaw o gael anaf, o wisgo esgidiau dawnsio sy'n rhy dynn neu yn ystod y rhan olaf o'r ras neu'r daith gerdded hir yn achosi cryn straen ar yr unigolyn, fel y gwyddoch efallai.

Gall y tywydd fod yn ddirboenwr. Rhaid i redwyr marathon fedru ymdopi â straen gwres, a rhaid i bobl a fydd yn gwneud gweithgareddau awyr agored wylio rhag peryglon hypothermia yn ystod tywydd oer a gwlyb iawn.

Mae straen seicolegol yn deillio o'r ffaith nad yw canfyddiad unigolyn o ofynion sefyllfa yn cydweddu â'i hunanasesiad o'i allu i ymdopi, a derbyn bod y canlyniad yn bwysig, fel y dangosir yn Ffigur 12.41.

Yn ôl damcaniaeth straen Selye (1976) mae'r corff yn adweithio i'r holl ddirboenwyr hyn yn yr un ffordd. Awgryma fod yna **Syndrom Addasu Cyffredinol** sydd â thri cham, fel y dangosir yn Ffigur 12.42. Yn ystod cam yr adwaith i rybudd perygl *(alarm reaction)* caiff y corff rybudd i ddelio â'r dirboenwr. Dyma pryd y bydd y gyfradd anadlu a chyfradd curiad y galon yn cyflymu ac y caiff adrenalin ei ryddhau.

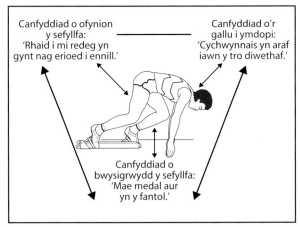

Ffigur 12.41 Straen seicolegol

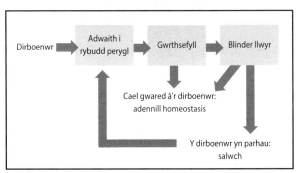

Ffigur 12.42 Y Syndrom Addasu Cyffredinol *(Selye, 1976)*

Yn ystod cam y gwrthsefyll, bydd cyfres o newidiadau hormonaidd a chemegol yn ceisio cynnal homeostasis, h.y. y cydbwysedd biocemegol a llifyddol manwl gywir sy'n galluogi i'n corff weithredu'n effeithiol. Mae Selye (1976) yn diffinio dirboenwr fel unrhyw beth sy'n tarfu ar y cydbwysedd hwn.

Y cam olaf yw blinder llwyr *(exhaustion)*, pan fydd y dirboenwr mor rymus ac wedi para mor hir fel na all y corff ei wrthsefyll mwyach. Amddiffyniad olaf y corff yw blinder llwyr. Os bydd hynny'n atal y dirboenwr – e.e. os ydych wedi bod yn eich gwthio eich hun yn rhy galed mewn ras 13 km ac wedi rhoi'r gorau iddi – bydd y corff yn adennill homeostasis. Ond os cwympwch i'r llawr wedi blino'n llwyr mewn storm eira ar yr Wyddfa heb gyrraedd cysgod, bydd y dirboenwr – yr oerfel – yn parhau er i'ch corff roi'r gorau iddi, ac mae'n go bosibl na fyddwch yn ymadfer.

Nid yw dirboenwyr seicolegol yn cael effaith mor rymus ar y corff â'r dirboenwyr eraill, ond dros gyfnod hir fe wnân nhw niwed i'r iechyd yn gyffredinol.

Noder bod sawl awdur (e.e. Harris a Harris, 1984) yn trafod **ewstraen** *(eustress)*, neu straen 'da', sy'n gysylltiedig â gwefr a chyffro. Ni ddylid drysu rhwng hyn a lefelau optimaidd o sbarduno. Mae'r dirboenwr yno ac mae'r corff yn ei wrthsefyll, ond mae'r unigolyn yn mwynhau ac efallai, hyd yn oed, yn ceisio am yr ymdeimlad hwnnw (Ffigur 12.43). Meddai Mo Anthoine, sy'n dringo ac yn mynydda:

Y gwir yw 'mod i'n mwynhau hinsawdd anfaddeugar lle byddwch yn dioddef os gwnewch gamgymeriadau. Dyna sy'n rhoi gwefr i mi. Rwy'n credu mai'r rheswm yw bod yna farc cwestiwn bob amser ynglŷn â sut y byddwch yn perfformio.

(Alvarez, 1988, tud. 151)

Yn gyffredinol, fodd bynnag, mae straen yn rhywbeth i'w osgoi mewn chwaraeon, oherwydd gall ei effeithiau, fel yn achos pryder, amharu ar berfformiad:

- Gall weithredu'n uniongyrchol ar yr elfennau motor a phrosesu gwybodaeth mewn sgiliau. Mae'r cyhyrau'n tynhau, rheolaeth ar gyhyrau'n lleihau, canolbwyntio'n anodd, ein rhychwant sylw yn fwy cyfyng ac ni rown sylw i'r pethau y dylem roi sylw iddynt (Ffigur 12.44).
- Gall gwybod ein bod dan straen weithredu fel dirboenwr (Ffigur 12.45).

Awgryma Martens (1989) bod tri math o symptomau straen – ffisiolegol, seicolegol ac ymddygiadol:

- **Symptomau ffisiolegol** – cyfradd curiad y galon yn cynyddu; pwysedd gwaed yn cynyddu; chwysu'n cynyddu; anadlu'n cynyddu; llif y gwaed i'r croen yn lleihau; defnydd o ocsigen yn cynyddu; ceg yn sych.
- **Symptomau seicolegol** – gofidio; ymdeimlad o orlethu; anallu i benderfynu; anallu i ganolbwyntio; anallu i roi sylw'n briodol; sylw'n cael ei gyfyngu; teimlo allan o reolaeth.
- **Symptomau ymddygiadol** – siarad yn gyflym; cnoi ewinedd; camu 'nôl a blaen; gwgu; dylyfu gên; crynu; traw llais uwch; troethi'n aml.

Ffigur 12.44 Sylw'n cael ei gyfyngu

Ffigur 12.43
Dringwyr fel pobl sy'n ceisio am straen?

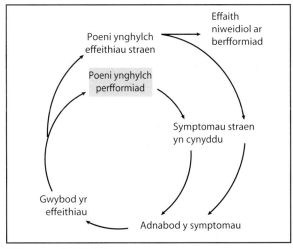

Ffigur 12.45 Sbiral straen

Mesur straen

Defnyddir y symptomau hyn i nodi a mesur straen. Mae tair ffordd o fesur straen:

- **Holiaduron personol** – ymdriniwyd uchod â dwy enghraifft o'r rhain (STAI a SCAT); mae llawer o restrau tebyg.
- **Technegau arsylwi** – fe'u defnyddir yn helaeth gan hyfforddwyr ac maen nhw'n cynnwys arsylwi a monitro yr agweddau ymddygiadol ar straen a restrwyd uchod mewn perthynas ag agweddau penodol ar gystadlu ac ymarfer; felly, dros gyfnod bydd yr hyfforddwr yn dysgu pa bethau y mae'r mabolgampwr yn eu cael yn straen a gall weithio i'w hosgoi neu eu goresgyn.
- **Ymatebion ffisiolegol** – gall llawer o'r rhain gael eu mesur yn uniongyrchol, e.e. cyfradd curiad y galon, tymheredd, defnydd o ocsigen, chwysu drwy ddefnyddio cyfarpar ymateb croen galfanig. Dan oruchwyliaeth addas gellir dadansoddi'r gwaed i fesur ymatebion hormonaidd. Mae'r rhain i gyd yn ddefnyddiol i nodi lefelau straen cyn gêm, ond dylid cofio bod ymarfer hefyd yn creu ymatebion tebyg ac felly mae'n anodd iawn mesur straen yn ystod neu yn union ar ôl perfformiad.

Rheoli straen

Y math mwyaf niweidiol o straen mewn chwaraeon a gweithgareddau corfforol eraill yw straen a achosir gan yr unigolyn ei hun drwy boeni ynghylch y perfformiad sydd i ddod. Mae gweithgareddau corfforol yn sbardun naturiol, felly fel rheol nid yw 'cynhyrfu' ddigon yn broblem; yr anhawster yw cyfyngu pryder i lefelau y gellir eu rheoli. Mae hynny'n golygu torri'r 'sbiral straen' (Ffigur 12.45). Gan fod y meddwl a'r corff yn cydweithio'n agos iawn i gynhyrchu symudiadau medrus, mae dau le y gellir torri'r sbiral; gallwn ddelio â'r meddwl drwy roi meddyliau cadarnhaol yn lle rhai negyddol (**rheolaeth wybyddol**) a gallwn ddileu llawer o'r ymatebion ffisiolegol niweidiol i straen drwy berswadio'r corff nad yw'r dirboenwr yn bodoli (**rheolaeth somatig**). Ar gyfer hyn defnyddiwn ymlacio. Mae pedwar math o ymlacio:

- delweddaeth *(imagery)*,
- hunangyfeiriedig *(self-directed)*,
- ymarfer ymlacio cynyddol *(progressive)*,
- bioadborth *(biofeedback)*.

Mae defnyddio **delweddaeth** i ymlacio yn golygu dychmygu eich bod mewn man lle y teimlwch yn gysurus iawn ac yn ddiogel. Dylech geisio eich gweld eich hun yno mor fyw ag y bo modd, yn ymlacio, yn gynnes, yn gysurus; dylech ddwyn i gof synau'r lle, ei aroglau, ei 'awyrgylch'. Da o beth fyddai gwneud hyn mewn lle tawel a chysurus i ddechrau, ond ymhen amser fe ddysgwch i ddefnyddio'r dechneg pryd bynnag y teimlwch dan straen. Er mwyn i'r dechneg weithio'n dda rhaid (Martens, 1989):

- meddwl am le sydd â chysylltiadau amlwg â chynhesrwydd ac ymlacio;
- meddu ar sgiliau dclwcddu da;
- ymarfer y dechneg ar y cychwyn mewn sefyllfaoedd heb straen, cyn ei defnyddio i reoli straen cystadlu.

Mae **ymlacio hunangyfeiriedig** yn fath syml o **ymarfer ymlacio cynyddol**, a ddatblygwyd yn yr 1930au. Dysgir tynhau gwahanol grwpiau o gyhyrau ac yna eu llaesu'n ddwfn. Nid yw tynhau'r cyhyrau yn anodd, ond mae'n anodd eu llaesu'n llwyr a bydd angen ymarfer hyn am wythnosau. Mae ymlacio hunangyfeiriedig yn golygu canolbwyntio ar bob un o'r prif grwpiau o gyhyrau yn eu tro ac, ar yr un pryd, anadlu yn araf ac yn esmwyth. Wrth ganolbwyntio ar bob cyhyr, dychmygwch y tyndra'n llifo allan ohono nes y bydd wedi'i laesu'n llwyr. Gweithiwch drwy bob grŵp o gyhyrau yn y fordd hon. Ar y cychwyn bydd angen llaesu cyhyrau ar wahân i gael yr effaith ofynnol, ond wrth i chi ddod yn fwy medrus gallwch gyfuno grwpiau a chael y corff cyfan i ymlacio yn gyflym iawn. Mae Martens (1989) yn rhoi sgript ddefnyddiol y gallai rhywun ei darllen i chi, neu y gallech ei recordio ar dâp, i'ch helpu i ddechrau. Fel arall, mae llawer o dâpiau clywedol ymlacio ar werth.

Awgrymir techneg debyg gan Benson (1976), ond mae'n canolbwyntio ar anadlu yn unig ac felly mae'n agosach at fyfyrio *(meditation)* nag ymlacio. Ewch i fan tawel a chanolbwyntio'n llwyr ar eich anadlu. Wrth anadlu allan, ailadroddwch yn dawel air unsill sydd heb ystyr arbennig i chi. Os bydd eich meddwl yn crwydro, canolbwyntiwch ar eich anadlu.

Efallai y bydd yn anodd teimlo'r gwahaniaeth rhwng eich cyhyrau'n tynhau ac yna yn llaesu. Gall **bioadborth** fod yn ddefnyddiol, techneg sy'n rhoi gwybodaeth uniongyrchol i chi am yr hyn sy'n digwydd yn eich corff. Awgrymwyd eisoes y gellir mesur ymatebion ffisiolegol i straen. Mae bioadborth yn gwneud hyn ac yn eich addysgu i ddefnyddio'ch meddwl i newid y darlleniad. Mae tri phrif fath o fioadborth:

- **Tymheredd y croen** – pan fydd y cyhyrau wedi llaesu, bydd mwy o waed yn llifo i'r croen a bydd tymheredd y croen yn codi; gellir canfod hyn drwy strapio electrothermomedrau sensitif ar y croen. Os byddwch dan straen, dargyfeirir gwaed o'r croen i'r cyhyrau tynn a bydd y croen yn oeri. Wrth i chi ymlacio, drwy ddefnyddio delweddaeth, bydd y darlleniad yn newid, gan roi adborth ac atgyfnerthu'r ymlacio.

- **Ymateb croen galfanig** – ffordd o fesur dargludedd trydanol y croen, sy'n cynyddu pan fydd y croen yn llaith. Pan fydd y cyhyrau'n dynn, bydd y corff yn chwysu i gael gwared â'r gwres a gynhyrchir a bydd hynny'n cynyddu dargludedd y croen. Gellir defnyddio dyfais syml â batri i'w fesur – nodir ar unwaith pa mor llwyddiannus y bu'r ymlacio

- **Electromyograffeg (EMG)** – rhoddir electrodau ar y croen dros gyhyrau penodol, fel y gellir monitro a ydy'r cyhyrau'n tynhau neu'n llaesu. Mae hyn yn ddefnyddiol iawn os cewch broblem â thyndra mewn grŵp penodol o gyhyrau wrth berfformio.

Gall technegau ymlacio fod yn hynod werthfawr i leihau straen cyn gweithgaredd pwysig, ond fe gymer ychydig amser i ddysgu eu gwneud nhw'n effeithiol. Yr anfantais yw na fyddwch am gael gwared â thyndra cyhyrol i gyd cyn eich gêm/gweithgaredd er y byddwch am gael gwared â straen. Eich amcan, felly, yw paratoi'r corff i gael gwared â thensiwn diangen fel y gallwch gyfeirio'ch meddwl a'ch sylw yn effeithiol at y dasg sydd ar y gweill.

Paratoi yn feddyliol ar gyfer perfformiad

Mae **rheolaeth wybyddol ar straen** yn golygu rheoli emosiynau a phrosesau meddwl cyn, yn ystod ac ar ôl cystadleuaeth neu berfformiad, ac mae cysylltiad agos rhyngddi a'r prosesau cyflawni a phriodoli a drafodwyd yn Adran 12.5. Mae'n ymwneud â dileu teimladau negyddol ynglŷn â ni ein hunain a'r sefyllfa dan sylw, a datblygu hyder. Defnyddir amryw ddulliau gan hyfforddwyr a pherfformwyr. Ni ellir manylu arnynt yma, ond mae llawer o lyfrau diweddar ym maes seicoleg chwaraeon yn ymdrin â hyn yn fanwl.

Mae **hunanhyder** yn agwedd bwysig ar ein personoliaeth o ddydd i ddydd. Megis gydag unrhyw agwedd arall ar gymeriad, o'i gymryd i eithafion gall gythruddo pobl eraill; ond nid oes amheuaeth y byddwch yn fwy tebygol o lwyddo i gyrraedd eich nod os credwch ynoch chi eich hun a'ch gallu nag fel arall. Trafodir dulliau datblygu hunanhyder yn Adran 12.5.

Mae **ymarfer meddyliol**, a elwir weithiau yn ddelweddaeth feddyliol, yn cael ei gydnabod fwyfwy fel sgìl pwysig ac mae llawer o fabolgampwyr o'r safon uchaf yn ei ddefnyddio ar ryw ffurf neu'i gilydd. Cymer ychydig amser i ddysgu sut i'w wneud yn effeithiol, fodd bynnag. Yn ei hanfod, golyga ddychmygu'r perfformiad ar lefel ymwybodol, naill ai drwy ailredeg profiad blaenorol, megis mewn 'ailddangosiad' ar y teledu, neu drwy ragwylio llwyddiant y gobeithir amdano. Mae Sharp (1992) yn egluro'r cysyniad yn fanylach.

Mae tystiolaeth yn dangos y gall ymarfer meddyliol helpu mabolgampwr i ganolbwyntio cyn gweithgaredd, gall ddatblygu hunanhyder, gall ei helpu i ganolbwyntio ar gryfderau a gwendidau, a hefyd ei helpu i ddysgu a gwella sgiliau. Ond mae Nideffer (1992) yn rhybuddio 'na fydd unrhyw faint o ymarfer meddyliol yn eich helpu i berfformio'n well os nad oes gennych y sgìl technegol. Ni all dim gymryd lle ymarferion corfforol'.

Awgryma ymchwil nad yw ymarfer meddyliol mor effeithiol er mwyn caffael sgiliau ag ymarfer corfforol a strwythurwyd yn dda ond, er hynny, gall gael effaith gadarnhaol ar ddysgu.

Mae **gosod nodau** yn agwedd bwysig ar baratoad mabolgampwr ar gyfer cystadleuaeth neu berfformiad. Os ydy'r perfformiwr a'r athro/hyfforddwr yn gwybod beth yw'r nod, bydd llwyddiant yn fwy tebygol o ddilyn, a hynny oherwydd y canlynol:

- bydd y dysgu wedi'i ganolbwyntio;
- bydd yr ansicrwydd wedi'i leihau;
- bydd yr hyder wedi'i gynyddu;
- bydd yr ymarfer wedi'i gynllunio a'i strwythuro;
- bydd y gwerthuso a'r adborth yn benodol.

Os strwythurir y nodau fel y cân nhw eu cyflawni'n hawdd ar y cychwyn, gan fynd yn fwyfwy anodd wedyn, mae'n fwy tebygol y ceir y llwyddiant cynnar sy'n angenrheidiol i feithrin hyder.

Dylid nodi'r nodau a chynllunio'r ymarfer, yn gyntaf oll, drwy bennu nod tymor hir, rhywbeth y gellir gweithio tuag ato dros y 9-12 mis nesaf. Gallech, er enghraifft, anelu at gael lle mewn tîm Olympaidd neu sgôr arbennig mewn cystadleuaeth. Yna dylid ei dorri i lawr yn nodau rhyngol *(intermediate)* a nodau tymor byr a fydd yn arwain at y nod tymor hir. Er enghraifft, efallai mai nod tymor hir sglefriwr yw bod yn bencampwr iau cenedlaethol ymhen 12 mis. Efallai mai un o'r nodau rhyngol fydd dysgu'r act a fydd yn dwyn sylw'r barnwyr a chael sgôr uchel, felly y nod tymor byr fydd ymarfer rhannau penodol o'r act hon.

Dylai'r nodau:

- fod wedi'u datgan yn gadarnhaol;
- fod yn benodol i'r sefyllfa a'r perfformiwr;
- fod wedi'u rhannu'n gyfnodau;
- fod â her ynddynt;
- fod yn gyflawnadwy;
- fod yn fesuradwy;
- fod wedi'u trafod rhwng y mabolgampwr a'r hyfforddwr;
- fod yn gynyddol, o'r tymor byr i'r tymor hir;
- fod yn gyfeiriedig at berfformiad yn hytrach nag at ganlyniad.

Mae'r pwynt olaf yn bwysig ac yn gysylltiedig â'n trafodaeth ar atgyfnerthu perfformiad da yn hytrach na chanolbwyntio ar ennill (Adran 12.5).

Hefyd dylai nodau:

- gael eu hysgrifennu;
- gael eu hadolygu yn rheolaidd – a'u haddasu ar i lawr os bydd angen, e.e. yn achos anaf.

Gosodir nodau fwyfwy nid yn unig fel modd i sicrhau y cyflawnir targedau ymarfer, ond hefyd fel bo mabolgampwyr yn teimlo'n barod am y gweithgaredd arbennig ac felly yn hyderus ynglŷn ag ef. Mae toreth o ddeunydd darllen ar optimeiddio perfformiad a rheoli straen mewn chwaraeon; mae deunydd y Sefydliad Hyfforddi Cenedlaethol *(National Coaching Foundation)* yn fan cychwyn defnyddiol a diddorol, yn arbennig o safbwynt gosod nodau.

Mae bod yn berfformiwr da yn golygu ymarfer y meddwl yn ogystal â'r corff, fel bo'r ddau'n cydweithio'n dda. Mae deall a helpu mabolgampwyr i gyflawni hyn yn gyfraniadau pwysig gan seicoleg chwaraeon at ymdrech gorfforol.

> **Gweithgaredd**
> **12.7: Gosod nodau**
> Dewiswch gamp neu weithgaredd corfforol y byddwch yn ei wneud yn rheolaidd. Yn unigol, cynlluniwch gyfres o nodau tymor byr, rhyngol a thymor hir, yn ôl cynllun amser penodol ac o dan y penawdau canlynol:
> - sgìl unigol;
> - ffitrwydd;
> - sgìl seicolegol.
>
> Gwnewch yn siŵr fod y nodau hyn yn cwrdd â'r meini prawf a nodwyd yn y llyfr. Ceisiwch eu gweithredu a gwerthuso eich datblygiad.
> 1. Pa anawsterau a gawsoch (a) wrth osod y nodau a (b) wrth weithredu'r nodau?
> 2. Sut y gallech oresgyn yr anawsterau hyn yn y dyfodol?

Crynodeb

1. Mae pryder yn ymateb emosiynol sy'n achosi ymatebion ffisiolegol sy'n debyg i ofn, ond yn llai penodol na hynny. Mae dau fath wedi'u nodi – pryder cyflwr a phryder nodwedd. Dangoswyd bod cydberthyniad rhwng pryder nodwedd cystadleuol a phryder cyflwr mewn sefyllfaoedd cystadleuol, fel y mesurwyd gan holiaduron personol.

2. Defnyddir y term straen am ymateb amhenodol y corff i'r gofynion a wneir arno gan ddirboenwyr. Mae sawl math o ddirboenwyr ond y tri mwyaf cymwys i fabolgampwyr yw corfforol, hinsoddol a seicolegol. Mae syndrom addasu cyffredinol Selye (1976) yn amlinellu tri cham yn ymateb y corff i ddirboenwyr. Gall symptomau straen fod yn ymddygiadol, yn seicolegol neu'n ffisiolegol ac fe'u defnyddir i fonitro straen mewn mabolgampwyr drwy ddefnyddio

holiaduron personol, technegau arsylwi a mesurau ffisiolegol.

3. Wrth reoli straen, mae hyfforddwyr a mabolgampwyr yn defnyddio dau fath o dechneg – rheolaeth somatig a gwybyddol. Mae technegau somatig yn delio ag effeithiau ffisiolegol straen. Y ddwy enghraifft a roddwyd yw ymlacio hunangyfeiriedig a bioadborth.

4. Mae technegau rheolaeth wybyddol ar straen yn delio ag emosiynau a phrosesau meddwl cyn, yn ystod ac ar ôl cystadleuaeth neu berfformiad. Defnyddir datblygu hunanhyder, ymarfer meddyliol a gosod nodau fel enghraifft o hyn. Yn aml cychwynnir datblygu'r sgiliau hyn gan yr hyfforddwr, ond pwysleisir mai'r amcan tymor hir yw i'r mabolgampwyr eu hunain ddeall a dysgu egwyddorion rheoli straen a pharatoi ar gyfer chwaraeon a'u defnyddio i reoli eu perfformiadau.

Cwestiynau Adolygu

1. Diffiniwch 'straen'. Beth yw'r berthynas rhwng straen, cymhelliant a phryder?

2. Beth yw'r gwahaniaeth rhwng pryder 'cyflwr' a phryder 'nodwedd', a pham mae'n bwysig i hyfforddwyr a mabolgampwyr

adnabod y gwahaniaeth?

3. Rhestrwch y technegau y gellir eu defnyddio i reoli straen mewn chwaraeon.

4. Lluniwch fodel i ddangos sut y strwythurir nodau tymor byr, rhyngol a thymor hir.

Cwestiynau Arholiad

1. 'Gall mabolgampwr brofi straen pan ganfyddir bod anghydbwysedd rhwng gofynion perfformiad cystadlu a gallu'r perfformiwr i gwrdd â'r gofynion hynny'n llwyddiannus' (Martens, 1977).

i. Beth yw arwyddocâd y gair canfyddir. Rhowch ddau o symptomau seicolegol straen. (3 marc)

ii. Yn aml mae lefelau uchel o sbarduno wedi'u cysylltu â straen. Lluniwch graff sy'n dangos y berthynas rhwng perfformio sgìl cymhleth a lefelau sbarduno isel, canolig ac uchel. Dangoswch sut y gallai'r berthynas hon newid ar gyfer perfformio sgìl syml drwy ychwanegu ail gromlin at eich graff a'i labelu. (3 marc)

iii. Amlinellwch ddau ddull o fesur straen mewn mabolgampwr. (2 farc)

iv. Pa strategaethau y gallai'r hyfforddwr eu defnyddio i helpu aelod o'r tîm i ymdopi â lefelau uchel o straen? (3 marc)

2. a. i. Diffiniwch y termau 'pryder nodwedd' a 'pryder cyflwr'.

ii. Eglurwch oblygiadau pryder nodwedd uchel a phryder cyflwr uchel ar gyfer perfformiad mewn sefyllfa gystadleuol mewn chwaraeon. (5 marc)

b. Disgrifiwch yn gryno Brawf Pryder Cystadleuaeth Chwaraeon (SCAT) Martens a Rhestr Pryder Cyflwr Nodwedd (STAI) Spielberger. (5 marc)

c. Mae gymnastwr yn y garfan genedlaethol, a fu'n perfformio'n dda iawn, yn datblygu lefel uchel o bryder cyflwr wrth gystadlu.

i. Lluniwch graff i ddangos y math o ganlyniadau y byddech yn eu disgwyl a rhaglen addas ar gyfer defnyddio STAI Spielberger gyda'r gymnastwr hwn dros gyfnod o fis cyn cystadleuaeth. (3 marc)

ii. Pa ddulliau y gallai'r hyfforddwr eu defnyddio i helpu'r gymnastwr ostwng lefelau uchel o bryder cyflwr? (4 marc)

3. a. Diffiniwch y termau pryder cyflwr a phryder cystadleuaeth chwaraeon. (4 marc)

b. Mae Ffigur 12.46 yn dangos y lefelau o bryder cyflwr a adroddwyd gan ddau ymgodymwr bob hyn a hyn cyn cystadleuaeth. Mae'r naill ymgodymwr yn uchel a'r llall yn isel o ran pryder cystadleuaeth chwaraeon. Lluniwch y graff ac estynnwch y ddwy gromlin drwy awgrymu dau bwynt arall i ddangos lefelau pryder cyflwr y ddau ymgodymwr yn union ar ôl dechrau cystadleuaeth yn erbyn:

i. gwrthwynebydd caletach,

ii. gwrthwynebydd gwanach. (3 marc)

c. Rhowch resymau i egluro'ch estyniadau i'r ddwy gromlin. (7 marc)

ch. Pa ddulliau y gallai hyfforddwr eu defnyddio i geisio sicrhau bod y naill ymgodymwr a'r llall yn barod yn feddyliol i gystadlu ar ei lefel optimaidd. (6 marc)

4. Trafodwch y syniad bod y 'sgwrs codi calon' *(pep talk)* gan yr hyfforddwr yn ystod yr egwyl hanner amser yn dylanwadu'n sylweddol ar berfformiad aelodau'r tîm. Ategwch eich ateb drwy gyfeirio at ddamcaniaethau perthnasol a defnyddio enghreifftiau addas ym myd chwaraeon. (20 marc)

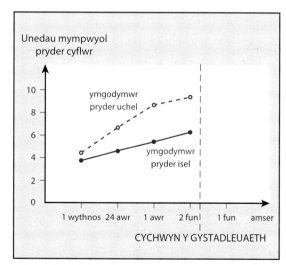

Ffigur 12.46 *(Gould, Horn a Spreeman, 1983)*

Deunydd Darllen

Deunydd Cyfeirio

Allport G.W. 'Attitudes'. Yn: Murchison (gol.) *Handbook of Social Psychology*, tud. 798-844, Clark University Press, 1935.

Alvarez, A. *Feeding the Rat*, Bloomsbury, 1988.

Atkinson J.W. 'The mainsprings of achievement – oriented activity.' Yn: Atkinson J.W., Raynor J.O. (gol.) *Motivation and Achievement*, Halstead, 1974.

Bandura A. *Aggression: A Social Learning Analysis*, Prentice Hall, 1973.

Bandura A. 'Self efficacy: toward a unifying theory of behavioural change.' *Psychological Review*, 1977; 84: 191-215.

Baron R.A. *Human Aggression*, Plenum Press, 1977.

Benson H. *The Relaxation Response*, William Morrow, 1976.

Berkowitz L. *Roots of Aggression*, Atherton Press, 1969.

Bredemeier B.J. 'Moral reasoning and the perceived legitimacy of intentionally injurious sport acts.' *Journal of Social Psychology*, 1985; 7: 110-124.

Bull S.J. *Sport Psychology: A Self-Help Guide*, Crowood, 1991.

Bunker L.K. a McGuire R.T. 'Give sport psychology to sport.' Yn: Bunker L.K ac eraill. *Sport Psychology*, Mouvement Publications, 1985.

Butt D.S. *Psychology of Sport*, Van Nostrand Reinhold, 1987.

Carron A.V. *Social Psychology of Sport: An Experimental Approach*, Mouvement Publications, 1981.

Cox R. *Sports Psychology: Concepts and Applications*, Brown & Benchmark, 1994.

Deaux K. a Lewis L.L. ' The structure of gender stereotypes: inter-relationships among components and gender label.' *Journal of Personality and Social Psychology*, 1984; 46: 991-1004.

Deci E. 'Effects of externally mediated rewards on intrinsic motivation.' *Journal of Personality and Social Psychology*, 1971; 18: 105-115.

Dollard J. ac eraill. *Frustration and Aggression*, UP, 1939.

Dweck C. 'Learned helplessness in sport.' Yn: Nedeau C. ac eraill (gol.) *Psychology of Motor Behaviour and Sport*, Human Kinetics, 1980.

Eysenck H.J. *The Biological Basis of Behaviour*, Thomas, 1969.

Festinger L.A. *A Theory of Cognitive Dissonance*, Harper & Row, 1957.

Fox K. 'The child's perspective in physical education: Part 5, the self-esteem complex.' *British Journal of Physical Education*, 1988; 19(6): 247-252.

Gill D.L. *Psychological Dynamics of Sport*, Human Kinetics, 1986.

Girdano D.A., Everly G.S., Dusek D.E. *Controlling Stress and Tension: An Holistic Approach* trydydd argraffiad, Prentice Hall, 1990.

Hanin Y.L. 'A study of anxiety in sports.' Yn: Straub W.F. (gol.) *Sport Psychology: An Analysis of Athlete Behaviour*, tud. 236-249, Mouvement Publications, 1980.

Harris D.V. a Harris B.L. *The Athlete's Guide to Sports Psychology*, Leisure Press, 1984.

Harris P. *Designing and Reporting Experiments*, OUP, 1986.

Hird J.S. ac eraill. 'Physical practice is superior to mental practice in enhancing cognitive and motor task performance.' *Journal of Sport and Exercise Psychology*, 1991; 8: 281-293.

Hovland C.I. ac eraill. *Communication and Persuasion*, Yale University Press, 1953.

Kenyon G.S. 'Six scales for assessing attitudes towards physical education.' *Research Quarterly*, 1968; 33: 239-244

Lepper M., Greene D., Nisbett R. 'Undermining children's intrinsic interest with extrinsic rewards.' *Journal of Personality and Social Psychology*, 1973; 28: 129-137.

Lewin K. *A Dynamic Theory of Personality*, McGraw-Hill, 1935.

Lorenz K. *On Aggression*, Harcourt Brace and World, 1966.

McNair D.M., Lorr M., Droppleman L.F. *EDITS Manual for POMS*, Educational and Industrial Testing Service, 1971.

Martens R. *Sport Competition Anxiety Test*, Human Kinetics, 1977.

Martens R. *Coaches Guide to Sport Psychology*, Human Kinetics, 1989.

Martens R., Vealey R.S. a Burton D. *Competitive Anxiety in Sport*, Human Kinetics, 1990.

Morgan W.P. 'The trait psychology controversy.' *Research Quarterly for Exercise and Sport*, 1980; 51: 50-76.

National Coaching Foundation. *Mind Over Matter: Introductory Study Pack No. 5*, NCF, 1990.

National Coaching Foundation. *Mental Skills: An Introduction for Sports Coaches*, NCF, 1996.

Nideffer R.M. 'Test of attentional and interpersonal style.' *Journal of Personality and Social Psychology*, 1976; 34: 394-404.

Nideffer R.M. *Psyched to Win*, Human Kinetics, 1992.

Pargman D. *Stress and Motor Performance: Understanding and Coping*, Mouvement Publications, 1986.

Roberts G.C. 'Effect of achievement motivation and social environment on performance of a motor task.' *Journal of Motor Behaviour*, 1974; 4: 37-46.

Roberts G.C., Spink K.S., Pemberton C.L. *Learning Experiences in Sport Psychology*, Human Kinetics, 1986.

Scanlan T.K. a Passer M.W. 'Sources of competitive stress in young female athletes.' *Journal of Sport Psychology*, 1979; 1: 151-159.

Selye H. *The Stress of Life* (argraffiad diwygiedig), McGraw-Hill, 1976.

Sharp B. *Acquiring Skill in Sport*, Sports Dynamics, 1992.

Sheldon W.H. a Stevens S.S. *The Varieties of Temperament: A Psychology of Constitutional Differences*, Harper & Row, 1942.

Smoll F.L. a Schutz R.W. 'Children's attitudes toward physical activity: a longitudinal analysis.' *Journal of Sport Psychology*, 1980; 2: 137-147.

Sonstroem R.J. 'Physical estimation and attraction scales: rationale and research.' *Medicine and Science in Sports*, 1978; 10: 97-102.

Sonstroem R.J. 'Exercise and self esteem.' Yn: Terjung R.L. (gol.) *Exercise and Sport Science Reviews*, tud. 123-155, Collare, 1984.

Sonstroem R.J. a Bernardo P.B. 'Individual pre-game state anxiety and basketball performance: a re-examination of the inverted U curve.' *Journal of Sport Psychology*, 1982; 4: 235-245.

Deunydd Darllen

Spielberger C.D., Gorsuch R.L., Lushene R.F. *Manual for the State-Trait Anxiety Inventory,* Consulting Psychologists Press, 1970.

Triandis H.C. *Attitude and Attitudes Change,* Wiley, 1971.

Van Schoyck S.R. a Grasha A.F. 'Attentional style variations and athletic ability: the advantages of a sport-specific test.' *Journal of Sport Psychology,* 1981; 3: 149-165.

Weinberg W.S. a Gould D. *Foundations of Sport and Exercise Psychology,* Human Kinetics, 1995.

Weiner B. *Achievement Motivation and Attribution Theory,* General Learning Press, 1974.

Weiner B. 'A theory of motivation for some classroom experiences.' *Journal of Educational Psychology,* 1979; 71: 3-25.

Weiner B. *An Attribution Theory of Motivation and Emotion,* Springer-Verlag, 1986.

Willis J.D. a Campbell L.F. *Exercise Psychology,* Human Kinetics, 1992.

Deunydd Darllen Ychwanegol

Backley S. *The Winning Mind,* Aurum Press, 1996.

Biddle S. *Psychology of PE and Sport – A Practical Teachers Guide,* FIT Systems, 1994.

Biddle S. *European Perspectives on Exercise and Sport Psychology,* Human Kinetics, 1995.

Bull S.J. *Sport Psychology: A Self-Help Guide,* Crowood, 1991.

Cox R. *Sports Psychology: Concepts and Applications,* Brown & Benchmark, 1994.

Gill D.L. *Psychological Dynamics of Sport,* Human Kinetics, 1986.

Hackfort D. a Spielberger C.D. *Anxiety in Sports: An International Perspective,* 1990.

Hardy L. a Fazey J. *Mental Training Package,* NCF, 1990.

Harris D.V. a Harris B.L. *The Athlete's Guide to Sports Psychology,* Leisure Press, 1984.

Jones G. a Hardy L. (gol.) *Stress and Performance in Sport,* Wiley, 1990.

Kremer J. a Scully D. *Psychology in Sport,* Taylor Francis, 1994.

Martens R. *Coaches Guide to Sport Psychology,* Human Kinetics, 1989.

National Coaching Foundation. *Mind Over Matter: Introductory Study Pack No. 5,* NCF, 1990.

National Coaching Foundation. *Mental Skills: An Introduction for Sports Coaches,* NCF, 1996.

Nideffer R.M. *Psyched to Win,* Human Kinetics, 1992.

Roberts G.C., Spink K.S., Pemberton C.L. *Learning Experiences in Sport Psychology,* Human Kinetics, 1986.

Roberts G.C. *Motivation in Sport and Exercise,* Human Kinetics, 1992.

Silva J.M. a Weinberg R.S. *Psychological Foundations of Sport,* Human Kinetics, 1984.

Weinberg W.S. a Gould D. *Foundations of Sport and Exercise Psychology,* Human Kinetics, 1995.

Willis J.D. a Campbell L.F. *Exercise Psychology,* Human Kinetics, 1992.

Pennod 13

Seicoleg Chwaraeon: Dylanwadau Cymdeithasol ar Berfformiad

Ar ôl gorffen y bennod hon dylech fedru:
- dangos sut y gellir cymdeithasoli pobl ifanc drwy ac i mewn i chwaraeon a gweithgareddau corfforol;
- diffinio rôl eraill o bwys yn y cymdeithasoli hwn;
- defnyddio damcaniaeth dysgu cymdeithasol i ddisgrifio dysgu arsylwadol;
- trafod y ffactorau sy'n arwain at dîm neu grŵp cydlynol mewn chwaraeon;
- trafod ffactorau cymelliannol o fewn grwpiau, gan gynnwys diogi cymdeithasol ac effaith Ringelmann;
- disgrifio strategaethau hyfforddi a fydd yn

sicrhau'r ymdrech fwyaf gan aelodau grŵp neu dîm;
- dadansoddi effeithiau cynulleidfa a chydactwyr ar berfformiad yn achos gwahanol lefelau sgìl, personoliaethau a mathau o dasg (hwylusedd cymdeithasol);
- disgrifio sut y gallai hyfforddwr reoli effeithiau hwylusedd cymdeithasol;
- deall natur arweinyddiaeth a chydlyniad yng nghyd-destun grŵp;
- dadansoddi nodweddion arweinwyr da mewn nifer o sefyllfaoedd gwahanol.

 Geiriau allweddol a chysyniadau

arddull democrataidd	cydlyniad	ffactorau sefyllfa
arddull person-ganolog	cydlyniad cymdeithasol	hwylusedd cymdeithasol
arddull tasg-ganolog	cydlyniad tasg	nodweddion aelodau
arddull unbenaethol	cynulleidfa	ofn gwerthusiad
arweinydd allddodol	diogi cymdeithasol	prosesau grŵp
arweinydd penodedig	effaith Ringelmann	rhyngweithio
arweinyddiaeth	eraill goddefol	sosiogram
cydactwyr	eraill rhyngweithiol	sosiometreg

13.1 Dysgu Cymdeithasol

Honnir yn aml fod i addysg gorfforol a chwaraeon amrywiaeth o effeithiau cymdeithasol cadarnhaol: adeiladu cymeriad, hybu gweithio fel tîm a chyd-dynnu, datblygu'r syniad o degwch, dysgu cadw rheolau a rhoi cyfle i ryddhau egni a theimladau ymosodol mewn ffyrdd sy'n gymdeithasol dderbyniol. Nid oes llawer o dystiolaeth ymchwil i gefnogi hyn, ond mae synnwyr cyffredin a phrofiad yn awgrymu bod chwaraeon a gweithgareddau corfforol yn cael **effaith gymdeithasoli** (*socializing effect*). Hynny yw, cawn ein cymdeithasoli i dderbyn rhai o safonau a gwerthoedd ein cymdeithas **drwy** gymryd rhan.

Bu chwaraeon yn isddiwylliant pwysig iawn yng nghymdeithas y Gorllewin ers y 19eg ganrif; mae'n ehangu'n isddiwylliant byd-eang, fel y tystia'r Gêmau Olympaidd modern. Effaith gymdeithasoli arall i bobl ifanc sy'n dechrau ymwneud â chwaraeon yw cymdeithasoli **i mewn** i ddiwylliant chwaraeon, h.y. dysgu sut i fod yn fabolgampwr. Fel y mae mewn unrhyw ddiwylliant, mae gan chwaraeon reolau a gwerthoedd sy'n rhaid eu dysgu a'u mewnoli. Mae rhai o'r rheolau a'r gwerthoedd yn ffurfiol, yn ysgrifenedig ac yn gyhoeddus, megis rheolau chwarae gêm benodol neu reolau aelodau clwb a welir ar yr hysbysfwrdd. Mae'n debygol y caiff aelodau eu cosbi os na fyddan nhw'n ufuddhau iddynt. Mae yna eraill sydd wedi'u derbyn ond sy'n anysgrifenedig, megis curo dwylo wrth i'r gwrthwynebwyr fynd i'r ystafell newid yn rygbi'r undeb. Gall diystyru'r rheolau hyn gael ei ystyried yn anghwrtais, ond fel rheol ni chaiff ei gosbi.

Hefyd mae yna safonau a rheolau sy'n sicr heb eu hysgrifennu ac sy'n aml heb eu mynegi ond sydd eto'n gysylltiedig â bod yn aelod o dîm neu glwb arbennig: gwisgo dillad chwarae y tîm mewn ffordd arbennig; amau penderfyniadau'r dyfarnwr bob tro; chwarae 'yn galed ond yn deg'. Gall rhai o'r safonau a'r gwerthoedd hyn fod yn gymdeithasol dderbyniol, bydd eraill yn llai felly. Rhaid i newydd-ddyfodiad i'r grŵp nodi'r nodweddion hyn a phenderfynu (i) i'w derbyn a dod yn aelod cyflawn o'r grŵp, (ii) gwrthod rhai ond parhau i fod yn aelod neu (iii) ymadael â'r grŵp. Mae'r penderfynu hyn yn ymddangos fel pe bai'n broses ymwybodol, ond nid felly y mae o reidrwydd.

Sut mae'r prosesau cymdeithasoli yn gweithio? Mae nifer o ddamcaniaethau sy'n egluro cymdeithasoli. Yr un a ddefnyddir yn aml yn y llyfr hwn yw **damcaniaeth dysgu cymdeithasol** Bandura (1977). Fe'i defnyddiwyd gennym i egluro dysgu sgiliau ar sail arddangosiadau, datblygiad personoliaeth, ymddygiad ymosodol a datblygiad hunaneffeithiolrwydd.

Mae gan ddamcaniaeth dysgu cymdeithasol dair proses gydrannol:

- modelu – dysgu arsylwadol: mae mabolgampwyr yn dysgu ymddygiad (da a gwael) drwy wylio eraill;
- atgyfnerthu – caiff yr ymddygiad hwn ei atgyfnerthu neu ei gosbi;
- cymharu cymdeithasol – ymddwyn yn yr un ffordd â chyfoedion *(peer group)*.

Cymerwn fel enghraifft sefyllfa lle rydych wedi baglu gwrthwynebydd yn ddamweiniol; fe welsoch eich capten, person yr ydych yn ei barchu, yn cynnig llaw i wrthwynebydd i'w helpu i'w draed mewn amgylchiadau tebyg ac fe wnewch chi'r un fath (modelu). Mae'r gwrthwynebydd yn dweud 'Diolch' ac nid yw'n ceisio talu'r pwyth yn ôl yn ystod gweddill y gêm. Wrth i chi redeg heibio'ch capten i fynd i'ch safle ar gyfer yr ergyd rydd, neu'r gic rydd, mae yntau'n eich canmol (atgyfnerthu).

Y broses allweddol mewn dysgu cymdeithasol yw gwylio pobl eraill (modelau) ac efelychu eu hymddygiad. Mae Bandura'n defnyddio'r term 'modelu' am y broses hon o ddysgu arsylwadol (defnyddir y term 'profiad dirprwyol' mewn rhai llyfrau). Mae dysgu arsylwadol yn arf dysgu grymus iawn ac mae llawer o ddysgu cynnar yn dibynnu arno. Mae plant ifanc yn dysgu'n gyflym iawn drwy wylio oedolion. Dangosir diagram o'r broses yn Ffigur 13.1 ar y dudalen nesaf. Gellir defnyddio'r model hwn i ddadansoddi dysgu sgiliau, fel ym Mhennod 11, neu ddysgu ymddygiad cymdeithasol.

Mewn dysgu cymdeithasol mae rôl a statws y model yn bwysig iawn. Er mwyn i'r dysgu fod yn effeithiol, rhaid i'r model fod yn 'arall o bwys', h.y. unigolyn sydd o bwys i'r dysgwr neu sy'n chwarae rôl y dymuna'r dysgwr ei chwarae. Mae gwahanol bobl yn 'eraill o bwys' i fabolgampwyr ifanc wrth iddyn nhw aeddfedu. I ddechrau, rhieni a brodyr a chwiorydd sy'n darparu'r model. Mae plant yn fwy tebygol o gael eu denu at chwaraeon os ydy aelodau o'u teulu yn cymryd rhan ynddynt. Yna daw athrawon yn bwysig yn eu bywydau; dyma pam mae mor bwysig bod athrawon ysgol gynradd yn gadarnhaol ynglŷn ag addysg gorfforol. Wrth i blant wylio chwaraeon ar y teledu, maen nhw'n cael 'arwyr' a ddaw'n fodelau grymus iawn; mae plant yn efelychu ymddygiad eu harwyr (y da a'r drwg), yn ogystal ag ymarfer eu sgiliau a gwisgo'r un dillad chwarae â nhw. Wedi i'r bobl ifanc symud i'r ysgol uwchradd, daw athrawon addysg gorfforol yn fodelau. Bydd y rhain yn parhau yn ddylanwad pwysig, ond fel rheol fe'u disodlir ym meddwl yr unigolyn ifanc dawnus a fydd yn ymuno â chlwb gan yr hyfforddwr a fydd yn aml yn parhau yn fodel, yn fentor ac yn ffrind i'r unigolyn hwnnw drwy gydol yr adeg y bydd yn ymhel â chwaraeon.

(AD) Cwestiynau Adolygu

1. Diffiniwch ddamcaniaeth dysgu cymdeithasol (Bandura, 1977).

2. Lluniwch fodel Bandura ynglŷn â dysgu arsylwadol.

3. Disgrifiwch sut mae damcaniaeth dysgu arsylwadol yn egluro sut y caiff pobl ifanc eu cymdeithasoli i mewn i glwb chwaraeon.

4. Dangoswch sut y defnyddir damcaniaeth dysgu arsylwadol i gaffael sgiliau.

5. Pam mae'n bwysig i fabolgampwyr a/neu chwaraewyr proffesiynol osod esiampl dda wrth ymddwyn mewn chwaraeon?

Cwestiynau Arholiad

1. Defnyddir arddangosiadau gryn dipyn mewn addysg gorfforol ac yn ôl Bandura (1977) dysgwn lawer o'n hymddygiadau drwy wylio pobl eraill.

a. i. Eglurwch fodel dysgu arsylwadol Bandura (Ffigur 13.1) a'i gymhwyso i addysgu sgìl gweithgaredd unigol penodol. (6 marc)

ii. Rhowch enghraifft o fideo benodol y gallech ei gwylio i geisio eich cymell eich hun mewn gêm arbennig. A fyddech yn defnyddio'r un fideo bob tro i feithrin hyder wrth ddatblygu sgiliau? Eglurwch eich penderfyniad. (5 marc)

b. Yn ôl damcaniaeth dysgu cymdeithasol Bandura, mae hunaneffeithiolrwydd yn ffactor pwysig mewn datblygu a newid ymddygiadau. Eglurwch yng nghyswllt chwaraeon y termau:

i. damcaniaeth dysgu cymdeithasol, (4 marc)

ii. hunaneffeithiolrwydd. (2 farc)

c. Rydych yn hyfforddi athletwr yn y naid uchel ac mae yntau newydd gwympo oddi ar y man glanio. Nid yw wedi'i anafu'n gorfforol ond mae'n amlwg ei fod wedi dioddef ergyd seicolegol. Eglurwch sut y byddech yn helpu'r athletwr drwy ddefnyddio'r pedwar cam yn namcaniaeth hunaneffeithiolrwydd Bandura. Anwybyddwch y cyngor technegol y byddech efallai yn ei roi ynglŷn ag addasu'r atrediad. (8 marc)

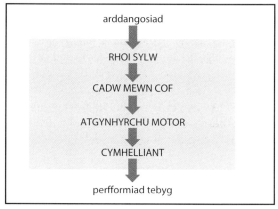

Ffigur 13.1 Model dysgu arsylwadol Bandura

13.2 Grwpiau a Thimau

Mae'r rhan fwyaf o chwaraeon a gweithgareddau yn digwydd mewn cyd-destun cymdeithasol. Yn sicr, mae yna bobl sy'n cael boddhad o ymarfer a chystadlu ar eu pen eu hunain, gan ddibynnu ar eu hadnoddau seicolegol a chorfforol eu hunain, ond denir y mwyafrif gan y cyfle i ymuno â phobl sy'n rhannu'r un brwdfrydedd â nhw. Mae profiad personol ac ymchwil yn dangos ein bod yn tueddu i adweithio'n wahanol mewn grŵp i'r hyn a wnawn ar ein pen ein hun. Felly, mae ymchwilio i'r gwahaniaethau hyn ac ystyried eu goblygiadau ar gyfer timau a charfanau yn bwysig.

Mae'r ddau ddiffiniad yn y Pwyntiau Allweddol yn amlygu pwysigrwydd rhyngweithio (gwirioneddol neu bosibl). Mae Shaw'n ystyried dylanwad yn gydran bwysig; mae'n well gan McGrath ymwybyddiaeth.

Pwyntiau Allweddol

Beth yw grŵp?

- Shaw (1976): 'dau berson neu ragor sy'n rhyngweithio â'i gilydd yn y fath fodd fel bo'r naill berson a'r llall yn dylanwadu ar ei gilydd.'
- McGrath (1984): 'cyfuniadau cymdeithasol lle bo pawb yn ymwybodol o'i gilydd a lle bo rhyngweithio'n bosibl rhyngddynt.'

Gweithgaredd
Trafodaeth grŵp

O dderbyn y diffiniadau hyn, fyddech chi'n ystyried torf mewn gêm bêl-droed neu gasgliad o bobl mewn sesiwn nofio cyhoeddus yn grŵp?

Dewiswch enghreifftiau eraill o grwpiau a chasgliadau o bobl nad ydynt yn grwpiau yng nghyswllt chwaraeon a gweithgareddau. Peidiwch â phoeni os cewch drafferth i benderfynu – nid yw'r ffin rhwng grŵp a chasgliad o bobl nad ydynt yn grŵp yn eglur.

Ymddiddora seicolegwyr chwaraeon a hyfforddwyr yn y modd y bydd pobl yn rhyngweithio â'i gilydd mewn grwpiau chwaraeon a sut y gellir sicrhau y bydd y rhyngweithio'n gynhyrchiol. Defnyddiodd Gill

(1986) fodel Steiner o gynhyrchiant *(productivity)* grŵp i awgrymu'r canlynol:

$$\frac{\text{llwyddiant}}{\text{tîm}} = \frac{\text{potensial ar}}{\text{gyfer llwyddo}} - \frac{\text{problemau}}{\text{cyd-drefniant a}}\ \text{chymhelliant}$$

neu

$$\frac{\text{cynhyrchiant}}{\text{gwirioneddol}} = \frac{\text{cynhyrchiant}}{\text{posibl}} - \frac{\text{colledion}}{\text{oherwydd prosesau}}\ \text{diffygiol}$$

Eglurir yr hafaliadau hyn isod.

- **Potensial ar gyfer llwyddiant** – yn gyffredinol, yr unigolion mwyaf medrus sy'n ffurfio'r tîm gorau. Cyfrifodd Jones (1974) y cydberthyniad rhwng llwyddiant unigol aelodau tîm a llwyddiant y tîm cyfan a chael cydberthyniad positif uchel bob tro. Cafwyd y cydberthyniad isaf (0.6) mewn pêl-fasged, lle mae llawer iawn o ryngweithio.

- Mae cael llawer o ryngweithio yn creu **problemau cyd-drefniant** (Ffigur 13.2) – os bydd un chwaraewr yn hunanol neu'n ymosodol, neu os na fydd yr amddiffyn yn gweithio gyda'i gilydd, bydd perffformiad y tîm cyfan yn dioddef.

- **Problemau cymhelliant** – mae'n ymddangos bod pobl yn gweithio'n llai caled mewn grŵp nag ar eu pen eu hunain. Er enghraifft, yng Ngêmau Olympaidd 1972 roedd amser y cwch dwyrodl *(double sculls)* buddugol 4% yn gyflymach nag amser y cwch un-rhodl buddugol, ac roedd amser yr wythau 6% yn unig yn gyflymach nag amser y pedwarau. Mae yna eglurhad technegol o ran maint a phwysau'r cychod, ond mae'n debyg bod yr effaith yn gyffredinol – Effaith Ringelmann (Gill, 1986) neu 'ddiogi cymdeithasol' (Ffigur 13.3).

Diogi cymdeithasol *(Social loafing)*

Ystyr **diogi cymdeithasol** (Latane, 1979) yw'r duedd i unigolion leihau eu hymdrech pan fyddan nhw'n rhan o grŵp. Awgryma Williams ac eraill (1981) y caiff hyn ei ddileu os bydd chwaraewyr yn credu y caiff eu cyfraniad nhw o fewn y tîm sylw. Bydd hyfforddwyr felly yn datblygu strategaethau i gydnabod perffformiad unigol mewn gêm – mae defnyddio ystadegau chwaraewyr mewn pêl-droed Americanaidd yn enghraifft.

Ffigur 13.2 Gall cyd-drefniant a chydweithrediad fod yn broblem

Rhyngweithio

Mewn rhai timau mae angen llawer o ryngweithio rhwng chwaraewyr; awgrymwyd eisoes fod pêl-fasged yn gêm sy'n gofyn am lawer o gydweithredu. Mewn timau eraill nid yw rhyngweithio o'r fath mor bwysig.

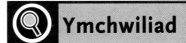

Ymchwiliad

13.1: Rhyngweithio mewn timau chwaraeon

Dull: Gwnewch restr o'r chwaraeon sy'n rhan o'r Gêmau Olympaidd. Lluniwch gontinwwm, wedi'i seilio ar i ba raddau y mae angen i aelodau o dîm arbennig ym mhob camp ryngweithio â'i gilydd yn ystod cystadleuaeth.
Canlyniadau: Efallai, er enghraifft, fod gennych bêl-foli yn agos at y naill ben (fel camp sydd â llawer o ryngweithio) a saethyddiaeth yn agos at y llall.
Trafodaeth: Cymharwch eich rhestr â rhestrau aelodau eraill eich grŵp a thrafodwch unrhyw wahaniaethau.

Cydlyniad *(Cohesion)*

Mewn campau lle mae angen llawer o gydweithredu bydd hyfforddwyr yn cymryd i ystyriaeth sgiliau rhyngweithiol chwaraewyr ac efallai yn dewis chwaraewr sydd ychydig yn llai medrus ond sy'n 'cydweddu' yn well na chwaraewr arall sy'n fwy medrus ond yn hunanol. Ni wnaed ymchwil helaeth i sgiliau rhyngweithiol mewn chwaraeon. Awgryma Cratty a Hanin (1980) fod chwaraewyr yn hoffi/parchu ei gilydd fwy pan fydd y tîm yn gwneud yn dda. Gall cystadlu brwd am le yn y tîm arwain at wrthdaro a hyd yn oed elyniaeth rhwng chwaraewyr. Gall cyfeillgarwch o fewn tîm fod yn fodd i gryfhau'r cyd-dynnu a'r cydlynu. Ystyr **cydlyniad** yw'r graddau y bydd aelodau grŵp yn dangos awydd i gyflawni nodau cyffredin a hunaniaeth grŵp. Ond gall grwpiau cyfeillgarwch gael effeithiau negyddol; mae peth ymchwil (Klein a Christiansen, 1969) yn dangos bod

Ffigur 13.3 'Diogi cymdeithasol'

patrymau pasio mewn gêmau pêl yn adlewyrchu grwpiau cyfeillgarwch, ond awgrymwyd nad yw hyn yn digwydd ar y lefel uchaf nac mewn chwaraeon proffesiynol.

Gellir mesur patrymau cyfeillgarwch mewn tîm drwy'r dechneg **sosiometreg** *(sociometry)*. Golyga hyn yn ei hanfod ofyn i aelodau grŵp cnwi, yn gyfrinachol, ddau neu dri aelod arall y bydden nhw'n eu dewis yn y sefyllfa dan sylw. Gallai'r sefyllfa fod yn ddewis cyfeillgarwch neu'n dasg; mae amryw ffyrdd y gellir defnyddio'r dechneg. Yna gellir dangos y dewisiadau ar ddiagram (**sosiogram**).

Mae ymchwilwyr wedi astudio'r berthynas rhwng llwyddiant a chydlyniad, ond mae'r canlyniadau'n amwys. Mae rhai astudiaethau'n dangos bod lefel uchel o gydlyniad grŵp yn arwain at well perfformiadau; awgryma eraill fod perfformiad da yn arwain at gynnydd mewn cydlyniad. Mae'n

ymddangos bod problem 'achos ac effaith' yma. Gellir datrys hyn os ystyriwn fod dwy agwedd ar gydlyniad, h.y. elfennau 'cymdeithasol' a 'thasg'. Mae cydlyniad cymdeithasol yn cyfeirio at atyniad rhyngbersonol o fewn y grŵp; pennir cydlyniad tasg gan ba mor dda y mae'r grŵp yn gweithio gyda'i gilydd i gyflawni eu nodau.

Yn ôl ymchwil mae gan dimau sy'n uchel eu cydlyniad tasg (h.y. sy'n barod i weithio gyda'i gilydd, p'un ai eu bod ar delerau da yn bersonol ai peidio) y potensial i fod yn llwyddiannus. Mae timau sydd â chydlyniad cymdeithasol uchel ond cydlyniad tasg isel yn llai tebygol o fod yn llwyddiannus. Mae'r berthynas rhwng perfformiad a chydlyniad yn dibynnu hefyd ar y math o dimau. Yn achos timau rhyngweithio (e.e. hoci, pêl-fasged) mae angen llawer o gydlyniad i lwyddo, ond yn achos timau cydactio (e.e. sgïo, jwdo) mae cydlyniad yn llai pwysig ar ôl dewis y tîm.

 Ymchwiliad

13.2: Dehongli sosiogram
Dull: Edrychwch ar y sosiogram yn Ffigur 13.4. Mae'r saethau'n cynrychioli dewisiadau, e.e. mae 'N' wedi enwi 'H' fel ffrind.
1. Nodwch yr unigolion a'r is-grwpiau canlynol:
a. 'Seren' – rhywun a ddewisir gan lawer.
b. Unigyn *(isolate)* – rhywun na chaiff ei ddewis gan neb arall.
c. Pâr cilyddol – dau berson sy'n dewis ei gilydd.
2. Pa effaith y gallai patrymau cyfeillgarwch fel hyn ei chael ar y ffordd y bydd chwaraewyr yn rhyngweithio fel tîm?

3. Beth yw eich barn chi am gydlyniad y grŵp hwn?

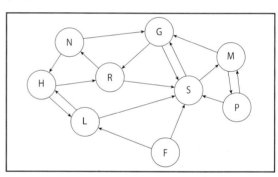

Ffigur 13.4 Sosiogram cyfeillgarwch o fewn tîm chwaraeon: cydlyniad cymdeithasol

---

 Ymchwiliad

13.3: Ymchwilio i'r berthynas rhwng cydlyniad cymdeithasol, cydlyniad tasg a llwyddiant tîm
Dulliau: Gwnewch un o'r canlynol:
- Defnyddiwch un o'r profiadau dysgu a ddisgrifir yn Carron (1981) neu Roberts ac eraill (1986).
- Trefnwch dwrnamaint yn eich dosbarth neu goleg mewn camp tîm-bach (e.e. pêl-fasged, pêl-foli) fel y gellir rhestru'r timau yn eu trefn ar y diwedd. Wrth ddewis y

timau dylech osgoi grwpiau cyfeillgarwch o fewn tîm gymaint ag y bo modd. Gofynnwch i aelodau'r timau uchaf ac isaf ar y rhestr i lenwi'r holiadur syml canlynol i asesu cydlyniad tasg **(Cw1)** a chydlyniad cymdeithasol **(Cw2)**.
- **Cw1**. A chwaraeodd aelodau eich tîm chi yn dda gyda'i gilydd?

9	8	7	6	5	4	3	2	1
i raddau helaeth iawn								dim o gwbl

Ymchwiliad

13.3 parhad

- **Cw2**. Ydy aelodau eich tîm chi yn hoffi ei gilydd?

9	8	7	6	5	4	3	2	1
yn fawr iawn								dim o gwbl

Canlyniadau: Cyfrifwch y sgôr gymedrig am y naill gwestiwn a'r llall ar gyfer y naill dîm a'r llall. Ar sail eich canlyniadau, lluniwch siart bar fel yr un yn Ffigur 13.5.

Trafodaeth: Beth mae eich canlyniadau'n ei ddangos ynglŷn â'r berthynas rhwng cydlyniad tasg, cydlyniad cymdeithasol a llwyddiant tîm?

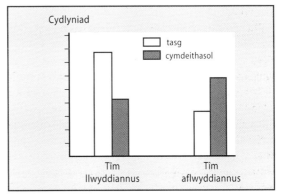

Ffigur 13.5 Cydlyniad tasg, cydlyniad cymdeithasol a llwyddiant tîm

Mae'r mwyafrif o hyfforddwyr yn derbyn y bydd aelodau tîm yn rhyngweithio'n fwy effeithiol mewn sefyllfaoedd sy'n gyfeiriedig at dasg os byddan nhw'n hoffi, neu o leiaf yn parchu, ei gilydd. Nid yn unig mewn chwaraeon y mae hyn yn wir. Ystyriwch y goblygiadau ar gyfer tîm dringo neu gwmni dawns pe bai cystadleuaeth ormodol yn datblygu rhwng ei aelodau.

 Cwestiynau Adolygu

1. Diffiniwch 'grŵp'.
2. Pa ffactorau sy'n gwneud tîm neu grŵp dawns yn 'gydlynol'?
3. Beth yw ystyr yr hafaliad:
cynhyrchiant gwirioneddol tîm = cynhyrchiant posibl – prosesau diffygiol?

4. **a.** Beth yw ystyr (i) 'effaith Ringelmann' a (ii) 'diogi cymdeithasol' yng nghyswllt chwaraeon?
b. Sut y gellir goresgyn yr effeithiau hyn?
5. Rhestrwch o leiaf bum ffordd y gallai hyfforddwr fynd ati i ddatblygu 'ysbryd cyd-dynnu'.

 Cwestiynau Arholiad

1. **a.** Ar bapur mae eich tîm yn edrych yn dda gyda sawl chwaraewr arbennig, ond rydych yn colli mwy o gêmau na'u hennill. Yn aml defnyddiwyd y fformwla isod i nodi problemau ynglŷn â pherfformiad tîm:
cynhyrchiant gwirioneddol tîm = cynhyrchiant posibl – prosesau diffygiol
i. Eglurwch 'cynhyrchiant posibl'. (1 marc)
ii. Efallai bod yna broblemau cymelliannol sy'n cyfrannu at y prosesau diffygiol. Beth yw ystyr effaith Ringelmann? (2 farc)
iii. Nodwyd diogi cymdeithasol fel un broblem gymelliannol. Gan ddefnyddio eich tîm fel enghraifft, eglurwch y cysyniad diogi cymdeithasol. Pa strategaethau y gallai eich hyfforddwr eu defnyddio i rwystro diogi cymdeithasol? (6 marc)

b. i. Pa ddwy brif nodwedd bersonol sydd, yn eich barn chi, yn bwysig mewn capten tîm? (2 farc)
ii. O gofio damcaniaeth priodoli, pa resymau y byddech efallai yn hybu aelodau eich tîm i'w rhoi dros golli gêm? (3 marc)
2. **a.** Eglurwch 'cydlyniad grŵp'. (4 marc)
b. Nodwch yn gryno ddau ddull o fesur pa mor gydlynol y mae tîm arbennig. (2 farc)
c. 'Gwell dau ben nag un'; 'Gwell un pen na chant'. Trafodwch y ddau osodiad hyn sy'n ymddangos yn groes i'w gilydd mewn perthynas â grwpiau mewn chwaraeon, gan gyfeirio'n arbennig at faint grŵp a chydlyniad. (8 marc)
ch. Ydy grwpiau cydlynol mewn chwaraeon yn fwy llwyddiannus bob amser? Eglurwch eich ateb. (6 marc)

13.3 Hwylusedd Cymdeithasol

Mae'r mwyafrif ohonom yn cydnabod effaith presenoldeb gwylwyr ar y ffordd y byddwn yn chwarae neu'n perfformio. Gelwir hyn yn **hwylusedd cymdeithasol** *(social facilitation)*. Gall gwylwyr ein gwneud yn nerfus, ond yn aml bydd eu presenoldeb yn golygu y byddwn yn ymdrechu ychydig yn galetach. Yn hyn o beth dyma'r gwrthwyneb i 'ddiogi cymdeithasol'. Mae ymchwilio i'r effeithiau hyn yn arbrofol wedi bod o ddiddordeb i seicolegwyr chwaraeon ers amser maith, ond fe geir anhawster i neilltuo'r gwahanol newidynnau sy'n gweithredu. Bu ymchwil cynnar, a gyferbynnai berfformiad gyda chynulleidfa â pherfformiad heb gynulleidfa, yn amhendant nes i Zajonc (1965) wneud y termau a ddefnyddiwyd yn fwy eglur. Yn gyntaf diffiniodd wahanol fathau o gynulleidfaoedd (Ffigur 13.6).

Noder bod y gynulleidfa a'r cydactwyr yn y model hwn yn gwbl oddefol *(passive)*, h.y. nad ydynt yn cyfathrebu â'r perfformiwr mewn unrhyw ffordd. Mae cystadleuwyr a chefnogwyr yn rhyngweithio â'r perfformiwr mewn amryw ffyrdd. Mae cydactwyr yn rhan o'r un gweithgaredd ar yr un pryd â'r perfformiwr, ond nid ydynt yn cystadlu'n uniongyrchol.

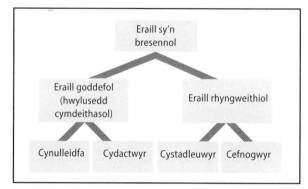

Ffigur 13.6 Gwahanol fathau o gynulleidfaoedd *(Addaswyd o Zajonc, 1965)*

 Ymchwiliad

13.4: Dehongli Ffigur 13.6
Dull: Astudiwch Ffigur 13.6 – rhowch enghreifftiau ym myd chwaraeon ar gyfer pob un o'r pedwar categori, sef cynulleidfa, cydactwyr, cystadleuwyr a chefnogwyr. Cofiwch nad yw 'cynulleidfa' na 'chydactwyr' yn rhyngweithio nac yn cyfathrebu â'r perfformiwr mewn unrhyw ffordd. Efallai y bydd yn rhaid i chi ddewis adegau penodol mewn gêm neu weithgaredd i ddangos y categorïau hyn. *Trafodaeth:* Cymharwch a thrafodwch eich syniadau gydag eraill yn y grŵp.

 Ymchwiliad

13.5: Effaith presenoldeb cynulleidfa neu gydactwyr ar berfformiad
Dull: Cwrcwd wal (Ffigur 9.12) yw'r dasg. Rhannwch y bobl dan sylw yn dri grŵp. Amserwch y bobl i gyd ar eu gallu i ddal cwrcwd wal dan dri amod gwahanol: (i) ar eu pen eu hunain; (ii) yng ngŵydd cydactwyr; (iii) yng ngŵydd cynulleidfa. Amserwch yn y drefn ganlynol:
Grŵp A: cynulleidfa, ar eu pen eu hunain, cydactwyr.
Grŵp B: cydactwyr, cynulleidfa, ar eu pen eu hunain.
Grŵp C: ar eu pen eu hunain, cynulleidfa, cydactwyr.
Ar ôl cael canlyniadau'r tri grŵp ar gyfer y tri amod, ymdriniwch â'r tri grŵp fel un.

Canlyniadau: Cyfrifwch y sgôr gymedrig ar gyfer y tri amod a phlotiwch y rhain ar siart bar, fel yn Ffigur 13.7.

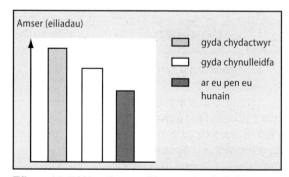

Ffigur 13.7 Y berthynas ddamcaniaethol rhwng sgorau mewn tasg ddygnwch dan dri amod arbrofol gwahanol

Ymchwiliad

Ar sail gwaith tebyg i Ymchwiliadau 13.4 ac 13.5, awgrymoddd Zajonc (1965) fod cynulleidfa'n effeithio ar berfformiwr yn wahaniaethol, yn ôl y rhan o'r gromlin ddysgu y mae'r perfformiwr ynddi (Ffigur 13.8).

Mae arbrofion yn dangos bod dysgwyr yn perfformio'n well ar eu pen eu hunain na chyda chynulleidfa, ond bod perffformwyr profiadol yn gwneud yn well gyda chynulleidfa. Eglura Zajonc hyn yn nhermau'r cynnydd mewn sbarduno seicolegol a achosir gan y gynulleidfa (Ffigur 13.9). O ran y perfformiwr amhrofiadol, sy'n dal yng nghyfnod cysylltiadol dysgu, mae'r cynnydd hwn yn ymyrryd â'i allu i gynhyrchu'r sgìl, ond i'r arbenigwr mae'r lefel uwch o sbarduno yn gymelliannol, fel y trafodwyd mewn adran flaenorol.

Felly, yn ôl Zajonc mae presenoldeb eraill yn unig yn sbarduno, sydd wedyn yn effeithio ar berfformiad. Mae Cottrell (1968) yn amau'r model hwn ac yn awgrymu nad 'y presenoldeb yn unig' sy'n sbarduno, ond y ffaith y gellir ystyried bod y gynulleidfa'n gwerthuso'r perfformiad, sydd felly yn creu yr hyn y mae Cottrell yn ei alw'n **ofn gwerthusiad** *(evaluation apprehension)*.

Mae llawer o waith i'w wneud eto yn y maes hwn gan seicolegwyr chwaraeon. Nid ydym yn deall yn llawn effeithiau cynulleidfa, yn enwedig agweddau fel 'y fantais o chwarae gartref', sy'n amlwg iawn mewn pêl-droed broffesiynol.

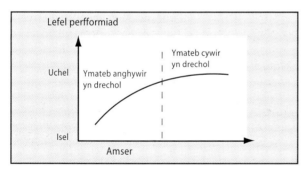

Ffigur 13.8 Cromlin dysgu i ddangos datblygiad ymateb trechol cywir

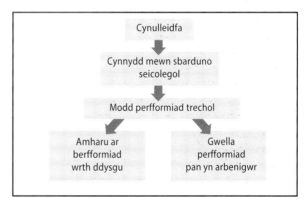

Ffigur 13.9 Y berthynas rhwng cynulleidfa, lefel sbarduno a pherfformiad

 Cwestiynau Adolygu

1. a. Diffiniwch y term 'hwylusedd cymdeithasol'.
b. Pa grwpiau gwahanol o 'eraill' mewn chwaraeon neu ddawns y mae'r ddamcaniaeth yn eu diffinio?
2. Lluniwch ddiagram o ddamcaniaeth cymhelliad Zajonc ynglŷn ag effeithiau cynulleidfa. Beth yw goblygiadau'r model ar gyfer cystadleuaeth mewn chwaraeon?
3. Eglurwch ddamcaniaeth ofn gwerthusiad Cottrell.
4. Sut y dylai hyfforddwr a/neu berfformiwr baratoi ar gyfer effeithiau cynulleidfa mewn cystadleuaeth neu berfformiad?

Cwestiynau Arholiad

1. Rydych yn hyfforddwr clwb gweithgaredd unigol a'ch busnes chi yw cael perfformiad o'r safon uchaf, cynyddu'r cyfranogiad yn eich camp a deall eich rôl fel hyfforddwr. Mae un o'ch mabolgampwragedd yn perfformio'n dda wrth ymarfer, ond mewn cystadlaethau, lle ceir torf sylweddol, mae hi'n tangyflawni.

a. Pa derm sy'n disgrifio effaith gwylwyr ar berfformiad? Beth yw prif effaith cynulleidfa ar berfformiwr medrus? (2 farc)

b. Eglurwch y gwahanol effeithiau y gall presenoldeb gwylwyr eu cael ar berfformiad. (4 marc)

c. Pa strategaethau y gallech eu defnyddio i helpu mabolgampwraig mewn sefyllfaoedd lle mae gwylwyr yn bresennol? (3 marc)

2. a. Eglurwch hwylusedd cymdeithasol. (4 marc)

b. Mae rhai pobl yn perfformio'n dda mewn chwaraeon o flaen cynulleidfa, ond mae eraill yn perfformio'n wael, gan 'fynd yn racs' dan bwysau. Defnyddiwch ddamcaniaeth hwylusedd cymdeithasol i egluro hyn. (8 marc)

c. Disgrifiwch oblygiadau ymarferol damcaniaeth hwylusedd cymdeithasol ar gyfer hyfforddi:

i. yng nghyfnod cynnar dysgu, (4 marc)

ii. yng nghyfnodau olaf dysgu. (4 marc)

13.4 Arweinyddiaeth

Yn aml bydd datblygu cydlyniad tîm yn dibynnu ar **arweinyddiaeth** yr hyfforddwr neu'r capten. Mae'r rhan fwyaf o ddiffiniadau'n ystyried arweinyddiaeth fel y broses lle mae unigolyn arbennig yn gyfrwng i gyflawni disgwyliadau grŵp neu dîm, ac yn datblygu amgylchedd lle caiff y grŵp ei gymell, ei wobrwyo a'i helpu i gyflawni ei nodau. Ni ddylid drysu rhwng hyn a rheolaeth, sy'n ymdrin â threfnu arferol – mae arweinyddiaeth yn ymwneud â gweledigaeth.

Awgrymodd ymchwil cynnar i arweinyddiaeth, mewn chwaraeon ac yn gyffredinol, fod unigolion yn cael eu geni'n arweinwyr, h.y. mae nodweddion arbennig i'w personoliaeth sy'n eu gwneud yn addas i fod yn arweinwyr. Mae'r ddamcaniaeth hon wedi cael ei disodli i raddau helaeth gan y syniad nad oes set arbennig o nodweddion personoliaeth sy'n nodweddu arweinydd, ond y gallai rhai cyfuniadau o nodweddion fod yn ddefnyddiol mewn sefyllfaoedd arbennig. Fersiwn mwy modern o'r ddamcaniaeth hon yw bod arweinwyr da yn cydweddu eu hymddygiad a'u hagwedd â'r sefyllfa. Er enghraifft, bydd hyfforddwr tîm da yn trin chwaraewyr fel unigolion, gan fod yn llym a chaled gyda rhai chwaraewyr ac annog eraill, ond yn cadw agwedd deg a chefnogol tuag at bawb. Gellir dysgu'r ymddygiadau hyn, felly mae gan bawb y potensial i fod yn arweinydd effeithiol.

Tueddu arweinwyr i ddod ymlaen mewn un o ddwy ffordd: daw arweinwyr **allddodol** (*emergent*) o'r grŵp ei hun, naill ai'n anffurfiol oherwydd eu sgiliau a'u galluoedd neu'n ffurfiol drwy gael eu henwebu a/neu eu dewis; caiff arweinwyr **penodedig** (*prescribed*) eu penodi gan y corff trefnu.

Nodweddion arweinwyr

Mae'n anodd nodi'n bendant nodweddion arweinyddiaeth effeithiol, ond mae'n cael ei gydnabod yn gyffredinol fod tri phrif ffactor sy'n rhyngweithio i effeithio ar allu unigolyn i arwain, fel y dangosir yn Ffigur 13.10. Yn ôl damcaniaeth Chelladurai (1984), po fwyaf y bydd ymddygiad gwirioneddol yr arweinydd yn cyd-fynd â disgwyliadau a dewisiadau **aelodau'r** grŵp a gofynion penodol y **sefyllfa**, mwyaf i gyd fydd boddhad, mwynhad a pherfformiad y grŵp.

Ond mae pob grŵp a phob cyd-destun gweithgaredd yn wahanol, felly mae'n anodd iawn diffinio beth yw'r ymddygiadau hyn. Mae canlyniadau ymchwil a'n profiad ein hunain o arwain a chael ein harwain yn ein helpu i wneud y ffactorau hyn yn gliriach.

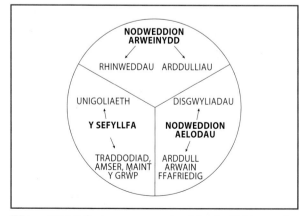

Ffigur 13.10 Cydrannau arweinyddiaeth (*Addaswyd o Chelladurai, 1984*)

Ymchwiliad

Arddull arwain

Crynhowyd nodweddion arweinyddiaeth gan Fiedler (1967) fel continwwm rhwng dau arddull, sef **arweinyddiaeth dasg-ganolog** *(task-centred)* ac **arweinyddiaeth berson-ganolog** (neu berthynas-ganolog) (Ffigur 13.11). Mae'n bosibl i arweinydd ddefnyddio'r naill neu'r llall neu gyfuniad o'r ddau, a bydd hyfforddwr neu gapten da yn defnyddio cyfuniad. Awgryma Fiedler fod arweinyddiaeth effeithiol yn dibynnu hefyd ar y sefyllfa.

Ffactorau sefyllfa

Cysylltodd Fiedler arddull arwain â'r hyn a alwodd ef yn 'ffafrioldeb sefyllfa'. Os ydy pethau'n mynd yn dda i'r hyfforddwr a'r tîm neu, fel arall, os ydy'r sefyllfa'n anffafriol (e.e. cyfleusterau gwael, fawr ddim o gefnogaeth), bydd angen i arweinydd fod yn dasg-ganolog iawn. Os ydy'r sefyllfa'n weddol ffafriol, arddull person-ganolog sy'n debygol o weithio orau.

Mae amrywiaeth o ffactorau sefyllfa y mae angen i arweinydd fod yn ymwybodol ohonynt wrth ddewis arddull addas. Yn ôl ymchwil, mae chwaraewyr mewn chwaraeon tîm yn disgwyl capten neu hyfforddwr sy'n rhoi cyfarwyddyd ac sy'n defnyddio'i awdurdod i drefnu a strwythuro'r grŵp er mwyn cwblhau'r dasg neu gyflawni uchelgeisiau'r grŵp, e.e. dyrchafiad i gynghrair uwch. Mae unigolion, e.e. sglefrwyr ac athletwyr, yn ffafrio arweinydd mwy person-ganolog. Mae'n debyg bod hyn yn gysylltiedig â maint y grŵp – po fwyaf o aelodau sydd i dîm, lleiaf hawdd yw i ystyried anghenion a dewisiadau unigol pob person. Os oes raid penderfynu'n gyflym defnyddir arddull unbenaethol fel rheol. Darganfyddiad arall yw bod grwpiau'n tueddu i fod yn draddodiadol – ar ôl dod yn gyfarwydd ag arddull arbennig maen nhw'n casáu newid.

Nodweddion aelodau

Tueddwn i feddwl am arweinwyr yn dylanwadu ar ymddygiad y grŵp, ond wrth gwrs mae'n gweithio i'r cyfeiriad arall hefyd. Pe bai capten tîm yn synhwyro bod y tîm yn elyniaethus, byddai'n tueddu i ddatblygu arddull mwy unbenaethol nag a wnâi pe bai'r tîm yn gydweithredol. Mae tîm neu grŵp sy'n gweithio tuag at nod penodol, cystadleuaeth, taith neu berfformiad pwysig, yn disgwyl i'r arweinydd eu helpu i lwyddo ac mae ganddyn nhw syniadau ynglŷn â sut y dylid gwneud hyn – yn enwedig os yw aelodau'r tîm/grŵp yn brofiadol. Gall problemau godi os na fydd strategaethau'r arweinydd ar gyfer ymarfer a pharatoi yn cyd-fynd â disgwyliadau'r aelodau. Bydd arweinwyr da yn sensitif i ddisgwyliadau, gwybodaeth a phrofiad aelodau'r grŵp.

Mae Ffigur 13.12 yn dangos model rhyngweithiol Chelladurai ynglŷn ag arweinyddiaeth yn fwy penodol. Dyma ei 'fodel amlddimensiynol o arweinyddiaeth'. Mae'n dangos mai **perfformiad** a **boddhad** y mabolgampwr yw canlyniadau gofynnol y broses hyfforddi ac mae'r graddau y ceir y rhain yn dibynnu ar y ffordd y bydd tair agwedd ar ymddygiad arweinydd yn rhyngweithio. Mae 'ymddygiad arwain penodedig' yn cyfeirio at y disgwyliadau sydd gan reolwyr y tîm ynglŷn â'r hyfforddwr neu'r capten. Mae 'ymddygiad arwain gwirioneddol' yn cyfeirio at y ffordd y bydd yr hyfforddwr/y capten yn mynd ati i

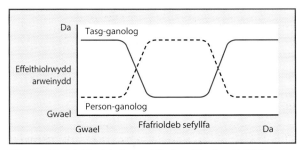

Ffigur 13.11 Model digwyddiadau Fiedler (1967)

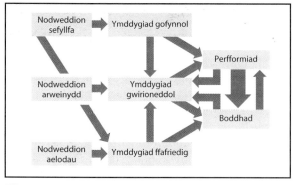

Ffigur 13.12 Model amlddimensiynol o arweinyddiaeth

wneud ei waith fel rheol, h.y. rhyngweithiad â'r tîm, arddull hyfforddi, etc. Ystyr 'ymddygiad arwain ffafriedig' yw'r ffordd y dymuna mabolgampwyr i'w hyfforddwr/capten ymagweddu atyn nhw. Fe geir y sefyllfa ddelfrydol pan fydd y tri ymddygiad yn gytûn, h.y. pan fydd yr hyfforddwr/y capten yn gweithredu mewn ffyrdd y mae'r rheolwyr a'r tîm yn eu hoffi. Os bydd yr hyfforddwr yn ymddwyn mewn ffordd nad yw'r rheolwyr na'r mabolgampwyr yn ei gymeradwyo, mae'n annhebyg y bydd yn para'n hir; bydd arweinydd uchelgeisiol yn gwneud yn siŵr bod naill ai'r rheolwyr neu'r mabolgampwyr (ac o ddewis y ddau) yn fodlon â sut mae'n delio â'r tîm. Mae

rheolwyr pêl-droed broffesiynol yn enghreifftiau diddorol o hyn.

Datblygodd Chelladurai ei fodel amlddimensiynol i ganolbwyntio ar ymddygiad arwain ffafriedig a nododd bum prif fath o ffocws hyfforddiant:
- ymarfer a chyfarwyddyd,
- arddull democrataidd,
- arddull unbenaethol,
- cymorth cymdeithasol,
- gwobrwyon.

Mae mabolgampwyr yn ffafrio hyfforddiant sydd â'i ffocws yn gryf ar agweddau technegol a thactegol (ymarfer a chyfarwyddyd) a lle mae'r hyfforddwr yn rhoi digon o adborth a gwobrwyon. Y lleiaf ffafriedig yw arddull unbenaethol gan hyfforddwr sy'n dibynnu ar awdurdod yn unig heb ddangos ymwybyddiaeth o anghenion a dewisiadau mabolgampwyr.

Cofiwch, fodd bynnag, y bydd gan grwpiau gwahanol ddewisiadau gwahanol. Yr hyn sy'n well gan bobl ifanc a'r hyn sydd ei angen arnynt yw hyfforddwr sy'n rhoi digon o gymorth cymdeithasol; mae gwrywod yn fwy parod na benywod i oddef hyfforddwr awdurdodol ei natur. Nid yw hyn yn awgrymu bod ffocysau eraill yn anaddas; mae'n fater o bwyslais.

Cwestiynau Adolygu

1. Rhestrwch o leiaf dair rôl arweinyddiaeth ym myd chwaraeon – ym mhob achos nodwch a yw'n 'allddodol' neu'n 'benodedig'.
2. A gaiff arweinwyr eu 'geni' neu eu 'gwneud'?

3. Gwahaniaethwch rhwng arddull arwain 'sy'n gyfeiriedig at dasg' ac un 'sy'n gyfeiriedig at berson'.
4. Pryd y dylai hyfforddwr ddefnyddio arddull sy'n gyfeiriedig (a) at dasg a (b) at berson?

Cwestiynau Arholiad

1. **a. i.** Beth yw'r prif wahaniaethau rhwng dewis arweinydd penodedig ac arweinydd allddodol? (2 farc)
ii. Beth yw prif nodweddion arddulliau arwain unbenaethol a democrataidd? (4 marc)
iii. Pa ffactorau fyddai'n dylanwadu ar eich dewis o arddull arwain arbennig mewn perthynas â'r canlynol: y math o weithgaredd; lefel y sgìl; personoliaeth y perfformiwr; a maint y grŵp? (6 marc)
b. Dangosir model amlddimensiynol o arweinyddiaeth yn Ffigur 13.12. Eglurwch bob rhan o'r model drwy ddefnyddio enghreifftiau ym myd chwaraeon. (8 marc)
c. Dywedir yn aml fod yn rhaid i unigolion

gael eu geni yn arweinwyr da. I ba raddau y byddwch yn cytuno neu'n anghytuno yng ngoleuni damcaniaethau seicolegol? (5 marc)
ch. Fel hyfforddwyr effeithiol, fe'ch ystyrir yn arweinydd gan y perfformwyr.
i. Beth yw arweinydd yn y cyd-destun hwn? (1 marc)
ii. Enwch y ddau fath o arweinydd a nodwyd gan Fiedler. Disgrifiwch y sefyllfaoedd amgylcheddol lle mae'r naill a'r llall fwyaf effeithiol. (5 marc)
iii. Eglurwch un ffactor pwysig, ar wahân i nodweddion arweinydd a sefyllfaoedd amgylcheddol, sy'n rhaid ei ystyried wrth asesu effeithiolrwydd arweinyddiaeth. (2 farc)

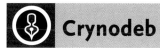 **Crynodeb**

1. Mae'r rhan fwyaf o chwaraeon a gweithgareddau'n digwydd mewn cyd-destun cymdeithasol, mewn grwpiau. Caiff pobl ifanc eu cymdeithasoli i mewn i'r grwpiau hyn drwy'r broses dysgu cymdeithasol. Felly mae gan chwaraeon ddylanwad cymdeithasoli a hefyd mae gofyn bod mabolgampwyr yn cydymffurfio â safonau a gwerthoedd chwaraeon. Mae dysgu cymdeithasol yn digwydd drwy arsylwi, modelu ac atgyfnerthu.

2. Diffinnir grŵp fel dau berson neu fwy sy'n rhyngweithio â'i gilydd. Yn gyffredinol, yr unigolion mwyaf medrus sy'n ffurfio'r timau gorau mewn chwaraeon, ond mae cyd-drefniant a chymhelliant yn ffactorau rheoli. Mewn chwaraeon lle mae'r angen am gydweithredu rhwng aelodau tîm yn uchel, gallai hyfforddwyr gymryd i ystyriaeth sgiliau rhyngweithiol chwaraewyr a cheisio datblygu cydlyniad cymdeithasol, gan ei bod yn ymddangos y bydd aelodau tîm yn rhyngweithio'n fwy effeithiol yn ystod y gêm os byddan nhw'n hoffi a/neu yn parchu ei gilydd.

3. Mae grwpiau mewn chwaraeon yn arddangos llawer o nodweddion grwpiau cymdeithasol eraill, ond yn achos tîm mae cydlynoldeb yn arbennig o bwysig. Gellir cael problemau o ran cael y cynhyrchiant macsimwm gan dîm oherwydd ffactorau rhyngweithiol a chymelliannol. Mae angen i strategaethau hyfforddi ac addysgu gymryd y rhain i ystyriaeth.

4. Gall amrywiaeth o ffactorau effeithio ar berfformiad. Un ohonyn nhw yw presenoldeb eraill, boed fel cynulleidfa neu gyfranogwyr. Gelwir hyn yn hwylusedd cymdeithasol. Mae effeithiau ar berfformiad, negyddol a chadarnhaol, yn gysylltiedig â lefelau sbarduno ac achosir naill ai gan ddim mwy na phresenoldeb eraill neu gan ofni eu gwerthusiad.

5. Mae arweinyddiaeth yn gysyniad pwysig, yn enwedig mewn chwaraeon, lle mae gan hyfforddwyr, rheolwyr a chapteniaid rolau arbennig i'w chwarae. Er nad oes diffiniad o arweinyddiaeth dda a dderbynnir yn gyffredinol, nodwyd rhai o nodweddion arweinyddiaeth effeithiol, ond rhaid ystyried y rhain yng nghyd-destun y sefyllfa a gofynion y grŵp. Mae'n ymddangos mai hanfod arweinyddiaeth dda yw hyblygrwydd.

 Deunydd Darllen

Deunydd Cyfeirio
Bandura A. *Social Learning Theory,* Prentice Hall, 1977.

Carron A.V. *Social Psychology of Sport: An Experimental Approach,* Mouvement Publications, 1981.

Carron A.V. a Ball J. 'An analysis of the cause-effect characteristics of cohesiveness and participation motivation in inter-collegiate hockey.' *International Review of Sport Sociology,* 1977; 2: 49-60.

Chelladurai P. 'Leadership in sports.' Yn: Silva J.M. a Weinberg R.S. (gol.) *Psychological Foundations of Sport,* Human Kinetics, 1984.

Cottrell N.B. 'Performance in the presence of other human beings: mere presence, audience and affiliation effects.' Yn: Simmell E.C. ac eraill (gol.) *Social Facilitation and Imitative Behaviour,* Allyn & Bacon, 1968.

Cratty B.J. a Hanin Y.L. *The Athlete in the Sports Team,* Love Publications, 1980.

Fiedler F.E. *A Theory of Leadership Effectiveness,* McGraw-Hill, 1967.

Gill D.L. 'Individual and group performance in sport.' Yn: Silva J.M. a Weinberg R.S. (gol.) *Psychological Foundations of Sport,* Human Kinetics, 1984.

Jones M.B. 'Regressing group on individual effectiveness.' *Organisational Behaviour and Human Performance,* 1974; 11: 426-451.

Klein M. a Christiansen G. 'Group composition, group structure and group effectiveness of a basketball team.' Yn: Loy J.W. a Kenyon G.S. (gol.) *Sport, Culture and Society,* Macmillan, 1969.

Latane B. ac eraill. 'Many hands make light work.' *Journal of Personality,* 1979.

McGrath J.E. *Groups: Interaction and Performance,* Prentice Hall, 1984.

Roberts G.C. ac eraill. *Learning Experiences in Sport Psychology,* Human Kinetics, 1986.

Shaw M.E. *Group Dynamics,* McGraw-Hill, 1976.

Williams K. ac eraill. 'Identifiability and social loafing: two cheering experiments.' *Journal of Personality and Social Psychology,* 1981; 40: 303-311.

Zajonc R.B. 'Social facilitation.' *Science,* 1965; 149: 269-274.

Deunydd Darllen Ychwanegol
Backley S. T*he Winning Mind,* Aurum Press, 1996.

Butler R.J. *Sports Psychology in Action,* Butterworth & Heinemann, 1996.

Cox R.H. *Sport Psychology: Concepts and Applications,* Brown & Benchmark, 1994.

Gill D.L. *Psychological Dynamics of Sport,* Human Kinetics, 1986.

Kremer J. a Scully D. *Psychology in Sport,* Taylor Francis, 1994.

NCF. *Psychology and Performance,* National Coaching Foundation, 1996.

Silva J.M. a Weinberg R.S. *Psychological Foundations of Sport,* Human Kinetics, 1984.

Weinberg R.S. a Gould D. *Foundations of Sport and Exercise Psychology,* Human Kinetics, 1995.